De mooiste handen van Delhi

Wilt u op de hoogte worden gehouden van de romans en literaire thrillers van uitgeverij Signatuur? Meldt u zich dan aan voor de literaire nieuwsbrief via onze website www.uitgeverijsignatuur.nl.

Mikael Bergstrand

De mooiste handen van Delhi

Vertaald door Corry van Bree

SIGNATUUR

2012

Omslagontwerp: Wil Immink Design
Foto auteur: Laurent Denimal
Typografie: Pre Press Media Groep, Zeist
Druk- en bindwerk: Koninklijke Wöhrmann, Zutphen

ISBN 978 90 5672 449 8
NUR 302

Dit boek is gedrukt op papier dat het keurmerk van de Forest Stewardship Council (FSC®) mag dragen. Bij dit papier is het zeker dat de productie niet tot bosvernietiging heeft geleid. Een flink deel van de grondstof is afkomstig uit bossen en plantages die worden beheerd volgens de regels van FSC. Van het andere deel van de grondstof is vastgesteld dat hiervoor geen houtkap in de laatste resten waardevol bos heeft plaatsgevonden. Daarom mag dit papier het FSC Mixed Sources label dragen. Voor dit boek is het FSC-gecertificeerde Munkenprint gebruikt. Dit papier is 100% chloor- en zwavelvrij gebleekt en wordt geleverd door Arctic Paper Munkedals AB, Zweden.

12 januari 2010

'Nou, wat vind je ervan? Is de salon niet mooi geworden na de make-over?'

Ik knik en glimlach. Salon Cissi ziet er nagenoeg hetzelfde uit. Ik ken niemand die zo graag voortdurend verandert en daar tegelijkertijd zo verschrikkelijk slecht in is als Cissi. De witte bank, die de laatste keer dat ik hier was links van een yuccapalm stond, heeft nu een rode hoes en staat rechts van een ficus benjamina. Ik weet het niet helemaal zeker, maar ik geloof dat de brunette met het androgyne pagekapsel op de ingelijste poster achter de toonbank eerder een blondine met een androgyn pagekapsel was.

'Het licht is heel anders met de nieuwe verf, vind je niet?'

Cissi kijkt met een verwachtingsvolle blik onder haar kaarsrechte pony naar me. Als ik haar niet zou kennen, zou ik zeggen dat ze me doet denken aan een onschuldig, nieuwsgierig kind.

'Absoluut,' zeg ik en ik zoek vergeefs in mijn herinnering naar de vorige kleur, die hoogstens twee nuances af kan liggen van de geelwitte kleur die de muren nu bedekt.

'Je bent afgevallen,' zegt Cissi.

'Ja, een paar kilo.'

'Mooi. Het geeft je gezicht een mannelijkere uitstraling.'

'Dank je,' zeg ik terwijl ik me even afvraag of ik er in haar ogen vroeger uitzag als een vetgemeste sukkel.

Ruim elf jaar geleden stapte ik voor het eerst bij Salon Cissi in de Östergatan in Malmö binnen met de onduidelijke opdracht van mijn toenmalige vrouw Mia om mezelf te moderniseren. Een half-uur later liep ik een paardenstaart armer naar buiten. Ik was bestolen van mijn identiteit.

De paardenstaart was vanaf het eind van mijn tienerjaren mijn trouwe metgezel, mijn troostdekentje dat ik rond mijn vingers draaide als ik zenuwachtig was en waarop ik sabbelde op momenten dat niemand me zag. En nu was het een welbespraakte kapster op de een of andere onverklaarbare wijze gelukt me over te halen die navelstreng door te knippen. Ik rouwde ongeveer een week om het verlies. Maar Mia was blij met het resultaat en toen de schok en het verdriet waren afgezakt, verzoende ik me met mijn nieuwe achterovergekamde haar. Ik leek ermee op vrij veel andere veertigjarige mannen in mijn genre, mannen die met tegenzin hadden ingezien dat ze niet konden blijven doen of ze jongens waren, maar die toch wilden uitdragen dat er nog wat rock-'n-roll achter het beginnende bierbuikje school. Mannen die zogenaamd creatieve beroepen hadden en die, als ze een colbertje droegen, meestal een versleten ribfluwelen variant kozen met een zwarte coltrui eronder. Mannen die banaal veel op elkaar leken. En toch beschouwde ik Cissie op dat moment – met de nietsontziende schaar in haar behendige handen – als de meest innovatieve kapster ter wereld.

Vandaag weet ik dat het niet meer dan een illusie was, dat het afknippen van de paardenstaart bepaald was door Mia. Cissi vertelde me dat vier maanden en zeventien dagen na de scheiding (die een feit was op 9 oktober 2000). Ze zei dat ze zich schaamde dat ze het niet eerder had verteld, maar ik merkte dat ze er stiekem een beetje van genoot.

Ik ben mijn haar blijven knippen en ik heb nog steeds hetzelfde kapsel. Mijn haar is iets grijzer en aanzienlijk dunner geworden. De grenzen verplaatsen zich doelbewust naar boven en naar binnen, als een oprukkend leger dat zijn vijanden vanaf twee flanken aanvalt. Hopelijk houdt de verdediging nog een paar jaar stand. Een achterovergekamd kapsel heeft tenslotte een haargrens nodig die niet helemaal gecapituleerd heeft.

'Zullen we deze lengte ongeveer aanhouden?' vraagt Cissi terwijl ze met haar hand een decimeter lengte in mijn nek aanwijst. 'Het is heel, heel lang geworden.'

Er klinkt verwachting in haar stem, alsof haar opmerking ervoor zal zorgen dat ik wat mededeelzamer word.

'Ja, dat is goed,' zeg ik en ik strek me uit naar de tijdschriften die op een kleine plank onder de spiegel liggen. Na drie vrouwentijdschriften vind ik een beduimeld exemplaar van het mannentijdschrift *Slitz* in de stapel. Ik heb er eerder in gelezen, zie ik als ik bij een artikel kom dat erover gaat hoe je een feministe moet versieren en op haar rug moet krijgen. De boodschap van de schrijver is dat je er niet op in moet gaan als de feministe haar theorieën over de patriarchale structuren in de samenleving begint te spuien, maar dat je een beetje moet brommen en ontwapenend en tegelijkertijd superieur moet glimlachen. Hoe ik ook mijn best doe, ik kan me niet voorstellen hoe zo'n glimlach eruit moet zien.

Ik blader verder en kijk vier seconden naar de middenpagina met de pin-up. Dat is lang genoeg om niet als preuts beschouwd te worden en kort genoeg om geen oude snoeper te lijken.

'Göran Borg! Wat heb je mooie handen! Heb je een manicure gehad?'

Cissi's uitroep overrompelt me. Ik voel hoe de blos zich razendsnel over mijn wangen verspreidt en mijn ontblote oren gloeien als chilipeper.

De regen slaat tegen het raam. Het ruikt naar rotte eieren in de salon. Zwak maar toch duidelijk onder de sluier van haarwater en parfum. Haarchemicaliën ruiken naar rotte eieren. Mia rook naar rotte eieren toen ze op een dag thuiskwam met witgeblondeerd haar. Dat was zeven maanden en zes dagen voordat we scheidden. Ik had toen al moeten beseffen wat er aan de hand was. Een vrouw van boven de veertig probeert niet ineens om eruit te zien als Marilyn Monroe als ze daar geen goede reden voor heeft.

Ik heb tot nu toe niemand ontmoet wie het is gelukt om Marcel Prousts kolossale *Op zoek naar de verloren tijd* uit te lezen. Ik betwijfel of zelfs iemand van mijn fatsoenlijke literaire vrienden verder is gekomen dan de beroemde scène in het eerste deel waarin de schrijver zijn madeleine in lindebloesemthee doopt en daardoor teruggaat in de tijd. Het is waarschijnlijk een van de meest geplagieerde schrijverstrucs van de afgelopen eeuw om door een geur of een smaak herinneringen tot leven te wekken die het begin van het verhaal vormen.

Ik ben toch van plan daar nu gebruik van te maken. We gaan terug naar de tijd waarin alles begon. Naar een grijze, winderige dag in januari, precies een jaar geleden.

12 januari 2009

1

Het rook licht naar rotte eieren in Salon Cissi.
'Dat kapsel staat je fantastisch! Je huid krijgt een prachtige glans en je ogen komen beter tot hun recht.'

De vrouw van middelbare leeftijd straalde terwijl ze naar de kassa liep om te betalen.

'Als je een shampoo wilt om je haar te beschermen en de kleur te behouden kun je tussen deze twee kiezen,' zei Cissi terwijl ze twee plastic flacons op de toonbank zette.

De vrouw bekeek de flacons van alle kanten terwijl Cissi nog twee flessen pakte en ernaast zette.

Typisch iets voor vrouwen om alles van alle kanten te bekijken, dacht ik.

Het eindigde ermee dat de vrouw van middelbare leeftijd alle vier de flacons plus drie andere haarverzorgingsproducten kocht voordat ze eindelijk haar jas aantrok, een tevreden blik in de spiegel wierp, haar capuchon over haar haar schoof en naar buiten liep. Cissi keek haar na terwijl ze zoals altijd de afgeknipte haarplukken bij elkaar veegde en naar mij knikte dat ik op de kappersstoel mocht gaan zitten.

'Dat is een vrouw in de menopauze die beslist terugkomt,' zei ze en ze glimlachte door het raam naar de vrouw, die nu op de stoep voor de salon stond. Ondanks de snijdende wind en de priemende regen had ze nog steeds een zonnige glimlach rond haar mond.

'De henna is tegen het grijze haar en de opgeknipte nekpartij tegen de opvliegers. Het slaat altijd aan. Vrouwen in de overgang zijn gek op dat kapsel. Kijk eens hoe gelukkig ze eruitziet,' ging Cissi verder. Ze zwaaide vrolijk naar de vrouw.

Ik lachte zwakjes terwijl Cissi de kapmantel om me heen sloeg, deed mijn ogen een paar seconden dicht en voelde me een pop in een cocon. Tijdens mijn regelmatige bezoekjes aan de salon was er een soort vertrouwen tussen ons gegroeid. Ik vertelde gemene anekdotes over mijn jongere collega's op het werk, die een hopeloos besef van historie hadden, en zij maakte gemene grappen over haar vrouwelijke klanten van middelbare leeftijd. Onze relatie was echter verre van ongecompliceerd. Het gevoelige punt was Mia, die net als ik nog steeds klant was bij Cissi.

'Ik heb gehoord dat Mia en Max over een paar weken naar Thailand gaan,' zei ze.

Mia en Max. Het klonk als twee Duitse stripfiguren uit de jaren dertig, gekleed in uniformen van de Hitlerjugend.

'Ja, dat vertelde ze toen we elkaar de laatste keer spraken.'

'Wat moet het fantastisch zijn om dit akelige weer te kunnen achterlaten. Hemel, ik heb zo'n hekel aan dit jaargetijde.'

'Ja, het is heel triest.'

'Ik heb gehoord dat de kinderen ook meegaan.'

'Nou, "kinderen", je kunt ze inmiddels wel als volwassenen beschouwen.'

Cissi giechelde en knipte een paar keer met de schaar in de lucht voordat ze aan mijn haar begon.

'Ik heb gehoord dat ze een heel luxe hotel hebben geboekt.'

Als ze nog één keer 'ik heb gehoord' zegt, dan ruk ik de schaar uit haar hand en knip ik haar oren af zodat ze nooit meer iets kan horen, schoot het door mijn hoofd.

Cissi veranderde van gespreksonderwerp. Een van haar talenten was haar feilloze timing, waardoor ze nooit langer over Mia praatte dan ik kon verdragen. De rest van de knipbeurt praatten we achtereenvolgens over Elisabet Höglund, George Bush en Linda Skugge. Vraag me niet waarom, maar het leek op de een of andere manier logisch. Intussen was er een vrouw van in de dertig de salon binnengekomen, die Cissi begroette en op de witte bank ging zitten. Ik gluurde een paar keer via de spiegel naar haar. Ze was heel mooi en had lange, rode krullen. Niet met behulp van henna, maar haar eigen kleur.

Nadat ze me had geknipt, probeerde Cissi een pot haargel met wetlook aan me te verkopen. Ik weigerde vriendelijk maar beslist.

'Zien we elkaar over twee maanden weer?' vroeg ze.

'Jazeker,' zei ik en ik gaf een tikje op haar arm.

Toen ik op straat stond keek ik door het raam de salon in. De mooie vrouw was op de kappersstoel gaan zitten. Cissi veegde mijn haar bij elkaar. Ze stak een hand op en zwaaide vrolijk naar me. Haar lippen bewogen. Het was heel duidelijk dat ze iets tegen haar nieuwe klant zei en plotseling begreep ik dat ze over mij praatte. Ik kon haar schelle stem natuurlijk niet horen, maar in mijn hoofd klonk de tekst: 'Dat is zo'n te dikke vijftigplusser die denkt dat hij cool is. Achterovergekamd haar slaat altijd aan. Mannen zijn daar gek op. Het verbergt de kale kruin en de lengte in de nek bedekt het rughaar.'

Dat zei ze ongeveer. Het onaangename gevoel dat er iets uit mijn handen glipte stroomde door me heen. Een gevoel dat werd versterkt door de snijdende wind.

2

Het lukte me om een taxi aan te houden en ik ging ineengedoken op de achterbank zitten. Toen we het Gustav Adolfsplein passeerden zag ik de man met de kromme rug, die ondanks de regen ook vandaag aan het begin van de voetgangerspromenade stond. Hij leunde op zijn rollator en droeg een T-shirt waarop met een viltstift in een onregelmatig handschrift de tekst ORGANISATIES VOOR PSYCHISCHE ZORG MOETEN OPGEHEVEN WORDEN was geschreven. Hij leek een symbool voor het absolute masochisme. Niemand van de andere mensen, die gedwongen waren in het vreselijke weer naar buiten te gaan, schonk aandacht aan zijn uitgestoken hand met de natte, gekreukte pamfletten.

De taxi bracht me naar De kleine Italiaan, een eenvoudig buurtrestaurant in een oude fietsenkelder in Lorensborg, op gepaste afstand van de beter bezochte lunchrestaurants in de stad, waar het risico om iemand van mijn werk tegen te komen groter was. De restauranteigenaar was inderdaad klein, maar heette Ljubomir en was geen Italiaan maar een Servische pizzabakker die zijn menukaart had uitgebreid met een aantal Italiaanse gerechten. Het eten was lekker, maar eerder Balkanees dan Italiaans. In bijna alles wat geserveerd werd was een zweem *ajvar* te proeven.

Ik bestelde pasta pesto, saltimbocca, twee kleine glazen licht bier en twee simpele espresso's, zodat het op de bon een klantenlunch leek. Eén keer per maand gunde ik mezelf zo'n uitgebreide lunch in mijn eentje, bij wijze van niet-officiële secundaire arbeidsvoorwaarde. Tot nu toe had de verantwoording ervan nooit problemen opgeleverd en ik had ook geen gewetensbezwaren over mijn gewoonte. De restaurants die ik koos waren naar verhouding goedkoop en min of meer de kers op de taart die je na zo'n lang dienstverband waard was, redeneerde ik.

Deze keer had ik na de maaltijd niet het gebruikelijke tevreden gevoel, maar had ik in plaats daarvan een zware klomp in mijn

'Ik heb niet zoveel fouten gemaakt.'

'Ja, dat heb je wel. Het afgelopen jaar hebben we elke externe technische oplossing waar jij bij betrokken was moeten herstellen. Zie het onder ogen, Göran. De tijden zijn veranderd. De diensten die we tegenwoordig aanbieden hebben niet veel te maken met waar jij je twintig jaar geleden mee bezighield.'

Ik was volkomen overdonderd. Na een dienstverband van meer dan twee decennia werd ik binnen twee minuten verpletterd door een ongetalenteerde vent met een Noordwest-Skåns accent. Door een ondermaatse sukkel met krijtstreepbroeken en lamswollen pullovers. En hij was nog niet klaar.

'Dat is niet het enige, Göran. Je hebt je niet correct gedragen tegenover Gisela.'

'Wat bedoel je daarmee?'

'Ze heeft het gevoel dat je misbruik van haar maakt.'

Ik werd overvallen door een kafka-achtig gevoel. Gisela was een van de drie vrouwen die bij het bedrijf werkten en bovendien de jongste en de mooiste. Ze had vrij grote borsten, en ze had de gewoonte om die naar voren te duwen als ze met je praatte. Misschien had ik een heel enkele keer een paar seconden te lang naar haar decolleté gekeken. Misschien was er een voorschrift in het gelijkheidsbeginsel van het bedrijf waarin dat verboden werd.

'Op welke manier heb ik misbruik van Gisela gemaakt?' vroeg ik gedwee.

'Je hebt haar een heleboel routineklussen gegeven en zelf beslag gelegd op de prestigieuze opdrachten. Je hebt de krenten uit de pap gehaald. Je hebt haar de mogelijkheid ontnomen een eigen basis te creëren en van daaruit te werken.'

Hij praatte alsof hij een tekst oplas, wat hij misschien ook deed aangezien hij af en toe op zijn computerscherm keek. Het was in elk geval een opluchting dat ik ervanaf kwam zonder beschuldiging van seksuele intimidatie. En als ik niet aanwezig was bij mijn eigen executie zou ik mijn mond minachtend vertrokken hebben bij Kents opmerking over prestigieuze opdrachten.

'Ik heb haar hulp gevraagd bij bepaalde technische details en ik heb het bedrijf de schande bespaard dat een werknemer met dyslexie persberichten schrijft,' zei ik in een laatste wanhopige poging om het tij te keren met een 'de aanval is de beste verdediging'-tactiek.

'Gisela heeft geen dyxe... dyxelexie.'

'En jij bent de juiste persoon om dat te beoordelen?'

Kent gaf geen antwoord maar pakte een vel papier. Hij bestudeerde het een seconde of dertig uitvoerig, wat voor mijn gevoel dertig minuten waren.

'Er is meer, Göran. Van de tijd die je op kantoor doorbrengt ben je zevenenveertig procent op internet aan het surfen.'

Ik dacht eerst dat hij een grapje maakte, maar er lag geen spoor van een glimlach op Kents gezicht.

'Bedoel je dat jullie tijd en geld besteden aan het controleren van de internetgewoonten van het personeel? Om er daarna verslag van uit te brengen in cijfers en percentages?'

'Ja, als dat gerechtvaardigd is.'

'Ik dacht in mijn naïviteit dat we ons bezighielden met communicatie en dat het internet thuishoort in onze IT-wereld. Dat het zelfs een belangrijk instrument is.'

Kent schoof zijn brilmontuur over zijn neusrug naar beneden en keek me strak aan. Ik kreeg het stellige gevoel dat het een ingestudeerd gebaar was. Misschien had hij het op een managementcursus geleerd.

'Dat hangt ervan af op welke websites je zit.'

'Ik heb nooit pornosites bekeken! Nog nooit!'

Als je je met een reflexmatige oerkracht verdedigt tegen iets waarvan je nog niet bent beschuldigd, betekent het dat je schuldig bent. Maar in dit geval was ik dat niet. Ik zou het nooit in mijn hoofd halen om in een open kantoortuin naar computerporno te kijken. Ik zag het nut er niet van in.

'Wind je niet op, Göran. Ik zeg niet dat je naar porno surft. Daarentegen heb je een ziekelijke belangstelling voor een website die Himmelriket heet. Als je op internet bent, zit je eenenzestig procent van de tijd op die site.'

'Dat gaat over voetbal,' piepte ik.

'Ja, dat heb ik begrepen. Over Malmö FF. Voor zover ik weet hebben we geen zakelijke contacten met Malmö FF. Toch heb je het afgelopen halfjaar gemiddeld twee uur en drieëndertig minuten van je dagelijkse werktijd op kantoor doorgebracht op het forum van Himmelriket. Wat me het meest verbaast is dat je niet deelneemt aan de discussies. Je lijkt alleen de bijdragen van anderen te lezen. Dat is heel merkwaardig.'

Op het moment dat Kent 'merkwaardig' zei, besefte ik dat het een gelopen race was. Hij had namelijk gelijk, die onnozele hals. Het was merkwaardig, op de grens van pervers, als een tweeënvijftigjarige man met een universitaire graad in zowel literatuurgeschiedenis als politicologie, met vijfentwintig jaar ervaring als copywriter en schrijver, met een verleden als niet onverdienstelijk drummer en met een zwarte coltrui onder een versleten ribfluwelen colbert, een derde deel van zijn werktijd besteedde aan het lezen van wat een aantal werkloze of werkschuwe voetbalnerds schreven over het voetbalteam van de stad. En dat drie maanden voordat de eredivisie begon.

'Ben jij een fan van Helsingborgs?' vroeg ik toonloos.

Voor de eerste keer tijdens ons gesprek keek Kent verbaasd. Daarna glimlachte hij een beetje.

'Nee nee, voetbal is niet mijn ding en Helsingborg is niet mijn stad. Ik kom uit Ängelholm en daar houden we van ijshockey. Rögle.'

Ik had moeten beseffen dat Kent een ijshockeymens was. Er is een cruciaal verschil tussen voetbalmensen en ijshockeymensen. Voetbalmensen hebben een verankering in de aarde, in de cultuur. Hockeymensen glijden als ontwortelde, verdwaalde zielen over de oppervlakte rond. Heel onnozel. Het was een onbetwistbare waarheid, ook al was ik op dat moment niet in staat om die te verdedigen.

Nadat Kent de laatste druppel bloed uit me had geperst werd hij meteen vriendelijker. Dat had hij waarschijnlijk ook geleerd op de managementcursus. Ik kreeg een aanbod waar ik geen nee tegen kon zeggen: een jaarsalaris als ontslagpremie; een goed getuigschrift; de belofte van twee consultatieopdrachten per jaar gedurende twee jaar (alleen schrijfwerk); en een mededeling aan het personeel waarin Kommunikatörerna het betreurde dat hun jarenlange werknemer Göran Borg er helaas voor had gekozen om zijn vleugels uit te slaan als freelancer.

Kent wilde zelfs een bescheiden afscheidsfeest voor me organiseren, maar dat stond mijn trots niet toe. Alleen al bij de gedachte met een drankje in mijn hand te proberen niet in Gisela's decolleté te kijken kronkelden mijn ingewanden als palingen.

'Ik zoek mijn spullen vanavond bij elkaar, als iedereen naar huis is,' zei ik.

3

De eerste drie dagen van mijn nieuwe leven – na Kommunikatörerna – bevond ik me in een bijna vegetatieve toestand. Ik was in leven, maar toonde weinig tekenen van menselijk intellect. Navelpluis en stofvlokken gedijden uitstekend op en rondom me. Ik verliet mijn flat aan het Davidshallsplein maar tien minuten per dag om naar de buurtwinkel op de hoek te gaan om eten in te slaan.

Het kauwgom kauwende meisje achter de kassa bekeek me elke dag met een mengeling van medelijden en afkeer terwijl ik min of meer dezelfde artikelen op de lopende band zette. Behalve een of ander diepgevroren magnetrongerecht, een paar blikjes Coca-Cola, brood en wat beleg was dat voornamelijk ijs. Ben & Jerry's in verschillende smaken, van Caramel Chew Chew tot New York Super Fudge Chunk. Het troostcentrum in mijn hersenen schreeuwde om Ben & Jerry's, vijand nummer één van Weight Watchers, met dezelfde dwangmatige nadruk als een krolse kat in maart naar katers roept. Het zag er niet goed uit. Je moest goedkope alcohol drinken of sigaretten zonder filter roken als je een crisis in je leven meemaakte in plaats van te zwelgen in calorierijk ijs.

Ik bood ongetwijfeld een pathetische aanblik zoals ik op de bank zat en met een lepel rechtstreeks uit de ronde ijsverpakkingen at terwijl ik hologig naar het plasmatelevisiescherm staarde. Als een scène uit een verfilmde chicklit, met het verschil dat ik geen relatief jonge vrouw met een beginnend gewichtsprobleem was die naar slechte middagsoapseries keek (en van wie je wist dat ze aan het eind haar prins zou vinden), maar een man van middelbare leeftijd met een bestaand gewichtsprobleem die naar herhalingen van Bundesligawedstrijden op Eurosport keek (en van wie je vrij zeker wist dat hij aan het eind zijn prinses niet zou vinden).

Maar het Duitse voetbal was robuust en verheffend, en op de vierde dag na Kommunikatörerna begon ik voorzichtig na te denken over wat er was gebeurd. Ik had een rode kaart gekregen van

Kent. Niet vanwege mijn taxigewoonten en representatiebonnen, waarover hij met geen woord had gerept, maar omdat 'de tijden veranderd waren'. De opmerking schreeuwde zozeer de dag des oordeels dat ik die niet in haar geheel kon verwerken. In plaats daarvan koos ik ervoor om mezelf te kwellen door naar de voetbalwebsite Himmelsriket te surfen.

Het was pijnlijk dat ik het zo had overdreven en dat ik van pure verveling op mijn werk tijd had verspild aan het lezen van slecht geformuleerde theorieën over de aankopen die Malmö FF voor het komende seizoen moest doen. Onnozeler kon het niet. En absoluut onwaardig voor een man die ooit culturele artikelen voor *Aftonbladet* had geschreven over de overeenkomsten tussen de Argentijnse tango en Argentijns voetbal, die als tiener in 1973 in het besneeuwde stadion van Gelsenkirchen was geweest en Bosse Larsson tijdens de selectiewedstrijd voor het wereldkampioenschap de strafschop tegen Oostenrijk had zien nemen, en die Zlatan Ibrahimović uitgebreid had geïnterviewd voor een glossy Nederlands zakentijdschrift toen hij de overstap naar Ajax in Amsterdam maakte.

Op een bepaalde manier was het beter geweest als ik was ontslagen omdat ik naar porno keek. Dan had ik hulp kunnen zoeken voor mijn seksverslaving. Ik had echter nog nooit gehoord over een ontwenningskliniek voor mannen van middelbare leeftijd die verslaafd waren aan voetbalblogs.

De vierde dag na Kommunikatörerna was een vrijdag. Mijn mobiel ging over en toen ik op de display zag wie het was besloot ik met tegenzin om op te nemen.

'Hallo, Erik.'

'Göran! Waarom neem je niet op?'

'Dat heb ik net toch gedaan?'

'Cool. Maar daarvoor. Ik probeer je al dagenlang te bereiken.'

'Sorry, ik heb het nogal druk gehad.'

'Waarmee, als ik vragen mag?'

'Daar kunnen we het beter een andere keer over hebben.'

'Goed, vanavond om acht uur in Bullen. De hele groep komt, behalve Sverre natuurlijk. Hij beweert dat hij migraine heeft maar ik durf er een honderdje om te verwedden dat dat wijf van hem hem vastgeketend heeft aan het fornuis.'

'Ik weet niet of dat lukt. Ik heb nogal een kater.'

'Die kun je het best genezen met een fles wijn. Kom op! Het is hartstikke lang geleden dat we allemaal bij elkaar waren. Ben je een vent of een mietje?'

Het was aanlokkelijk om 'mietje' te antwoorden, maar tegelijkertijd besefte ik dat ik vroeg of laat de buitenwereld tegemoet zou moeten treden en dat ik dat net zo goed in een kroeg kon doen waar ik me thuis voelde en die op strompelafstand van mijn flat lag als ergens anders. Ik hoefde tenslotte niet alle details te vertellen.

'Oké dan maar, om acht uur in Bullen.'

Erik Pettersson was mijn beste vriend, of in elk geval degene met wie ik het meest omging. We waren bevriend sinds onze middelbareschooltijd, toen we de nogal lawaaiige rockband Twins hadden opgericht, waarmee we een single hadden uitgebracht waarvan meer dan zevenhonderd exemplaren waren verkocht en die een paar keer op een plaatselijk radiostation was gedraaid. Maar we waren vooral een liveband, en er kwamen veel jonge mensen naar onze optredens in kleine clubs en op privéfeesten. Ik was de maatvaste drummer die op de achtergrond zat en me een slag in de rondte trommelde, terwijl Erik de charismatische zanger was die met een elektrische gitaar om zijn nek helemaal vooraan op het podium stond en de aandacht van alle meisjes kreeg.

Onze vriendschap bleef door de jaren heen bestaan. Eriks relaties met vrouwen waren zowel niet te tellen als spraakmakend. Hij was één keer getrouwd geweest, met een Turks supermodel, maar dat had maar drie weken geduurd. Vriendinnen had hij des te meer: een bekende Zweedse actrice, een Russische prima ballerina, een door Satan geïnspireerde dichteres uit Årjäng, een Deense bedrijfsmanager, een arts, een moeder van vier kinderen uit Lund, en daarnaast een ontelbaar aantal andere spannende en mooie vrouwen. Hij had geen kinderen gekregen maar wel meerdere harten gebroken. Een daarvan was van Mia, mijn ex-vrouw.

Mia Murén zat in onze parallelklas en ik had al vroeg een oogje op haar. Ze was niet mooi op de opzichtige manier die middelbareschooljongens aanspreekt. Haar neus was markant, op de grens van groot, en haar rechteroog loenste een beetje. Maar voor mij waren dat alleen charmante kleine gebreken die haar uiterlijk karakter gaven en die een perfecte aanvulling waren op het onweerstaanbare, lange en dikke kastanjekleurige haar dat los over haar schouders viel, het slanke maar toch welgevormde lichaam en de enigszins weemoedige glimlach. Toen ze bij onze optredens kwam kijken deed ik alles om haar aandacht te trekken. Ik stuurde kleine tromroffels en veelbetekenende blikken van het podium, gaf haar bier in de pauzes en nodigde haar uiteindelijk als een echte rocker uit om backstage te komen. Dezelfde avond ging ze met Erik mee naar huis.

Ik huilde tranen met tuiten in eenzaamheid. Ze waren drie maanden lang een stel tot hij het een week voor het eindexamen uitmaakte.

Mia huilde tranen met tuiten in het openbaar.

Ik probeerde haar onhandig te troosten en tegelijkertijd mijn blijdschap te verbergen omdat ze weer vrij was. Die keer gebeurde er niets tussen Mia Murén en mij. Na de zomer ging ze naar Parijs om een jaar als au pair te werken en daarna vertrok ze naar Stockholm om een opleiding tot fysiotherapeut te volgen.

Pas zes jaar later kruisten onze paden elkaar weer, op een feest bij de kennis van een kennis in Malmö, waar Erik toevallig ook aanwezig was. Hij had op dat moment zijn handen vol aan een Portugese fadozangeres en Mia en ik gingen die avond naar mijn kleine vrijgezellenflat, die maar op een steenworp afstand lag van mijn huidige, aanzienlijk grotere vrijgezellenflat. Een halfjaar later trouwden we en na nog een jaar woonden we in een rijtjeshuis in de villawijk Djupadal aan de rand van Malmö en hadden we een auto en een hond en niet veel later ook kinderen. Erik was trouwens getuige op onze bruiloft. Tot op de dag van vandaag herschrijft hij de geschiedenis door het verhaal te verspreiden dat hij degene was die ons had gekoppeld.

4

Net na acht uur 's avonds verliet ik mijn appartement en de Bundesligawedstrijden, gedoucht, geschoren en met een dikke, zwarte, geribbelde wintercoltrui onder mijn ribfluwelen colbert. Het regende en stormde niet meer, maar er hing nog steeds een gure vochtigheid in de avondlucht.

Ik ademde diep in door mijn neus en constateerde dat de sterren en planeten ondanks alles nog steeds ronddraaiden boven en rondom het Davidshallsplein, mijn eigen kleine universum.

Hier had ik mijn aangenaamste en bitterste herinneringen: de Petrischool aan de andere kant van Fersens väg, waar ik Mia voor het eerst had gezien; de eenkamerflat met kookhoek boven de stinkende pizzeria in de Erik Dahlbergsgatan, waar ik voor het eerst met Mia naar bed was geweest; en sushirestaurant Hai op het plein, waar ik Mia voor het eerst met Max had gezien – ze hielden elkaars hand vast op een pijnlijk lichte en zachte zomeravond. Dat was trouwens maar een paar panden verwijderd van de plek waar vroeger de staatsslijterij was gevestigd waar Erik en ik, voordat we oud genoeg waren om zelf drank te kopen, de spelers van het eerste team opwachtten, die tegen een kleine vergoeding Explorer aan ons doorverkochten. En dat was weer niet ver van de goedkope kroeg van Zoltan, waar je voor weinig geld een open fles azijnzure 'kunstenaarswijn' kon kopen, die bestond uit overgebleven restjes van de vorige avond. En die lag weer vlak bij Bullen, een van Malmö's oudste buurtcafés, dat nog steeds mijn tweede thuis was en eigenlijk Två Krögare heette.

Bullen was net zo klein als Salon Cissi. Het zag er nog precies zo uit als in de jaren zeventig, toen ik hier begon te komen, met donker medaillonbehang, rustieke houten tafels, een majestueuze tapkraan die op de bar troonde en een geperforeerd dartbord met bull's eye in het midden, waar het café zijn troetelnaam aan te danken had.

Ongeveer de helft van de gasten in het etablissement was ook hetzelfde, maar dan ruim dertig jaar ouder. Iedereen van onze groep, behalve Sverre, zat rond de stamtafel toen ik binnenkwam en probeerde er zo normaal mogelijk uit te zien.

'Dat is een tijd geleden,' zei Rogge Gudmundsson, voormalig communist en bassist van de Twins, die na zijn afscheid van Marx een groot vermogen had vergaard als beursanalist en belegger. Het was hem aan te zien. De palestinasjaal had hij al heel lang geleden afgedaan. Tegenwoordig was hij gekleed in op maat gemaakte overhemden met monogram en hij had een enorme Rolex om zijn linkerpols. Bovendien droeg hij schoenen met kleine leren kwastjes erop.

'Hallo, Rogge, alles goed?'

Hij knikte en schoof opzij zodat er plek voor me was. Er stonden twee flessen wijn op tafel. Erik vulde een glas tot de rand en schoof dat naar me toe.

Ik nam een flinke slok en praatte wat met Bror Landin, Eriks oude dienstgabber die zijn carrière was begonnen als vakantiehulp bij *Skånska Dagbladet* in Svedala maar al snel freelance theaterrecensent werd, iets waar hij zich nog steeds mee bezighield.

Ik had nog geen recensie van hem gelezen die niet minstens één negatieve opmerking bevatte. Bijzonder gedenkwaardig was een van zijn eerste recensies, die over *De nacht, de moeder van de dag* van Lars Norén, dat aan het begin van de jaren tachtig in Intiman in Malmö in première ging. Nadat hij het stuk had uitgeroepen tot het beste Zweedse toneelstuk, gebruikte hij het laatste derde deel van de recensie om een aantal kleine foutjes in het programmablad af te kraken. Het feit dat hij nooit volkomen tevreden was bepaalde Bror Landins karakter.

'Lekkere wijn, Erik, maar er zit te veel tannine in,' zei hij.

'Maar jij bent een zure oude zonderling, dus dat past uitstekend bij je!' riep Erik.

Behalve Bror Landin begon iedereen te lachen om zijn grap. Richard Zetterström barstte in een bulderende lach uit. Hij was achtenveertig en daarmee het jongste, maar ook langste lid van onze vergrijzende mannenclub. Richard had een verleden als massieve en veelbelovende voorstopper. We speelden samen bij Limhamns IF, een plaatselijke club in een lagere divisie. Ik zat voornamelijk op de reservebank terwijl Richard al op jonge leeftijd de geweldenaar van het eerste team was dankzij zijn zelfopofferende spel. De talentscouts van Malmö FF volgden hem intensief en wilden hem rekruteren toen een knieblessure op zijn eenentwintigste een eind maakte aan zijn carrière. Om die reden had hij een heel speciaal plekje in mijn voor voetbal kloppende hart.

Omdat Richard na de blessure net zoveel bleef eten als hij daarvoor had gedaan, werd hij al snel dik en na verloop van tijd moddervet. Hij is de enige die ik ken die een carrière heeft gebouwd op zijn vetzucht. Richard schreef gewaardeerde columns in verschillende tijdschriften en minstens de helft daarvan was een variatie op hetzelfde thema: hoeveel hij van eten hield en hoe erg hij hometrainers en diëten haatte.

En dan was er Mogens Gravelund, de kettingrokende galeriehouder met Deense wortels die meestal omgeven was door een dikke rookwolk. Als hij niet huiverend op het trottoir voor Bullen een van zijn sjekkies stond te roken, zaagde hij al hoestend door over het aanstaande jazzfestival in Kopenhagen, waarvan hij meer dan van wat ook ter wereld hield.

De enige die ontbrak was dus Sverre, hoofd Cultuur in Eslöv en de man die dertien jaar geleden zijn vrienden had verzameld en met de mannenclub was begonnen, maar die er de afgelopen drie jaar niet één keer bij geweest was. Een periode die toevallig samenviel met de tijd waarin hij opnieuw was getrouwd.

Niemand miste hem echter omdat Erik de natuurlijke leider was, de spil om wie alles draaide. Er waren momenten, als Erik er nog niet was, dat we over hem roddelden. Dan noemden we hem emotioneel gehandicapt omdat het hem niet lukte om een langere relatie met een vrouw te hebben of dat hij onvolwassen en lui was omdat hij geen vast beroep had. Hij viel in als muziekleraar en was reisleider, alsof hij nog een jongen was. En waarom las hij nooit actuele boeken of deed hij niet mee aan een cultuurdebat?

Het was allemaal jaloezie. Diep vanbinnen wilden we in elk geval af en toe net zo innemend, onverschrokken en onbekommerd flexibel zijn als Erik Pettersson. Voor een man van boven de vijftig zag hij er bovendien onwerkelijk jeugdig en goed uit. Hij had zijn blonde, golvende, dikke haar nog, zonder een spoor van grijs erin, en zijn lange, tengere lichaam was net zo pezig en lenig als dat van de jonge Mick Jagger. Het was alsof hij zich ook niets aantrok van de verouderingswetten.

Naarmate ik meer wijn dronk werd ik steeds relaxter in het gezelschap van mijn vrienden. Ik had er nog met geen woord over gerept dat ik niet meer bij Kommunikatörerna werkte en had besloten om er ook niet over te beginnen toen Richard Zetterström zonder waarschuwing vooraf plotseling luidkeels, zodat alle anderen het hoorden, aan me vroeg hoe het op mijn werk ging. Toen ik geen antwoord gaf, vroeg hij verder: 'Is die onnozele snotneus uit Ängelholm nog steeds je baas?'

Alsof het een afgesproken teken was verstomde de conversatie rond de tafel en alle blikken waren op mij gericht. Ik voelde dat mijn keel dichtgeknepen werd.

'Ja, hij is er nog. Maar ik ben gestopt.'

'Ben je ontslagen?' vroeg Erik.

'Nee, ik ben niet ontslagen. Ik heb ontslag genomen.'

'Wanneer?'

'Een paar dagen geleden.'

De onaangename stilte duurde voort. Ik kon mijn eigen hartslag horen en voelde paniek opkomen, maar ik werd gered door Rogge Gudmundsson.

'Dat werd tijd, Göran! Ik heb nooit goed begrepen waarom je zo lang in die fabriek bent gebleven, maar ik geloofde eerlijk gezegd niet dat je de stap om daar weg te gaan zou durven nemen.'

'Tja, ik voelde dat het tijd was. Ik word er tenslotte niet jonger op en als ik nog iets wil bereiken moet ik daar nu mee beginnen,' zei ik, gesterkt door de positieve wending die het gesprek nam.

'Wat ben je nu van plan te gaan doen?' vroeg Bror Landin met een achterdochtige frons tussen zijn borstelige wenkbrauwen.

'Ik ga meer voor kranten en tijdschriften schrijven. Dat ligt me tenslotte na aan het hart.'

'De freelancemarkt is verschrikkelijk moeilijk op dit moment,' zei hij.

'Ik heb al een paar opdrachten.'

Erik keek naar me met een spottende glimlach. Ik besefte dat hij besefte dat ik loog. Hij had echter het fatsoen om dat niet te zeggen.

'Dan moeten we nog een fles wijn bestellen om te vieren dat Göran de tredmolen de rug heeft toegekeerd en eindelijk vrij is,' zei hij in plaats daarvan. 'Proost, vriend!'

Ze hieven allemaal hun glas en we toostten eensgezind. Ik had mijn vrienden voorgelogen, maar had daar geen seconde spijt van.

Ik voelde alleen opluchting omdat ik er zo gemakkelijk van af was gekomen.

Het werd een buitengewoon natte avond. Rogge Gudmundsson begon, zoals altijd als hij voldoende gedronken had, progrocknummers van Nationalteatern te zingen, en het lukte Richard Zetterström om, hoewel de keuken dicht was, *pytt i panna*, een Zweeds eenpansgerecht, en alsembrandewijn te bestellen. Uiteindelijk zaten alleen Erik en ik nog aan de tafel, met alle glazen met doodgeslagen bier en restjes wijn. Ik overwoog om een 'Zoltan' te maken en de avond in stijl af te sluiten met kunstenaarswijn, maar ik was al dronken en besloot om naar huis te gaan.

'Ik denk dat ik maar eens ga,' zei ik aarzelend tegen Erik, waarna ik op enigszins onvaste benen overeind kwam.

Hij trok me weer op mijn stoel.

'Hoeveel heb je gekregen?'

Ik keek hem niet-begrijpend aan.

'Wat bedoel je?'

'Toe nou, Göran. Je bent de ergste veiligheidsjunk die ik ken. Je draagt altijd dezelfde kleding en hetzelfde kapsel. Je woont in dezelfde wijk als toen je de eerste keer vrijgezel was en je denkt voortdurend aan dezelfde vrouw hoewel ze niet meer van jou is. Je hebt al vijfentwintig jaar dezelfde baan en je hebt er nog nooit over gerept om daar weg te gaan. Het is absoluut onmogelijk dat je ontslag hebt genomen. Hoeveel moesten ze betalen om van je af te zijn?'

'Een jaarsalaris.'

Ik zakte in elkaar en keek naar beneden. Erik legde zijn hand op mijn schouder.

'En wat ben je nu van plan?'

'Ik weet het niet.'

'Je hebt je dus opgesloten. Nam je daarom de telefoon niet op?'

Ik knikte. Erik kneep stevig in mijn schouder, op de manier zoals mannen doen als ze dronken zijn of niet goed weten wat ze moeten zeggen. Na een paar minuten verbrak hij de stilte.

'Ik weet precies wat je op dit moment nodig hebt. Ga met me mee op mijn volgende reis. Er is plek in de bus en we kunnen de hotelkamer delen. Het hoeft je niet meer te kosten dan het vliegticket. We gaan pas over drie weken weg, dus je hebt voldoende tijd om je voor te bereiden.'

Ik voelde me ineens volkomen nuchter.

'Op reis? Nee, ik denk dat ik aan de problemen die ik nu heb moet werken. Het is niet goed om daarvoor te vluchten.'

Erik zuchtte hardop en schudde zijn hoofd.

'Dat klinkt natuurlijk heel verstandig, maar ik weet dat je het alleen zegt omdat je zo'n lafaard bent. Verdomme, Göran! Je kunt op zijn minst toch vragen waar we naartoe gaan?'

'Dat ben ik niet van plan,' zei ik vastbesloten.

'Goed, dan krijg je een aanwijzing. Of eigenlijk zijn het er drie: cricket, curry en corruptie.'

'India? Nooit van mijn leven!'

5

En van de pijnlijkste incidenten in mijn leven vond plaats toen ik negentien was. Hoewel ik eigenlijk niet in het eerste elftal van Limhamns IF speelde, mocht ik na een paar late afzeggingen mee naar een trainingskamp in Boedapest. Het was in de communistentijd, toen de weinige toeristen met hun felbegeerde westerse valuta koninklijk werden behandeld.

Als we niet trainden op een afgetrapt voetbalveld aan de rand van de stad zaten we in een chic hotel in het centrum en we konden ons in principe alles permitteren. Niet omdat het aanbod zo overdadig was, maar er was voldoende drank en de tweede avond hadden we ons verzameld in de kamer van de twee oudste spelers van het elftal om iets te drinken voor het diner. Whisky- en wodkaflessen werden doorgegeven en ik dronk in een tempo waaraan ik niet gewend was. Mijn zwijgzaamheid verdween en ik voerde het tempo nog wat op. Toen de geroutineerde aanvoerder voorstelde om een drinkwedstrijd te houden was ik de enige die de uitdaging aannam.

Daarna herinner ik me helemaal niets meer totdat ik wakker werd in mijn bed en naar Richard Zetterströms ongeruste gezicht staarde. Ik had gekotst, ik had in mijn broek geplast en zelfs gepoept, maar dat was bij lange na niet het ergste. Ik had tijdens het enorme gat in mijn geheugen varkenskarbonades als frisbees gebruikt en onder de kristallen kroonluchters door het restaurant gegooid, had in de armen van een prostituee gehuild, was naakt door de hotelgang gerend, had de petten van twee liftjongens afgepakt en was ternauwernood ontsnapt aan een arrestatie door de hardhandige Hongaarse politie. Mijn teamgenoten vertelden me dat allemaal met een pijnlijke overvloed aan details, die ik niet in twijfel kon trekken omdat ik me niets herinnerde.

Ik had een kater die twee dagen duurde, waardoor ik niet mee kon doen aan de trainingen. Maar ik had met liefde een week lang een kater gehad als ik daarmee had kunnen ontsnappen aan de voortdurende steken onder water tijdens de rest van het verblijf in

Boedapest en nog een hele tijd daarna in de kleedkamer onder de lekkende, oude, houten tribunes rond het sportveld van Limhamn.

Na die gebeurtenis verbond ik reizen aan pijnlijke situaties. Zodra ik de naam Boedapest hoorde begon ik te blozen. Het was natuurlijk logischer geweest om te stoppen met drinken, maar tot zo'n offer was ik niet bereid.

Nee, buitenlandse reizen bleven voor mij een heet hangijzer. Door mijn werk was ik weliswaar gedwongen om af en toe binnen Europa te vliegen, maar in mijn privéleven bleef ik het liefst thuis. Toen de kinderen klein waren, kwamen we niet verder dan Legoland, en de enige buitenlandse reis die ik met Mia heb gemaakt, was een lang weekend naar Barcelona. Dat was een jaar, twee maanden en drie dagen voor de scheiding.

En toch stond ik hier nu, voor de spiegel in de hal, met een arm die pijn deed van de vaccinatie en een retourticket Kopenhagen-New Delhi in mijn hand.

Ik begreep niet goed hoe het zover had kunnen komen. Misschien had Ola Magnell gelijk toen hij zong dat je pas nieuwe perspectieven kunt zien als je de laatste draad van het veilige oude leven hebt losgelaten. Of anders was het gewoonweg een uiting van pure gestoordheid.

Ik zou met Erik meegaan naar India voor een busreis van een week die 'de Gouden Driehoek' werd genoemd, met verblijven in New Delhi, Jaipur, Agra en het tijgerreservaat in Rajasthan. Erik was al meerdere keren reisleider tijdens soortgelijke reizen geweest, en nu had hij een contract bij een nieuw reisbureau met de net zo veelbelovende als angstaanjagende naam 'Ongelofelijk India!'.

Als ik had geweten dat de Indiase ambassade in Stockholm niet alleen zeshonderd kronen wilde hebben, maar ook informatie over alles, van mijn schoenmaat tot de naam en geboortedatum van mijn overleden vader, om een eenvoudig toeristenvisum af te geven, had ik misschien alsnog op tijd nee gezegd. Toen de bal eenmaal rolde bleek er echter geen weg terug te zijn.

'Jezus, Göran! Je hoeft geen harttransplantatie te ondergaan. Je gaat op vakantie met je beste vriend,' zei Erik toen ik hem op een avond belde in een poging het af te zeggen.

Nu zouden we over een dag vertrekken. Ik had mijn moeder gebeld en haar verteld over de aanstaande reis. Ze zei dat ze het een goed idee vond dat ik eindelijk iets van de wereld ging zien, waarna ze zich verontschuldigde, zei dat ze haast had omdat ze ging golfen en ophing. Richard Zetterström, die net als ik vrijgezel was, had beloofd om mijn post te regelen en de planten water te geven in de tijd dat ik weg was. Alles was geregeld en ik was klaar voor vertrek. Het enige wat overbleef was een ontmoeting met mijn dochter Linda, van wie ik afscheid wilde nemen. Zo onheilspellend dacht ik echt: 'afscheid nemen', met beelden van bloeddorstige Rajasthaanse tijgers op mijn netvlies.

We hadden elkaar door de telefoon gesproken maar hadden elkaar sinds Kerstmis niet meer gezien, dus was ik een beetje zenuwachtig toen er aangebeld werd. Linda leek heel veel op haar moeder, zowel wat karakter als uiterlijk betreft. Ze had echter mijn groene ogen, en telkens als ik daarin keek voelde ik opluchting omdat ik juist dat aantrekkelijke genetische erfgoed had nagelaten en niet mijn krachteloze lichaamshouding bijvoorbeeld.

'Je ziet er moe uit, papa,' zei ze, waarna ze me omhelsde.

We gingen op de bank in de zitkamer zitten. Ik had koffie en Ben & Jerry's op tafel gezet. Dat was nog iets wat mijn dochter en ik deelden: een passie voor calorierijk Amerikaans ijs.

'Ik snap niet dat je ontslag hebt genomen. En dat je naar India gaat! Is het een soort verlate vijftigerscrisis?'

'Misschien wel,' glimlachte ik opgelaten.

'Wat is er gebeurd?'

'Ik weet het niet goed, ik had gewoon genoeg van Kommunikatörerna en wilde mijn vleugels uitslaan.'

'Is dat niet een beetje laat?'

'Het is nooit te laat om aan iets nieuws te beginnen,' zei ik. Ik hoorde zelf hoe onecht het uit mijn mond klonk.

Linda keek naar me met een sceptische uitdrukking op haar gezicht voordat ze begon te klagen over de muziek die uit de Bang & Olufsen-luidsprekers stroomde: *Old Habits Die Hard* van Mick Jagger.

'Heb je alleen oude muziek?'

Ik zette een cd van Timbuktu op: *The botten is nådd*.

'Alsjeblieft, papa!'

'Hoezo? Ik dacht dat je iets jeugdigs wilde horen.'

'En dan zet je Timbuktu op! Hij speelt met bejaarden zoals Mikael Wiehe en Nisse Hellberg. En doet geloof ik ook iets met Peps Persson en Jacques Werup.'

Het was haar binnen vier seconden gelukt om vier van mijn Skånse cultuuriconen af te doen als hopeloos ouderwetse musici en niets heel te laten van de enige jonge plaatselijke musicus voor wie ik waardering had. Een duidelijker oudemannenstempel kon mijn twintigjarige dochter me niet geven.

Maar Linda had het onderwerp al laten varen en lepelde uit de ronde Ben & Jerry's-verpakking. Ze leunde achterover op de bank en likte de lepel gelukzalig af.

'Het is net een drug, vind je niet?'

'Wat?'

'IJs. Verslavend lekker! Als je er niet zo dik van werd, zou ik er minstens een beker per dag van eten.'

'Je bent niet dik, Linda.'

'Dat weet ik, maar jij begint dat wel te worden, papa.'

'Dank je wel.'

'Alsjeblieft.'

'Hoe gaat het op de universiteit?'

'Ik stop met mijn studie.'

'Waarom?'

'Ik ga in de herfst op reis en ik moet werken om dat te kunnen betalen.'

'Maar dat is toch zonde van zo'n mooie studie?'

Linda ging rechtop zitten en pakte haar kopje. Ze nam een slokje van de hete koffie en glimlachte scheef.

'Je weet niet eens wat ik studeer.'

'Dat weet ik wel.'

'Zeg het dan!'

'Kunstwetenschappen.'

'Filosofie.'

'Precies, dat bedoelde ik.'

'Nee, dat bedoelde je niet. Je bent gewoon hopeloos in het bijhouden van wat je kinderen doen. Wanneer heb je voor het laatst met John gepraat?'

'Niet zo lang geleden.'

'Oké. Hoe heet zijn vriendin?'

'Is dit een soort overhoring? Ze heet Amanda.'

'Ze heette Amanda. Nu heet ze Hanna. En dat komt niet omdat ze een andere naam heeft aangenomen maar omdat het een nieuw meisje is. En dat betekent dat je minstens zes maanden geen belangrijke dingen hebt besproken met John, want zo lang zijn ze al bij elkaar.'

Mijn slechte geweten verscheurde me. Als het om Linda's drie jaar oudere broer ging was ik verschrikkelijk slecht in het in stand houden van iets wat op een vader-zoonrelatie leek. Hij studeerde voor arts in Lund en was een prima knul. Goedaardig, doelgericht en erg knap. We waren totaal verschillend.

'En je bent vergeten te vragen waar mijn reis naartoe gaat,' zei Linda, die nu echt op stoom was gekomen.

'Oké, waar ga je naartoe?'

'Naar Colombia.'

'Met wie?'

'Alleen.'

'Je gaat als jong meisje niet alleen naar Colombia.'

'Waarom niet?'

'Doe niet zo onnozel, Linda!'

'Je bent zo bevooroordeeld, papa, maar het was een grapje. Ik ga met Steffi naar Londen. We gaan in een bar werken.'

'Dat vind ik geen goed idee.'

'Waarom niet?'

'Omdat er heel veel gevaren op de loer liggen voor jonge meisjes in bars in Londen.'

'Kun je iets duidelijker zijn?'

'Alcohol, drugs ... kerels met slechte bedoelingen.'

'"Kerels"? Je bedoelt jongens?'

Zo gingen we een tijdje door, tot ze het zat was en we de rest van het ijs opaten. Daarna vertelde ze over Thailand en hoe ze ernaar uitkeek om daarnaartoe te gaan, twee dagen na mijn vertrek naar India.

'Het is een klein eiland voor Phuket. Heel luxe. John en ik slapen in een bruidssuite. En we vliegen businessclass. Max heeft belachelijk veel bonuspunten, die hij krijgt door al zijn zakenreizen.'

'Dan slapen Max en Mia waarschijnlijk ook in een bruidssuite?'

'Je klinkt jaloers.'

'Dat ben ik niet. Het was gewoon een vraag, Linda. Vertaal niet alles wat ik zeg.'

'Nu klink je boos.'

'Dat klink ik niet!'

'Oké.'

Ik wilde dat er nog wat Ben & Jerry's was. Ik voelde dat het troost-centrum in mijn hersenen het nodig had.

Daarna namen we afscheid. Linda omhelsde me.

'Zorg goed voor jezelf, papa.'

6

ijdens de tussenstop in Helsingfors was Erik al een flink
eind op weg om de enige vrouw in het reisgezelschap die
single en aantrekkelijk was te versieren; een enigszins mystieke, middelblonde schoonheid van een jaar of vijfendertig met grote ronde oorbellen en een zongebruinde huid. Ze paste totaal niet bij de groep, die verder voornamelijk bestond uit winterbleke gepensioneerde stellen. Erik had ervoor gezorgd dat hij tijdens de vlucht naar Kopenhagen naast haar zat.

'Oké, beste mensen, de tijd tot we aan boord van het vliegtuig naar Delhi gaan kunnen jullie naar eigen inzicht besteden. We zien elkaar om precies één uur bij de gate. Als jullie mij voor die tijd nodig hebben, zit ik daar,' zei hij terwijl hij naar een groot, open terras met een bar en een zelfbedieningscounter wees. 'De luchthaven van Helsingfors heeft veel leuke barretjes en restaurants. Een deel van de charme van op vakantie zijn is tenslotte dat je jezelf iets extra's gunt,' ging Erik verder.

Ze bleven allemaal in een kring om hem heen staan.

'Hoe zit het met de taxfreewinkels? Zijn de prijzen hier redelijk?' vroeg een mollige vrouw, die net als haar mollige man een neongroene heuptas om haar middel droeg.

'Een heel goede vraag,' zei Erik met een brede glimlach. 'Een fles whisky kun je altijd kopen om de reis wat glans te geven en eventuele maagbacteriën schaakmat te zetten. Maar als ik jullie was, zou ik met de grote inkopen wachten tot we in India zijn. Daar is alles veel goedkoper en ik beloof jullie dat jullie alle gelegenheid krijgen om kwalitatief hoogwaardige producten tegen afbraakprijzen te kopen,' zei hij.

'Kun je daar afdingen?' vroeg de vrouw met de heuptas.

'Natuurlijk kan dat,' zei Erik met een knipoog. 'Maar op de plekken waar ik jullie mee naartoe neem heb ik de prijzen al zoveel gedrukt dat de speling om af te dingen vrij klein is. Na meer dan veertig reizen naar India heb ik daar een beetje routine in gekregen.'

Een geïmponeerd gemompel verspreidde zich door de groep.

'Dan zien we elkaar om één uur bij de gate,' herhaalde Erik voordat hij naar me toe liep en zijn stem liet dalen.

'Vind je het goed als ik een beetje met haar ga praten?' vroeg hij met een subtiel hoofdgebaar in de richting van de middelblonde vrouw.

'Als we in India zijn kunnen we meer tijd met elkaar doorbrengen. We delen tenslotte een kamer en ...'

'Maak je niet druk, Erik. Ik ben een volwassen man. Je hoeft mijn hand niet de hele tijd vast te houden.'

'Ik wil alleen dat je weet dat ik verschrikkelijk blij ben dat je meegaat,' zei hij terwijl hij mijn schouder vastpakte en knipoogde. Daarna liep hij weg en ging met zijn nieuwe kennis op het terras zitten.

Ze dronken samen thee en ik zag dat hun voeten elkaar onder de tafel raakten. De andere leden van het reisgezelschap gingen aan de naburige tafels zitten. Ik belandde naast een man van een jaar of vijfenzestig uit Nässjö, die net als zoveel andere mannen uit Småland die ik had ontmoet diep onder de indruk was van de eveneens uit Småland afkomstige oprichter van IKEA en daarom aan een ernstig Ingvar Kampradcomplex leed. Hij was aangestoken door Eriks verhaal over de koopjesjacht in India en schepte erover op dat hij als jongen langs de boerderijen buiten Nässjö was gefietst om breipatronen en naaigerei aan de boerinnen te verkopen, waarna hij eerst een postorderbedrijf was begonnen dat schoonmaakmiddelen verkocht en daarna een bedrijf dat de grootste Zweedse producent van softijsmachines was.

'Het is belangrijk om je geld vast te houden,' lachte hij hinnikend terwijl hij op zijn dikke portefeuille klopte, waarna hij een snuiftabaksdoos tevoorschijn haalde en een grote pluk tabak onder zijn bovenlip stopte. 'Ik zou het nooit in mijn hoofd halen om iets op een luchthaven te kopen, daarvoor hoefde de reisleider me niet te waarschuwen. Wacht maar tot we in India zijn, dan zal ik je laten zien hoe je zo moet afdingen dat de Indiase koopmannen bloedige tranen storten.'

Ik glimlachte geforceerd en bedacht dat er ergens diep in de bossen van Småland een enorm centraal magazijn moest staan waar je je eigen Ingvar Kampradkopie kon uitzoeken, dat in een plat pakket werd geleverd en dat je zelf met een inbussleutel in elkaar moest zetten.

Aan de tafel naast ons zaten drie breedgeschouderde Finse mannen in pak. Ze dronken rode wijn, bier, longdrinks en Koskenkorva die op smaak was gebracht met salmiak. Alleen echte Finnen kunnen op het idee komen om al die verschillende alcoholische dranken met zoveel methodische gedecideerdheid te combineren. Ze werden niet luidruchtig, zoals wanneer de Zweden het op een zuipen zetten. Nee, het gebeurde consequent en doelgericht. Ze leegden glas na glas zonder dat het invloed had op de intensiteit of het volume van hun bondige gesprekken. De enige zichtbare reactie was een enigszins troebele blik in hun ogen en gezichten die steeds roder werden. Na anderhalf uur kwamen ze op verbazingwekkend vaste benen overeind, pakten hun laptoptassen en liepen weg.

Erik was nog verder gevorderd met zijn verovering en fluisterde nu iets in het oor van de schoonheid wat een sensuele glimlach veroorzaakte. Hoe speelde hij het verdomme klaar om alle vrouwen uit zijn hand te laten eten? Ik raakte steeds geïrriteerder en probeerde mezelf af te leiden met mijn net gekochte Indiase reisgids, maar toen ik bij het hoofdstuk over ziektes was legde ik hem weg. Mijn maag was al een beetje van streek van de zenuwen en het voelde niet prettig om me te verdiepen in aandoeningen zoals malaria en dysenterie.

Omdat we vertraging hadden moesten we een uur wachten voordat we aan boord van het Finnair-toestel naar New Delhi konden. De meeste passagiers waren Indiërs op weg naar huis en het gros van hen had een aanzienlijke hoeveelheid handbagage bij zich. Grote dozen dichtgesnoerd met touw, volgepropte plastic tassen en kleine koffers tot barstens toe ingepakt werden met geweld in de bagagevakken en onder de stoelen geperst, begeleid door levendige betogen in Hindi vermengd met Engels.

Het was de eerste keer dat ik het karakteristieke en opvallend melodieuze middenklasse-Indiaas, dat ook wel Hinglish werd genoemd, hoorde. Hoewel ik een paar Engelse woorden kon onderscheiden, was het onmogelijk om te bepalen of de mensen elkaar irriteerden of gewoon levendig praatten. In mijn oren klonk het als Vicky Pollard in *Little Britain*, maar dan snel achteruitgespoeld.

Toen de bagage eindelijk op zijn plek lag en iedereen tevreden op zijn stoel zat, verspreidde de rust zich in de cabine. Even later vlogen we boven de wolken. Het Zweedse reisgezelschap van Ongelofelijk India! zat helemaal vooraan in de economyclass, met Erik en zijn verovering naast elkaar. Ze sliep met haar hoofd op de schouder van de reisleider.

Omdat ik officieel niet bij het gezelschap hoorde, maar min of meer als verstekeling meeging, had ik een stoel verder naar achteren in het vliegtuig, ingeklemd tussen twee Indiërs. Links van me zat een man met diepliggende ogen en een kleine maar flatterende snor boven een paar volle lippen. Hoewel het minstens vijfentwintig graden in de cabine was, hield hij zijn grote, flodderige jas aan. Dat betekende dat ik gedwongen was om een stukje naar rechts te leunen en daardoor in nauw contact kwam met een omvangrijke Indiase in een kleurige sari die haar dikke buik onbedekt liet. Ik probeerde met mijn ellebogen wat meer beweegruimte te creëren, maar het was alsof ze gewoon verdwenen in mijn medepassagiers. De aanraking leek helemaal geen indruk op ze te maken, en na een uur gaf ik mijn hopeloze gevecht op en liet ik me in plaats daarvan omsluiten door hun lichamen.

7

'*B*een *in India before?*' vroeg de man plotseling.
'*No,*' antwoordde ik kort.
'*Then you better prepare yourself, sir,*' lachte hij en hij wenkte een van de stewardessen. '*Two large whisky with sodawater, please.*'

De rest van de vliegreis dronken mister Varma en ik heel wat glazen met elkaar. Hij vertelde dat hij in India als coördinator voor Nokia werkte en na een week vol vergaderingen in Helsingfors op weg naar huis was.

Mister Varma stond erop dat ik de whisky met water zou mengen als een echte Indiër, en overtuigde me ervan dat het ook een uitstekende tafeldrank was.

Van de achterdocht die ik in het begin van ons gesprek jegens hem koesterde was niets meer over toen we ons in het luchtruim boven Kabul bevonden. Ik voelde me in plaats daarvan dankbaar en veilig in zijn gezelschap en slikte het meeste wat mister Varma vertelde. Hij kreeg me zelfs zover om het vegetarische Indiase alternatief te kiezen en ook nog te eten toen de avondmaaltijd werd geserveerd. We kregen een soort stoofschotel met zachte, smakeloze, ondefinieerbare witte blokken, die gedrenkt waren in een zacht gekruide spinaziesaus. Mister Varma legde uit dat het *paneer* was, een geitenkaas die volgens hem geserveerd moest worden met veel meer pit en met groene chili als bijgerecht.

'Het zal heerlijk zijn om thuis te komen en weer echt voedsel te eten na al die Finse pasteitjes. India heeft de beste keuken ter wereld,' zei hij, waarop de vrouw met de dikke buik instemmend humde.

Ik had Boedapest in mijn herinnering en voldoende karakter om te weigeren toen mister Varma na de maaltijd nog een whisky voor ons allebei wilde bestellen.

Het vliegtuig landde niet veel later met een gedecideerde klap op Indira Ghandi International Airport, en voordat we naar de gate hadden kunnen taxiën stond meer dan de helft van de Indiase passagiers van hun stoel op en begon tassen en zakken uit de bagagevakken te halen. De Finse stewardessen probeerden ze niet eens tegen te houden, en later zou ik begrijpen waarom: je houdt een Indiër die in beweging is niet tegen, omdat er dan een besluiteloze verwarring ontstaat die de georganiseerde chaos verstoort.

Ik nam hartelijk afscheid van mister Varma en sloot me aan bij Erik en de overige Zweden tijdens een bijzondere, labyrintachtige wandeling die ruim een uur duurde. Deze bracht ons onder meer langs een medisch centrum, waar een vermoeide arts met een mondkapje voor de kaart stempelde die we in het vliegtuig hadden ingevuld, een norse pascontroleur, die ervan leek te genieten lange rijen en nerveuze zweetdruppels op het voorhoofd van de toeristen te veroorzaken, het tumultueuze geduw bij de bagageband, en een stop waar we het onderste deel moesten afgeven van het papier waarvan de pascontroleur het bovenste deel had ingenomen, en dat ik al kwijt was.

'Het hindert niet. Loop gewoon vastbesloten door. Niet aarzelen,' instrueerde Erik me. Zijn advies werkte.

In de aankomsthal leidde Erik ons als een veldheer langs een wirwar van chauffeurs met bordjes met namen van reizigers die afgehaald moesten worden, en duwde ons daarna door de uitgang, die werd versperd door nog meer mensen. De geur van Delhi kwam me tegemoet. Het rook niet naar wierook of curry in de verrassend koele avondlucht, maar naar rotte eieren. Tegelijkertijd leek het alsof er een wedstrijd werd gehouden wie het vaakst en het hardst kon toeteren. De koppige claxons van de auto's vermengden zich met geschreeuw en keiharde Indiase muziek van een van de theekraampjes die vlak buiten de terminal stonden.

Er waren zoveel mensen dat ik er duizelig van werd. Alles vloeide samen tot een traag stromende rivier, waarin ik alleen de tulbands van de sikhs kon onderscheiden, die als veelkleurige tulpenbollen uit de mensenzee staken. Het was kwart over twaalf 's nachts plaatselijke tijd en ik probeerde een zinnig antwoord te bedenken op mijn vraag wat ik hier eigenlijk deed, toen Eriks bevel mijn overlevingsinstinct wekte.

'We blijven als groep bij elkaar zodat er niemand kwijtraakt!'

Ik werd me er pijnlijk van bewust hoe doodsbang ik was om kwijt te raken. Daarmee werd ik meteen een dankbare prooi voor de dragers die rond onze groep cirkelden en om het hardst schreeuwden.

'*Welcome to India! I show you way to bus! Don't worry, sir! I carry your bag!*'

'Laat ze jullie bagage niet dragen. Dan willen ze een fooi en jullie hebben nog geen Indiaas geld!' riep Erik.

Het was al te laat. Een tienerjongen in een vies overhemd en een gabardine broek met verbazingwekkend scherpe vouwen had al beslag op mijn koffer gelegd en weigerde die los te laten voordat we bij onze bus waren. Ik haalde een vijfdollarbiljet tevoorschijn dat ik hem gaf, waarna hij razendsnel verdween alsof hij bang was dat ik het terug zou willen. Toen ik eindelijk in de bus zat ging de man uit Småland naast me zitten.

'Ik zag wat je die knul gaf. Weet je dat dat in India een weekloon is?' vroeg hij terwijl hij vol leedvermaak met half dichtgeknepen, waterige ogen naar me keek.

Ik mompelde dat ik geen wisselgeld had op het moment dat een andere Indiër met een oogverblindend witte glimlach een ketting van sterk geurende bloemen om mijn nek hing. De luidsprekers kraakten. Ik keek op en zag dat Erik de microfoon had gepakt.

'*Namaste!*' zei hij terwijl hij zijn handpalmen voor zijn borstkas tegen elkaar legde in een nederige begroeting. 'Dat betekent "welkom" in het Hindi, een woord dat jullie vaak zullen horen tijdens deze reis. Namaste! Kunnen jullie dat allemaal zeggen en doen wat ik doe?'

'Namaste!' riep iedereen terwijl ze zijn gebaar imiteerden.

'Heel goed! Ik wil jullie allemaal van harte welkom heten bij deze reis naar het spannendste land ter wereld met Ongelofelijk India! We worden begeleid door onze chauffeur en zijn assistent, en door Varinder, onze gecertificeerde Indiase gids die ons zal helpen en die jullie nu verwelkomt met bloemen. Want zo is het in India, hier is men altijd welkom. Het is belangrijk om open te staan voor alle nieuwe indrukken. Zet jullie Zweedse bril dus af en zet een Indiase bril op. Zoals jullie al gemerkt hebben, gaan de dingen hier soms anders dan bij ons in Zweden. Soms duurt het iets langer dan we gewend zijn, maar ook dat is een deel van de charme van India.'

Als gepaste illustratie bij Eriks woorden weigerde de bus te starten. Pas na een halfuur hard werken door een vettige monteur die iemand ergens vandaan had getoverd, startte de motor met tegenzin. Ik vond het moeilijk om de charme van het geheel te zien, maar kon niet anders dan onder de indruk zijn van Eriks kalmte en vermogen om de groep in een goed humeur te houden, terwijl hij tegelijkertijd af en toe aandacht aan de vrouw naast hem besteedde, zodat haar enthousiasme niet zou bekoelen.

Na nog twintig minuten waren we bij ons hotel, dat maar een paar kilometer van de luchthaven af lag. Erik verklaarde dat het weliswaar eenvoudig was, maar met grote zorg was gekozen omdat het vlak naast de snelweg lag, zodat we minstens een uur zouden besparen als we de volgende ochtend naar Jaipur vertrokken. Het heette Star Hotel en had een grote, scheve en onregelmatig knipperende neonster op het dak. Met de hulp van de voortdurend glimlachende Varinder deelde Erik kamersleutels uit en wenste iedereen welterusten. Hij bewaarde mij voor het laatst.

'Hoe gaat het, Göran?' fluisterde hij.

'Alles onder controle,' zei ik.

'Ben je moe?'

'Een beetje. Hoewel ik zoveel indrukken opdoe dat het waarschijnlijk moeilijk wordt om in slaap te vallen.'

'Ik weet het. De eerste ontmoeting met India is altijd overweldigend, maar je went er snel aan. Morgen wordt een echte superdag, met heel veel spannende ervaringen, dus is het waarschijnlijk goed als je probeert zo snel mogelijk te slapen.'

Erik liet zijn stem nog meer dalen en woelde door zijn blonde haar.

'Je hebt de beste kamer, maat,' zei hij terwijl hij de sleutel aan me gaf. 'Helemaal voor jou alleen.'

'Ga je bij die vrouw slapen?' vroeg ik zonder dat het me helemaal lukte de irritatie in mijn stem te verbergen.

'Alleen vanavond, maat. Als jij daar geen probleem mee hebt natuurlijk. Het is tenslotte maar een paar uur.'

'Natuurlijk! Jezus, Erik, je denkt toch niet dat ik jaloers ben?'

'Nee, maar ik wil niet dat je denkt ...'

'Ga naar haar toe. Ik red me wel,' zei ik met een onechte glimlach.

De hoteljongen die mijn koffer naar mijn kamer droeg kreeg ook een vijfdollarbiljet. Hij bleef buigen terwijl hij door de gang wegliep. Ik moest mijn tanden poetsen, maar er waren geen verzegelde flessen water op de kamer en ik piekerde er niet over om mijn mond met Indiaas kraanwater te spoelen. Dus kleedde ik me meteen uit, ging onder de dunne deken op het keiharde bed liggen en probeerde me in te beelden dat de kleine gekko's die pijlsnel over de muren renden mijn vrienden waren, omdat ze de muggen opaten die door de kamer zoemden. Het was niet overdreven warm, maar ik had de ventilator aan het plafond toch aangezet om een beetje wind op mijn hoofdhuid te voelen. Na een paar minuten viel de elektriciteit uit. De muggen zochten meteen mijn oren en zoemden zo hard dat ik er stapelgek van werd. Misschien waren ze onderdeel van een enorm Indiaas complot dat als doel had om zo veel mogelijk irritante geluiden te produceren, dacht ik.

Toen ik het raam opendeed om wat frisse lucht te krijgen rook ik de zure stank van rotte eieren weer. Hoewel de kamer aan een binnenplaats lag, was het zware verkeer van de snelweg aan de andere kant duidelijk te horen. Ik deed het raam dicht en ging weer in bed liggen. De waterleidingen gromden als hongerige dinosaurussen. Door de flinterdunne muren hoorde ik het gesnurk van de man uit Småland, die de kamer naast me had.

Namaste? Ik dacht het niet ...

8

De volgende ochtend zat ik om vijf uur weer in de bus. Ik had niet veel geslapen en voelde me nog steeds extreem verdwaald en ongemakkelijk in dit vreemde, angstaanjagende land toen de man uit Småland naar me toe kwam, de rugzak op de stoel naast me waarmee ik mijn territorium had afgebakend wegzette en naast me ging zitten.

'Ik vraag me af wat het reisbureau betaalt voor een kamer in dat rattenhol. Dat kan niet veel zijn,' zei hij terwijl hij me met zijn elleboog een por in mijn zij gaf, alsof hij iets bijzonder scherpzinnigs had gezegd.

Ik keek zenuwachtig naar de buschauffeur. Hij droeg een blauw uniform met epauletten en een veel te grote pet die over zijn wenkbrauwen was gezakt. Zijn broodmagere assistent stak wierook aan en legde een krans van bloemen rond een klein beeld met een drietand in zijn hand, dat op de rand boven het instrumentenpaneel stond. Erik droeg een T-shirt met de tekst INCREDIBLE INDIA! Ik moest toegeven dat de Engelse vertaling van de naam van het reisbureau er indrukwekkend uitzag. Wereldwijs. Na een innemend 'namaste' legde hij ons uit dat het beeld Shiva voorstelde, de god van vernietiging en schepping, en dat de assistent aan hem offerde zodat we een voorspoedige reis zouden hebben.

'Dat zal lastig worden met zulk slecht zicht,' grinnikte de man uit Småland. 'Er is hier verdorie minder zicht dan toen de kerk van de Goede Tempeliers buiten Jönköping afbrandde. En welke god heeft er trouwens een scheet gelaten? Het stinkt erger dan toen mijn nicht in Mariannelund de schijthuisemmer voor het klompenhok had laten vallen.'

Alsof het niet genoeg was dat hij aan het Ingvar Kampradcomplex leed, werd die idioot ook nog gekweld door de vermoeiende ziekte die een niet onaanzienlijk deel van de Smålandse mannen dwingt om te klinken als slechte imitatoren van Åsa-Nisse. Maar hoewel hij de enige in de bus was die om zijn verschrikkelijk slechte grap lachte, had hij ergens gelijk. Het stonk nog steeds naar rotte eieren in de dichte ochtendnevel.

'Het is inversie,' zei Erik. 'De avondkou ligt als een stolp over alle luchtverontreiniging, maar die verdwijnt overdag.'

'Dan hoop ik dat niemand een scheet laat, anders moet je gasmaskers uitdelen,' antwoordde de Smålander bliksemsnel. Ik voelde een dierlijk sterke behoefte om hem op zijn bek te slaan. Hard en meedogenloos. Toen hij echter met zijn waterige ogen naar me keek lachte ik onnozel terug.

Erik telde ons en gebaarde naar de gecertificeerde assistent, die op zijn beurt naar de chauffeur gebaarde, die de bus startte, deze keer met een rammelend geluid.

Tijdens de rit uit Delhi passeerden we meerdere viaducten waar dakloze families hun kamp hadden opgeslagen in een wirwar van stof, bouwafval en rotzooi. In de uitlaatgassen zag ik vieze kinderen op blote voeten en hun te vroeg oud geworden, uitgemergelde ouders, die zich in de nog steeds kille ochtendlucht rond stookplaatsen warmden. Een vrouw in een oranje sari zette thee boven de vlammen, een tandeloze, knokige man zoog aan een sigaret. Onder een van de viaducten dienden grote betonnen buizen die nog niet in de grond waren gegraven als woning, maar meestal markeerden alleen stukken karton of plastic die met touw waren vastgebonden aan een paal of pilaar de woningen van de mensen.

Magere, borstelige straathonden met hangende staarten scharrelden rond en loslopende koeien wroetten met hun snuiten in vuilnishopen, op zoek naar iets eetbaars dat tussen alle vieze plastic zakken was vergeten. Ik had nog nooit zoveel armoede en troep gezien en voelde me instinctmatig misselijk worden. Waarom was ik zo onverbeterlijk stom geweest om me door Erik helemaal hiernaartoe te laten slepen?

Toen we de Delhische buitenwijk Gurgaon hadden bereikt, hadden de zon en de warmte de mist voldoende verdreven om de wanstaltige wolkenkrabbers met stalen en glazen gevels die zich links van de snelweg verhieven te zien opdoemen.

'Dit is het Silicon Valley van India,' zei Erik in de microfoon. 'Nog maar vijftien jaar geleden was hier alleen landbouwgrond en oerwoud, maar toen werd de economie geliberaliseerd en vandaag heeft alleen China een hoger groeitempo dan India. Nu is de grond hier duizelingwekkend duur. Alles is in een razend tempo gegaan en sommigen hebben buitensporig veel geld verdiend aan de ontwikkeling. In de top tien van de rijkste mensen ter wereld staan vier Indiërs. India is in alle opzichten een land van contrasten. Rijk en arm, mooi en lelijk, hebberig en gul, alles heeft hier zijn natuurlijke tegenhanger.'

Erik bleef ons de hele rit naar Jaipur met gelijkmatige tussenpozen voorlichten. In mijn oren klonk de helft van wat hij vertelde als ingestudeerde onzin, maar zijn betrokken lichaamstaal en charme raakten de anderen. Soms gaf hij de microfoon aan de binnenlandse gids Varinder, die bijvoorbeeld vertelde hoe gelukkig hij was omdat hij ons 'het echte India' mocht laten zien en dat we de leukste groep toeristen waren die hij ooit had ontmoet (geen idee hoe hij dat kon weten na een busrit van bij elkaar vier uur).

Het was gênant maar ook een beetje vermakelijk om het toneelspel van de reisleiders te zien. Bovendien leidde het me af van mijn angst. De chauffeur reed alsof hij de bus had gestolen, maar tegelijkertijd kon ik zijn bekwaamheid niet ontkennen. Met millimeterprecisie ontweek hij alles wat op onze weg kwam, van auto's, bussen, motoren en driewielige kleine autoriksja's – volgepropt met passagiers – tot waterbuffels, fietsers en geiten.

Na een lunch in een heel mooi, schaduwrijk tuinrestaurant, waar we wat Indiaas geld konden wisselen tegen een slechte koers en bier uit enorme flessen van het inheemse merk Kingfisher dronken, verbeterde de stemming in de bus aanmerkelijk. Hoewel het dichte verkeer en het getoeter me nog steeds irriteerden, begon ik zo langzamerhand toch gefascineerd te raken door wat ik door het busraam zag: de levendige drukte en handel in de dorpen die we passeerden, de vettige autogarages die in kilometerslange rijen achter elkaar lagen, de droge en schrale landbouwgrond met zijn rode Rajasthaanse aarde.

Tengere vrouwen in kleurige sari's en met armbanden van hun polsen tot hun ellebogen droegen stenen in grote, gevlochten manden die ze gracieus op hun hoofd balanceerden naar een bouwterrein. Hoe verder we Rajasthan in kwamen, des te kleuriger werden de mannen, met hun grote, ronde tulbands in verschillende kleuren.

Vrachtwagenkonvooien waren soms vervangen door karavanen van kamelen met trekkarren, waarvan sommige in de verkeerde rijrichting recht op ons af kwamen. Onze chauffeur vertrok geen spier als hij met een hand op de claxon uitweek voor de net zo onbewogen dieren.

Toen we 's middags in Jaipur arriveerden was het zeker een graad of dertig en ik transpireerde overvloedig omdat de airco in de bus het had begeven. Maar de microfoon werkte nog en Erik was zijn enthousiasme niet kwijt.

'Nu krijgen jullie een echte shocktherapie van India, zodat jullie zo snel mogelijk wennen. Dus let nu op, want ... *This is ...*'

Hij wees met zijn microfoon naar Varinder, die van zijn stoel opstond en de zin afmaakte:

'... *The Real India!*'

9

We werden naar buiten gedreven als een kudde schapen, midden in een van de plaatselijke bazaars. Erik ging eerst, met zijn verovering naast zich, en Varinder joeg ons op als een herdershond. We werden meteen aangevallen door opdringerige straatverkopers, die in slecht Engels naar ons riepen om sjaals, waaiers en lelijke marionettenpoppen te kopen. Ze maakten zo'n kabaal dat de kraamhouders op de markt in Kivik vergeleken bij hen verlegen kersttijdschriftenverkopers leken.

Met Eriks advies om nooit te aarzelen vers in ons geheugen lukte het ons om een grote straat over te steken zonder te worden aangereden door de armada van voertuigen en koeien die van alle kanten kwam aanstromen. Delhi's stank van rotte eieren was vervangen door Jaipurs iets prettigere lucht van koeienmest vermengd met de kruidige etensgeuren en frituurolie van de vele eetkraampjes. Een jongen met één been en een kruk sprong lenig naast me en prikte dwingend met zijn wijsvinger in mijn arm, bracht zijn hand naar zijn mond en siste: '*Chapati, chapati.*'

Ik gaf hem een briefje van tien roepie, wat tot gevolg had dat hij nog meer wilde, terwijl er tegelijkertijd andere bedelaars met uitgestoken handen verschenen. Ze leken het allemaal op mij gemunt te hebben.

'Die stakkers zijn er beroerder aan toe dan de armen in Lönneberga,' zuchtte de Smålander zonder aanstalten te maken om zijn portefeuille te pakken.

Met een lichte ademnood wrong ik me in de drukte naar Erik, die een vaderlijke arm om mijn schouders sloeg terwijl hij tegelijkertijd de bedelaars tegenhield met een paar vastbesloten maar vriendelijke woorden in het Hindi, waarna hij zelfverzekerd glimlachte.

'Nou, wat zeg je ervan, maat? Dit is toch veel beter dan rondlopen in de koude, grijze troosteloosheid van Malmö?'

'Het is ... anders,' antwoordde ik.

'Heb je Josefin eigenlijk al ontmoet?' vroeg hij, waarna hij zijn kersverse vriendin aan me voorstelde.

Haar handdruk was koel en licht, de blik in haar ogen raadselachtig. Ze had een stip op haar voorhoofd die ik niet eerder had gezien.

'Göran Borg. Aangenaam,' zei ik.

Erik glimlachte.

'Mijn oude kameraad is welgemanierd.'

Ik hoorde opnieuw de subtiele superioriteit in zijn stem.

'Göran is voor het eerst in India,' ging hij verder.

'Maar ik begrijp dat jij hier eerder bent geweest,' zei ik.

'Dit is mijn tiende reis,' zei ze met een glimlach die nu eerder begripvol dan raadselachtig was. 'Ik heb nog nooit op deze toeristenmanier gereisd, maar het was niet duur en ik voelde dat ik de Gouden Driehoek wilde bezoeken en de Taj Mahal en alles wilde bezichtigen wat je gewoon gezien moet hebben. Na deze week reis ik verder naar Rishikesh en daar blijf ik een halfjaar.'

'Rishi-wat?'

'Rishikesh, aan de monding van de Ganges. Ik woon daar in een ashram bij een spiritueel leider en ga me verdiepen in yoga en meditatie.'

'Bij de Ganges? Kun je daar echt wonen? Ik dacht dat het één grote, stinkende modderpoel was.'

'Geestelijk gezien is het de zuiverste rivier ter wereld,' zei Josefin met een geïrriteerd knikje. 'En de plek die ik ga bezoeken is zo spiritueel. Hoewel dat eigenlijk voor heel India geldt, voor degenen die hun beperkte zielen niet afsluiten.'

Ik begreep de hint.

'Elke keer als ik hier ben voelt het alsof ik thuiskom,' ging ze verder terwijl ze dromerig met haar wijsvinger over haar rode lippen streek. 'Maar ik heb hier natuurlijk ook in mijn vorige leven geleefd.'

Ik lachte maar stopte snel onder haar scherpe blik. Erik knipoogde haastig naar me.

'Josefin is volledig in contact met haar chakra's,' zei hij terwijl hij naar de stip op haar voorhoofd wees.

'Die heeft ze net van een sadhoe gekregen, een heilige man die haar aura voelde.'

Ik keek naar Erik met een blik die signaleerde 'Kom op, maat, zover hoef je niet te gaan'. Hij negeerde het.

'Het is dus geen kastenteken, zoals veel onwetende westerlingen denken. Het is een *tilak*, gemaakt van een mengsel van sandelhout en kurkuma. Je kunt het ook een derde oog noemen, de chakra die zich opent voor de spirituele wijsheid die maakt dat sommige mensen een glimp van hun eerdere levens kunnen zien. Het is heel ongewoon voor westerlingen om dat vermogen te hebben. We zijn zo in beslag genomen door materiële zaken dat de wereld in onze ogen alleen uit materie bestaat, en op die manier negeren we alle energie in onze lichamen die met heel andere dimensies communiceert. Maar Josefin is speciaal en bovendien een heel royale vrouw die haar energie met anderen deelt.'

Ik wist dat Erik een zorgeloze kameleon was die elke rol kon aannemen om iemand in bed te krijgen, maar dit was op de grens van wat draaglijk was. Als Josefin ook maar een beetje contact zou hebben met haar zogenaamde chakra's, zou ze zijn versiertruc doorzien, maar ze glimlachte alleen en zwiepte met haar haar zoals vrouwen altijd deden als Erik ze vleide. Mia had dat die avond backstage ook gedaan, meer dan dertig jaar geleden, toen hij beweerde dat hij knikkende knieën had gekregen van haar bewegingen op de dansvloer en hij delen van de tekst van het nummer dat hij zong was vergeten (wat een leugen was waarvan hij wist dat hij ermee weg zou komen omdat hij ook wist dat het precies was wat vrouwen wilden horen).

Toen we bij een wijktempel kwamen fluisterde Josefin iets in Eriks oor voordat ze zich discreet losmaakte van de groep, haar sandalen uittrok en in de tempel verdween via de poort die werd geflankeerd door twee beelden van zittende olifanten.

'Dat is een Ganeshatempel,' legde Erik aan de groep uit. 'De olifantengod Ganesha is de meest geliefde van alle hindoegoden.'

'Waarom is dat?' wilde de vrouw met de groene heuptas weten.

'Omdat hij geluk brengt.'

'Wat een geluk dan dat we hier staan, want geluk zullen we nodig hebben als we deze warmte en het gedrang willen overleven,' zei de Smålander. Ik was er, hoewel natuurlijk alleen in gedachten, een millimeter van verwijderd om hem een dreun te geven.

Wierook en suggestieve Indiase muziek golfden naar buiten en vermengden zich met alle andere geuren en geluiden. Een majesteitelijk wiegende koe liet recht voor mijn voeten een vlaai vallen. Ik sprong in een reflex naar achteren, waardoor ik niet onder de spetters kwam te zitten. Mijn ogen brandden en ik was verhit alsof ik in een sauna zat.

'Gaat Josefin niet met ons mee?' fluisterde ik tegen Erik.

'Nee, ze wil wat spirituele energie opdoen,' siste hij met een spottende glimlach terug voordat hij zijn stem nog meer liet dalen.

'Josefin komt zelf naar het hotel. Wij gaan met de groep naar Mammons tempel, maar zeg dat niet tegen de anderen. En onthou één ding: koop niets!'

Nadat we ons door een dichtbevolkte fruit- en groentemarkt vol schitterende kleuren hadden geworsteld, kwamen we bij de vleesmarkt, waar kooien met dicht opeengepakte kippen voor donkere gaten in gebarsten gevels op elkaar gestapeld stonden. Ik keek in een van de donkere ruimten en zag de schaduw van een poelier die een spartelende kip omhooghield en iets mompelde voordat hij zijn nek met een mes op een hakblok doorsneed en hem vervolgens in een emmer smeet. De zoete, vochtige lucht van bloed lag als een dampende deksel over de wijk. Vliegen zoemden tevreden in de lucht.

Toen we van de markt kwamen leek onze beschadigde, witte toeristenbus een oase in de woestijn. Het was binnen nog steeds warm, maar Erik compenseerde dat met bier dat de assistent van de chauffeur met behulp van een ijsblok in de elektriciteitsloze koelkast had gekoeld. Ik geloof dat we allemaal een beetje trots waren dat we de beloofde shocktherapie van India zonder permanent letsel hadden doorstaan.

'Dat was werkelijk ongelofelijk fascinerend! Een beetje eng af en toe, maar ongelofelijk fascinerend! Ik ben ongelofelijk onder de indruk van alle impressies!' zei een vrouw met rode wangen onder een breedgerande zonnehoed.

'Je zei het drie keer!' riep Erik triomfantelijk.

'Wat?'

'Je hebt drie keer "ongelofelijk" gezegd! Als in Ongelofelijk India! Dat is waar het om gaat! En jullie snappen dat je je Indiase bril moet opzetten om alle indrukken in je op te nemen. Jullie weten toch nog dat ik heb verteld dat India een land vol contrasten is?'

'Ja!' riep iedereen in koor als een verwachtingsvolle crèchegroep.

'Jullie maken dat nu mee en ik beloof jullie dat jullie niet teleurgesteld zullen worden.'

10

Na de hete stadswandeling was het heerlijk koel in de airconditioned showroom van Jain Jaipur Jewellery Incorporation. Onze groep zat op houten banken rond drie mannen die in kleermakerszit op de vloer zaten en met eenvoudige slijpmachines echte edelstenen en halfedelstenen slepen. Een sterk naar aftershave ruikende oudere Indiër in een overhemd met smalle strepen, een bijpassende stropdas en grote zegelringen met edelstenen aan meerdere vingers legde de verschillende slijptechnieken aan ons uit en vertelde dat hij de vijfde generatie juweliers van zijn familie was. Erik vertaalde alles in het Zweeds, zodat niemand er iets van zou missen.

'We hebben een onwankelbaar goede reputatie en onder onze klanten bevinden zich veel prominente personen. Toen de Clintons tijdens hun staatsbezoek aan India in Jaipur waren, kwam Hillary naar onze winkel om sieraden te kopen,' zei mister Jain terwijl hij aan zijn grote oorlellen trok zodat de plukken haar die uit zijn oren staken nog duidelijker zichtbaar werden.

Om zijn verhaal te bewijzen liet hij ons een ingelijste foto zien, waarop een glimlachende Hillary Clinton naast een nog breder glimlachende mister Jain in een iets jongere versie stond.

Na de demonstratie werden we in een andere kamer uitgenodigd. Sieraden fonkelden in glazen vitrines waarachter goedgeklede verkopers klaarstonden met hun rekenmachines. Maar eerst namen we plaats op enkele gemakkelijke fauteuils in het midden van de ruimte. Mister Jain knipte met zijn vingers, waarna een aantal jonge jongens een roltafel die bezweek onder vruchten, gebak en drinken naar binnen reden.

'In India is het gebruikelijk om je gasten te verwelkomen met eten en drinken. Dat betekent niet dat jullie verplicht zijn iets te kopen, het is alleen om ons respect te tonen,' legde hij uit. Hij hield een fles met een donkere vloeistof erin omhoog.

'Jullie kunnen koffie, thee, cola of rum-cola krijgen. Dit is Old

Monk, de beroemde rum uit India die is gemaakt van suikerriet.'

'Die moeten jullie proberen,' souffleerde Erik.

We dronken dus rum-cola en voelden ons uitstekend. De Smålander had drie stevige longdrinks gedronken voordat hij, net als de anderen, op een bijna onmerkbare manier uit de fauteuil was gelokt door een verkoper. Nu stond hij bij de toonbank af te dingen. Aan een van de muren hing een groot, vertrouwenwekkend bord met grote gouden letters: THIS SHOP IS APPROVED BY THE INDIAN GOVERNMENT.

Als Erik me niet had aangeraden om niets te kopen weet ik vrij zeker dat zelfs ik mijn creditcard uiteindelijk tevoorschijn had gehaald. Erik zwierf rond in de zaal en hielp met tips over hoeveel je kon afdingen zonder schaamteloos te zijn of maakte de dames complimenten over hoe fantastisch de kettingen en oorbellen die ze probeerden hun stonden. Het was een orgie van vleierij en transacties die een uur duurde, en die mister Jain zonder twijfel een aanzienlijke verdienste opleverde.

Toen we 's avonds in de eetzaal van het hotel zaten te wachten tot de serveersters de gerechten naar de buffettafel brachten, snoefde de Smålander dat hij een robijnen ketting van vierhonderd dollar voor tweehonderd dollar had gekregen. Ik kon het niet meer opbrengen om naar zijn grootspraak te luisteren en moest bovendien plassen, dus verdween ik naar het toilet in de hotelfoyer. Daar zag ik Erik, die praatte met een man die ik herkende als een van de verkopers van de juwelier.

Nadat ik mijn blaas had geleegd en weer in de foyer kwam was de man verdwenen en was Erik op weg naar de eetzaal. Ik pakte hem vast en vroeg waar ze over hadden gepraat.

'We hebben het over zijn vrouw en kinderen gehad. Daarna heeft hij me mijn baksjisj gegeven,' antwoordde Erik met een schaamteloze glimlach.

'Bedoel je dat je smeergeld aanneemt om toeristen naar die juwelier te brengen?'

'Ik zou het geen smeergeld willen noemen. In dit geval moet baksjisj beschouwd worden als een rechtmatige provisie. Ik krijg een klein deel van Jains winst op de verkoop aan mijn groep. Hij is stinkend rijk en ik ben maar een arme reisleider, dus is het niet meer dan eerlijk.'

'Hoeveel?'

'Twintig procent, maar dat moet ik delen met Varinder.'

'Dat is vast een flink bedrag.'

'Ja, het ging vandaag heel lekker. We hebben samen meer dan een halve *lakh* verdiend.'

'"Lakh"?'

'Dat is een Indiase uitdrukking voor honderdduizend roepie.'

Ik maakte een snelle berekening.

'Je hebt vanmiddag dus vijfentwintigduizend roepie verdiend? Dat is verdomme vijfduizend kronen!'

'Overdrijf niet. Het is hoogstens vierduizend.'

'Heb je geen geweten?'

'Hoor eens wie het zegt,' snoof Erik. 'Göran Borg, de man die zonder gewetensbezwaren met bonnetjes knoeit.'

'Ik heb nooit smeergeld aangenomen.'

Erik trok me opzij en staarde naar me met zijn diepblauwe ogen.

'Hou ermee op moeder Teresa te spelen, maat. Dat staat je niet. Je hebt zelf gezien hoe tevreden iedereen met zijn aankopen is. Het is een win-winsituatie.'

'Waarom waarschuwde je mij dan zo nadrukkelijk om niets te kopen?'

'Omdat je mijn vriend bent. Je moet dankbaar zijn in plaats van me te beschuldigen.'

'Jains sieraden zijn dus niet zo goed?'

'Laat ik het zo zeggen: ze zouden beter kunnen zijn. Of zo: half-edelstenen kunnen verraderlijk veel op echte edelstenen lijken. Toen ik voor de grote reisorganisaties werkte moest ik altijd mijn best doen om bij hem uit de buurt te blijven.'

'Is Hillary Clinton ook bedrogen?' vroeg ik.

'Volgens mij heeft ze nog nooit een voet in die winkel gezet. De foto is vast gefotoshopt.'

'En de goedkeuring van de regering dan, is dat ook bluf?'

'Dat geloof ik niet. Ik ga ervan uit dat hij een flinke baksjisj aan een bureaucraat bij een of ander vergunningenbureau heeft moeten betalen om dat bord te mogen ophangen. Opnieuw win-win.'

Ik kon er niets aan doen dat ik moest lachen.

'Maar dat met die rum-cola was bijna te doorzichtig. Zorg dat de goedgelovige sukkels aangeschoten zijn en pak daarna hun geld af. Je kunt je toch niet voorstellen dat iedereen in de bus daar intrapte.'

Erik sloeg zijn arm om mijn schouders en trok me tegen zich aan.

'We zijn allemaal goed in verschillende dingen. Ik ben bijvoorbeeld goed in het scheppen van verwachtingen. Het was geen toeval dat ik jullie meenam voor een stadswandeling voor het bezoek aan mister Jain. Of dat het iets langer dan normaal duurde om de airco in de bus te repareren.'

'Je hebt geen scrupules.'

'Daar heb je geen geld voor als je voor de kleine reisorganisaties werkt.'

'De onfatsoenlijke, bedoel je.'

'Wat klinkt dat grof. Ik zou ze liever "flexibel" willen noemen. Ze betalen niet zoveel salaris en we slapen niet in de beste hotels. Het komt voor dat we geen plek hebben omdat de vorige rekening niet is betaald, en dan moet ik iets anders vinden waar we kunnen slapen zonder dat we worden opgegeten door hongerige bedvlooien. Door al dat extra werk heb ik het recht om zelf te kiezen welke winkels we bezoeken, zodat ik commissie van de verkoop krijg. En jij reist gratis mee, vergeet dat niet.'

'Maakt dat me medeplichtig?'

'Waaraan? Bij mijn weten heeft er niets onwettigs plaatsgevonden.'

'Is de Smålander ook afgezet?'

'Tweehonderd dollar voor een ketting die ik voor vijfenzeventig dollar van mister Jain kan kopen, is nauwelijks een koopje te noemen.'

Ik glimlachte vol leedvermaak omdat de zelfbenoemde afdingkoning uit Nässjö veel te veel had betaald.

'Wat vind je trouwens van Josefin?' vroeg Erik.

'Ze is knap, maar als ik heel eerlijk ben is ze ook een beetje vreemd. En jij hebt maar één ding in gedachten als je haar spirituele onbegrijpelijkheden voedt.'

'Ik had niet gedacht dat je zo bevooroordeeld zou zijn. En zo preuts. Je mag de *Kamasutra* en tantrische seks niet onderschatten. Dat komt uit India en is fantastisch. Je zou het een keer moeten proberen.'

'En jij zou een keer volwassen moeten worden.'

'Doe toch niet zo verdomd stijf. Leer van het leven genieten. Laat los. Alles wordt dan zoveel eenvoudiger en leuker.'

Erik probeerde het te laten klinken alsof hij een grapje maakte, maar ik was ervan overtuigd dat hij elk woord serieus meende. We gingen naar binnen en mengden ons onder de anderen. Het avond-eten bestond uit een buffet met Indiase en continentale gerechten, die heerlijk smaakten. Na de koffie nam Erik de groep mee naar het dakterras van het hotel, waar hij trakteerde op Old Monk met cola. Hij had zelfs een Rajasthaanse dans- en muziekgroep uitgenodigd, die ons terroriseerde met zeurderige accordeonmuziek. Ik werd dronken en raakte in gesprek met de vrouw met de neongroene heuptas. Ze praatte over haar kleinkinderen op een zowel vermoei-ende als opdringerige manier, wat ertoe leidde dat we in een discus-sie over de nieuwe generatie jonge vaders belandden.

'Ze geloven dat ze Gods gave aan de mensheid zijn, alleen omdat ze vaderschapsverlof hebben gehad,' zei ik met dubbele tong. 'Ik moest met mijn ex-vrouw mee naar een zwangerschapscursus en hijgen tot ik bijna flauwviel. Ik hyperventileerde me min of meer door de hele eerste zwangerschap. Maar dat deelde ik niet met de buitenwereld op een of ander idioot vaderblog.'

'Nee, blogs bestonden in die tijd niet, maar ik denk dat het goed is dat de jonge mannen van tegenwoordig hun vaderrol serieus nemen. Daar zullen ze profijt van hebben als hun kinderen ouder worden,' zei de neonvrouw met een chagrijnige stem.

De discussie stopte. Ik was te dronken om een goed antwoord te bedenken en nuchter genoeg om dat te beseffen. Erik had een gitaar geregeld en zong een aantal kleffe Elvisnummers met een overdre-ven jankgeluid in zijn stem. *Love Me Tender, Always on My Mind, Can't Help Falling in Love With You* ... Het was typisch dat hij juist Elvis koos, van wie hij zoals ik wist geen grote fan was. De gepen-sioneerden vonden het natuurlijk prachtig, maar Josefin ook. Zelfs de Rajasthaanse dans- en muziekgroep vond het prachtig. Natuur-lijk nadat ze voldoende fooi hadden gekregen voor hun eigen helse optreden, maar toch.

Ik haatte het.

11

In mijn jeugd hadden mijn ouders me in een zomervakantie mee naar Oostenrijk genomen. Een blijvende herinnering aan die reis waren de toiletten in het land. Bij de eerste aanblik zagen ze eruit als alle toiletten, en het voelde niet anders als je erop ging zitten. Pas toen het tijd werd voor de daadwerkelijke boodschap gebeurde er iets merkwaardigs. In plaats van een plons klonk er een doffe bonk. Met angstige fascinatie kon ik van dichtbij het resultaat van mijn inspanningen bestuderen, dat in het volle zicht lag voordat ik het wegspoelde in het riool.

Nu staarde ik zonder een spoor van fascinatie in een Indiaas toiletgat. Deze keer voelde ik alleen een onverbloemde angst. En een misselijkheid die zo sterk was maar tegelijkertijd zo onbestemd dat ik er geen flauw idee van had uit welk deel van mijn lichaam de eruptie zou komen.

Geen toiletbril om op te steunen, geen spoelknop om aan vast te houden, niet eens toiletpapier om me mee schoon te maken. Alleen een eng zwart gat dat me kwaad wilde doen. Het was alsof de beschuldigende roep van heel India opsteeg uit de roestige rioolbuis, samen met de scherpe stank van urine. Alsof moeder Ganga wraak wilde nemen omdat ik haar een stinkende modderpoel had genoemd.

Het was 's ochtends vroeg en ik bevond me op een openbaar toilet ergens in Jaipur, met een bus vol medereizigers die ongeduldig op me wachtten. Uiteindelijk spoot alles in een waterval uit mijn mond: *butter chicken*, *dal makani*, rijst, paneer, vis in curry, eieren in hollandaisesaus en schwarzwaldertaart die naar synthetische negerzoenen smaakte.

Belangrijke les in India: eet nooit schwarzwaldertaart die naar synthetische negerzoenen smaakt.

Alles stonk naar verrotte maaginhoud en Old Monk. Er werd hardnekkig op de toiletdeur geklopt en even later hoorde ik Eriks stem, die eerder gestrest dan meelevend klonk.

'Wat is er aan de hand?'

'Ik voel me ziek,' stamelde ik met een uitademing die zo bijtend was dat zelfs de vliegen op afstand bleven.

'We moeten verder, de olifanten wachten op ons. En daarna gaan we naar Hawa Mahal en het City Palace en bezoeken we de voedselverkopers. Je moet er nu uit komen!'

Ik veegde mijn mond af met de buitenkant van mijn trillende linkerhand en deed de deur met mijn net zo trillende rechterhand open. Erik deed geschrokken een stap achteruit en trok een gezicht.

'Hier, was je gezicht,' zei hij terwijl hij me een fles water gaf.

'Dit is geen gewone kater,' kermde ik. 'Julie moeten me naar het hotel terugbrengen.'

Erik keek haastig op zijn horloge.

'Dat gaat niet, dan klopt het tijdschema niet meer. Je gaat mee naar Amber Fort of je moet een riksja naar het hotel nemen zodat we je daar later ophalen.'

Alleen al de gedachte om op de rug van een olifant naar een fort in de bergen buiten Jaipur te rijden zorgde ervoor dat ik weer begon te kotsen. Nu naast het donkere, verschrikkelijke gat. Varinder had al ziekenvervoer geregeld. Voor één keer was de glimlach op zijn gezicht verdwenen en vervangen door een uitdrukking van sterke walging. Hij sleepte me op de achterbank van een autoriksja terwijl Erik de chauffeur royaal betaalde en hem het adres van het hotel gaf.

'Ik bel om te vragen of ze een kamer voor je regelen. Ga liggen en rust uit, dan ben je zo weer beter. En neem twee van deze tabletten,' zei Erik terwijl hij me een medicijndoosje voorhield. 'We halen je over een paar uur op.'

Het laatste wat ik van de witte toeristenbus zag was de waterige blik van de Smålander die door het raam naar me staarde. Daarna trok mijn maag samen in een kramp die zo sterk was dat ik dubbelvouwde en nog een keer kotste, deze keer over mijn eigen schoenen.

Ik weet niet precies hoe het is gegaan, maar op een bepaald moment lag ik in het hotelbed. Ik had al vaker maagkrampen gehad, maar dit sloeg alles. De misselijkheid overviel me met tussenpozen, alsof iemand om de zoveel tijd een zoemende mixer in mijn maag stak. Uiteindelijk stopten de ergste aanvallen echter en ik nam twee van de tabletten die Erik me had gegeven en spoelde ze weg met een mondvol fleswater.

Vlak daarna viel ik in een koortsachtige slaap, gevuld met nachtmerries over Indiaas voedsel en openbare toiletten. Toen ik wakker werd omdat de telefoon ging was ik drijfnat van het zweet. Ik pakte de hoorn, maar het lukte me niet iets te zeggen. Na een paar minuten kwam Erik met een gejaagde uitdrukking op zijn gezicht de kamer binnen.

'Hoe gaat het met je?'

'Ik ben doodziek.'

'Dat ben je niet. Je hebt alleen een aanval van *Delhi-belly*.'

Ik vond het moeilijk te begrijpen hoe ik kon lijden aan Delhi-belly als ik in Jaipur was, maar had te weinig kracht om te protesteren.

'Heb je de tabletten genomen?'

Ik knikte zwak.

'Mooi. Ga je douchen en aankleden, dan zien we elkaar over een kwartier in de foyer. Ik heb je koffer uit de bagageruimte gehaald zodat je iets schoons aan kunt trekken,' zei hij, waarna hij hem naast het bed zette. 'Schiet op, de anderen wachten.'

'Het gaat niet.'

'Moet ik je ergens mee helpen?'

'Help me maar met doodgaan.'

Ik weet niet of het de berusting in mijn stem of de groene kleur van mijn gezicht was die Erik overtuigde, maar hij leek te beseffen dat ik niet in staat was om de vijf uur durende, hobbelige busrit naar ons volgende reisdoel, Ranthambores tijgerreservaat in het oerwoud van Rajasthan, te doorstaan.

'We moeten een dokter bellen,' zei hij na een korte stilte. 'Daarna regel ik transport zodat je je weer bij de groep kunt aansluiten.'

'Wanneer?'

'Morgen of de dag daarna.'

'Ben je van plan me hier alleen achter te laten?'

Mijn stem was vol wanhoop en ergernis. Met de weinige kracht die ik overhad lukte het me een beschuldigende wijsvinger op te heffen en naar Erik te wijzen.

'Dit is jouw schuld! Eerst lok je me naar India met de smoes dat we een vriendenreis gaan maken, daarna laat je me barsten en neuk je met een of ander getikt wijf, en nu ik ziek ben ga je er gewoon vandoor.'

'Göran, verdomme! Ik heb een hele groep waarvoor ik verantwoordelijk ben!'

'Die je uit moet melken, bedoel je. Hoeveel lakh heb je vandaag bij de voedselverkopers binnengehaald?'

Na mijn uitbarsting zakte ik in elkaar als een mislukte soufflé.

'Ik had je nooit mee moeten nemen! Je bent zo verdomd zielig in je verbitterde zelfbeklag!' brulde Erik. Het was de eerste keer tijdens onze lange vriendschap dat we openlijk ruziemaakten zonder de onenigheid te verpakken in ironie of humor. Het was pech dat ik in zo'n slechte conditie was dat het me niet lukte om antwoord te geven.

'Het spijt me,' zei Erik terwijl hij op het bed ging zitten.

Als hij maar niet in mijn schouder knijpt, dacht ik. Dat deed hij wel.

'Ik meende niet wat ik zei, dat weet je. Ik raak alleen zo gestrest van de hele situatie. Ik kan de reis niet afbreken, Göran, dat begrijp je toch wel? *The show must go on.*'

Geloofde hij verdomme dat dit een rocktournee was? In dat geval had hij wel iets in stijl kunnen zeggen, zoals dat een afgelaste reis ook een reis was.

'Maar ik beloof dat ik een goede dokter laat komen en ik zorg ervoor dat iemand je op zijn laatst morgen komt halen. Oké?'

Ik draaide mijn gezicht demonstratief weg en wachtte tot hij weer in mijn schouder zou knijpen, maar het enige wat er gebeurde was dat de deur dichtsloeg.

12

De *hoteldode*. Door en met Göran Borg. Een tragedie zonder eind.

Zo voelde ik me op de avond van de tweede dag, als een heel slecht treurspel. Hotel Singha in Jaipur was weliswaar iets beter dan het Star Hotel in Delhi, maar het was nog steeds een rothotel en ik was nog steeds heel eenzaam.

Als mijn nietsnut van een vriend er niet was geweest, was ik op dit moment waarschijnlijk weer beter geweest. Maar omdat Erik me het stoppende preparaat Imodium had laten slikken, had hij mijn herstel met minstens een etmaal vertraagd. De Indiase arts, die pas uren nadat ik ziek was geworden verscheen, had de verpakking gezien, diep gezucht en een krachtterm gebruikt over onwetende buitenlanders, waarna hij twee gifgroene tabletten zo groot als een munt van tien kronen voorschreef en de kleinerende diagnose 'overgevoelige toeristenmaag' stelde.

Ik weet niet wat er in de pillen zat, maar ze zorgden ervoor dat ik vier uur lang van mijn bed naar het toilet rende. Daarna had ik geen pijn meer, maar was ik uitgeput. Het enige wat me lukte tussen mijn maaltijden, die bestonden uit geroosterd brood en zoete thee, was zappen tussen de stortvloed aan Indiase zenders die beschikbaar waren op de sneeuwende televisie van het hotel. Hoewel er bijna honderdvijftig televisiezenders waren telde ik maar zes soorten programma's, in vergelijkbare variaties:

1. Onbegrijpelijke Bollywoodfilms, waarin een jongen een meisje ontmoet, het meisje begint te huilen en ze allemaal heel plotseling, zonder waarschuwing vooraf, op Indiase popmuziek beginnen te dansen terwijl ze hysterisch met hun armen zwaaien.
2. Onbegrijpelijke cricketwedstrijden, voornamelijk uit het begin van de jaren tachtig, met commentaar in onbegrijpelijk middenklasse-Hindi gecombineerd met

Engels. (Jezus, wat miste ik de herhalingen van de Bundesligawedstrijden op Eurosport!)

3. Onbegrijpelijke middagsoaps met wisselende fragmenten van heel boze mannen of heel onderworpen vrouwen met een extreem gekwelde gezichtsuitdrukking, begeleid door dramatische muziek.

4. Onbegrijpelijke nieuwsuitzendingen waarbij de woorden BREAKING NEWS de hele tijd onder aan het scherm knipperden, ook tijdens de weervoorspellingen.

5. Onbegrijpelijke religieuze bijeenkomsten waarin manische, mannelijke sekteleiders gekleed in saffraankleurige kleding onbegrijpelijke dingen opdreunden of schreeuwden waarna het zittende vrouwelijke publiek begon te zingen en met het bovenlichaam begon te wiegen.

6. Onbegrijpelijke talentenjachten waarin kinderen en volwassenen in grappige kleren zongen en dansten of onbegrijpelijke grappen maakten waardoor het publiek in onbegrijpelijke lachsalvo's uitbarstte.

Tussen de programma's werden extreem lange reclameblokken vertoond, waarvan vooral één voortdurend terugkerende reclame van het Indiase verkeersbureau mijn interesse wekte. Na de mooie toeristische beelden werd besloten met een melodietje waarop een sensuele vrouwenstem 'Incredible India' zong terwijl die woorden het scherm tegelijkertijd vulden. Het lettertype was identiek aan dat wat Erik op zijn T-shirt had gedragen. Daarmee had ik mijn verklaring voor de internationale investering van Ongelofelijk India.

Als ik niet televisiekeek huilde ik om mijn ongeluk. Ik dacht aan Mia en Max, die misschien op hetzelfde moment naast elkaar zaten op het Thaise strand en in de zonsondergang aan drankjes met een parasolletje nipten, of zich al hadden teruggetrokken in de bruidssuite.

Ik heb nooit begrepen wat Mia in hem zag. Natuurlijk verdiende hij goed en was hij voor zijn leeftijd een verhoudingsgewijs goed getrainde man, maar er was geen spoor van originaliteit in zijn zakenmanachtige uiterlijk en karakter. Max' dure pakken moesten van teflon gemaakt zijn: er bleef niets aan hem plakken en hij liet ook geen afdruk achter. Erik had een keer gezegd dat die saaie piet behalve in het leiden van zijn succesvolle adviesbureau nog ergens anders goed in moest zijn, en in de kunstmatige pauze die daarop volgde was ik rood van woede en gêne geworden. Want wat sommige versmade mannen van middelbare leeftijd ook beweerden, er was niets wat we meer vreesden dan dat degene die beslag had gelegd op onze vrouw dat voor elkaar had gekregen omdat hij een betere minnaar was. Mia had altijd veel behoefte aan seks gehad, wat ik met haar deelde, en ik was in de vaste overtuiging geweest dat ik geraffineerd en fantasierijk was. Misschien was ik op de meeste andere gebieden niet bereid tot verandering, maar als het op bedspelletjes aankwam beschouwde ik mezelf als enthousiast en vindingrijk.

We hadden minstens een paar keer per week seks. Naakt, verkleed, onder felle lampen, in het flakkerende schijnsel van kaarsen. Van voren, van achteren, van opzij en zelfs in een schommelhouding, die me een hardnekkige spit opleverde. We hadden seks op zijden lakens, met olie bedekte latex lakens en warme rotsplateaus. Binnenshuis, buitenshuis, in het water en bijna, maar alleen bijna, een keer in de lucht, op het vliegtuigtoilet tijdens ons lange weekend naar Barcelona. Ik wilde graag, maar Mia vond het te riskant, zoals ze het noemde.

Na die reis verminderde ons seksleven langzamerhand, tot Mia op een dag zei dat ze wilde scheiden.

Binnen drie seconden had ik de vraag gesteld: 'Hoe heet hij?'

We maakten geen ruzie na de breuk. Ik huilde en smeekte haar om bij me te blijven, en toen dat niet hielp voegde ik eraan toe: 'Voor de kinderen.'

'Göran,' zei ze terwijl ze met haar sprekende ogen naar me keek, 'John en Linda zijn geen kleine kinderen meer. Maak het niet moeilijker voor ons dan het al is.'

Dat was natuurlijk schijnheilig als je erover nadenkt. Alsof het een gezamenlijke kwelling was waaronder we leden. Ze was verliefd en zou met de man van wie ze hield gaan samenwonen in zijn luxe appartement in Gamla Väster, een van Malmö's dure wijken. Ik was in de steek gelaten, gebroken en zou al snel te kijk staan als de echtgenoot die was overtroefd door de man in het teflonpak.

Twee maanden later was ons rijtjeshuis verkocht en lag mijn leven volkomen in duigen. Je kunt zeggen wat je wilt over Erik, maar hij was de enige die zich om me bekommerde in mijn ellende. Ik mocht op zijn bank slapen in de tijd dat ik een appartement zocht, en hij was degene die me hielp verhuizen naar de driekamerwoning aan het Davidshallsplein toen mijn oog daar uiteindelijk op was gevallen.

Ik was er destijds van overtuigd geweest dat mijn leven niet veel slechter kon worden, maar het was duidelijk dat ik het mis had. Je kon bijvoorbeeld je baan kwijtraken, naar India reizen, buikgriep krijgen en eenzaam achtergelaten worden om in een slonzige hotelkamer te sterven. Erik had de vorige dag gebeld en me verzekerd dat een van zijn Indiase vrienden me zou komen halen 'zodra hij daartoe in de gelegenheid was', maar dat ik misschien net zo goed 'nog een paar uur' kon uitrusten in mijn kamer.

Het was negenentwintig uur en vijfendertig minuten later, constateerde ik toen ik op mijn horloge keek omdat er op de deur werd geklopt. Degene die dat deed kon geen beter moment voor zijn entree gekozen hebben. Op dat moment had ik zelfs een bezoek van de Jehova's getuigen toegejuicht.

13

'*Hello sir! So happy to meet you!*'
De mollige man die in de hotelgang voor mijn deur stond bukte zich haastig en raakte mijn voeten aan voordat hij mijn rechterhand pakte en die heftig schudde.

De kleine schokkerige lichaamsbewegingen en de grote, uitpuilende ogen gaven hem een uiterlijk dat aan Mr Bean deed denken, ook al woog hij minstens twintig kilo meer. Ondanks de relatieve warmte droeg hij een dik bruin tweedcolbert over een gebreid vest en een wit overhemd met een gesteven kraag. Zijn haar was met water in een zijscheiding gekamd en er hing een lucht van oude tabaksrook om hem heen.

'*Mister Gora! My name is Yogendra Singh Thakur. But all my friends call me Yogi. You also call me Yogi, please. I am extremely happy to meet you!*'

Ik heb altijd een wantrouwend karakter gehad, vooral tegenover mensen die iemand een vriend noemen voordat ze hun schoenen zelfs maar uitgetrokken hebben, maar er was een openheid en warmte in Yogi's karakter waartegen ik me niet kon verweren. Het was alsof zijn energie aanstekelijk was en me een klein stukje van mijn verloren krachten teruggaf.

'*Please come in,*' zei ik.

Yogi liep de kamer binnen en wiegde op zijn voeten met zijn handen achter zijn rug verstrengeld, in afwachting van verdere orders. Ik vroeg hem om op een van de twee stoelen die in een hoek stonden te gaan zitten en ging tegenover hem zitten. Ik droeg alleen ondergoed, maar dat leek Yogi niet te storen. Hij glimlachte toegefelijk en vroeg beleefd of ik me inmiddels beter voelde.

'Mister Erik heeft me gisteren al gebeld, maar ik was helaas in Madras en kon niet eerder komen. Maar zodra ik in Delhi was geland ben ik via de allersnelste weg naar Jaipur gereden. Ik hoop dat je me het oponthoud vergeeft.'

'Hoe ken je Erik?'

'Hij is een hooggeëerde vriend die ik vijf jaar geleden in een hotelbar in Delhi heb ontmoet. Sindsdien hebben we op de allervriendschappelijkste wijze contact gehouden.'

Yogi's Engels was heel bijzonder, van de beleefde ouderwetse soort, maar verre van perfect. Hij praatte echter hardop en duidelijk en gebruikte alleen bij uitzondering woorden in het Hindi, wat het relatief gemakkelijk voor me maakte hem te verstaan. Na een snelle douche kleedde ik me aan (eindelijk kon ik mijn jeans en zwarte coltrui weer dragen!). Ik was er meer dan klaar voor om het Singha Hotel achter me te laten.

Op straat werd ik me opnieuw bewust van alle geuren en de drukte, maar ik merkte tot mijn opluchting dat de misselijkheid helemaal verdwenen was. De duisternis was boven Jaipur neergedaald, wat de meest in het oog springende gebreken van de stad verborg. In de zwakke avondverlichting was het beeld van de smerige straatkinderen die rondholden tussen de kraampjes waar echt alles werd verkocht – van versgeroosterde pinda's en thee tot kleine godenbeelden en kinderkleren in felle kleuren – bijna pittoresk.

We persten ons in Yogi's kleine, in India geproduceerde Tata, die ingeklemd stond tussen twee andere auto's. Hij zette meteen een cassettebandje met Abba keihard aan, legde zijn hand op de claxon en haalde die niet weg voordat de parkeerjongen de juiste sleutel aan zijn enorme sleutelbos had gevonden en de auto voor ons had weggereden zodat we weg konden. Yogi draaide het raam naar beneden en gaf hem een biljet van twintig roepie.

'Wil je een whisky tijdens de rit, mister Gora? Dat is wellicht een van de allerbeste medicijnen die er bestaan!' riep hij om *Dancing Queen* te overstemmen, waarna hij het handschoenenvak met een geoefend gebaar opende.

Dat was ingericht als een miniatuurkoelkast, met een fles drank, een fles mineraalwater, twee kartonnen bekers en een schaaltje cashewnoten die met een rood kruidenmengsel waren bedekt en eigenlijk een beetje naar rotte eieren roken. Ik pakte de fles drank en keek naar het etiket. Blenders Pride. Het klonk op zich betrouwbaar, maar omdat ik nog steeds de smaak van de oude monnik in mijn mond had, aarzelde ik even.

'De beste Indiase whisky ter wereld!' verzekerde Yogi me.

Ik vond het nogal moeilijk te interpreteren wat dat betekende, maar besloot uiteindelijk om mijn gezelschap te vertrouwen en schonk een beetje in de kartonnen beker. Toen ik hem naar mijn mond bracht hield Yogi me resoluut tegen.

'Stop, mister Gora! Je moet whisky samen met water drinken, anders krijg je pijn in je magen!'

Ik zette het geluid zachter en keek hem met een vragende glimlach aan.

'Mijn magen? Ik heb er toch maar een?'

'Nee, nee! Iedereen heeft minstens twee magen. De vriendelijke maag en de kwaadaardige maag. De vriendelijke maakt niet zoveel ophef met zijn humeur. Hij knort alleen tevreden zolang je vriendelijk tegen hem bent. Maar de kwaadaardige probeert je nutteloze dingen te laten eten zoals bijvoorbeeld dieren.'

'Maar whisky is goed?'

'Dat is beter dan goed! Maar als de whisky in je maag brandt als vuur kun je hem achteraf niet blussen met water. Daarom moet je hem van tevoren blussen. Tem hem zoals de berentemmer zijn beren temt. Drink hem met plezier maar drink hem altijd met water. Dan doet hij je goed en doodt hij de bedoelingen van de slechte bacteriën!'

Ook al vond ik Yogi's theorie een beetje lachwekkend, het was ook heel vermakelijk. Hij boerde ongegeneerd en trok daarna een ernstig gezicht.

'Mister Gora, je moet begrijpen dat alles een kwestie van balans is. Kruiden zijn natuurlijke medicijnen, maar je moet weten hoe je ze moet nemen. Verse chili bijvoorbeeld eet je altijd verpakt in chapati, alsof de chili een bevroren man is en de chapati een warme deken. En dan laat je de tanden bijna helemaal achter in je mond kauwen om de discussies van de tong met het gehemelte niet te storen. Een hete curry moet aangevuld worden met een koele witte kaas, en *nimbu pani*, citroenlimonade, doet de maag alleen goed als hij gezelschap krijgt van een beetje suiker en zout. Het gaat om volledige balans. Jullie gora's zeggen dat alle munten twee kanten hebben. Wij Indiërs zeggen dat alle goden minstens twee gezichten hebben. Het ergst is Ravana, die Sita ontvoerde van de hooggeëerde Rama en haar naar Sri Lanka bracht. Hij heeft niet minder dan tien gezichten! Zo is het ook met eten. Dat heeft veel gezichten. En met de magen, die hebben ook veel gezichten. En met alle andere dingen trouwens ook.'

'Wat betekent gora?' vroeg ik.

Yogi gaf geen antwoord, maar pakte de waterfles en schonk water in mijn whisky.

'Nu is het in balans,' zei hij. 'Nu mag je drinken!'

Ik nam een slok. Het smaakte niet naar whisky, maar ook niet naar petroleum. Het was met andere woorden in balans. Ik herhaalde mijn vraag. Yogi schraapte zijn keel.

'Gora is gewoon een woord dat we gebruiken om mensen te beschrijven die jouw mooie, bleke huid hebben,' zei hij.

'Bedoel je ongeveer zoals de indianen in Noord-Amerika over de blanken zeiden toen die daarnaartoe kwamen?'

'Precies!'

'Dus mister Gora betekent "bleekgezicht"?'

Yogi schoof opgelaten heen en weer.

'Nee, niet direct, maar een beetje in die richting, hoewel veel beter en mooier natuurlijk. Zoals de reclame op de televisie waarin Priyanka Chopra een crème opdoet en helemaal wit en blij wordt!'

'Wie is Priyanka Chopra?'

'Weet je dat niet? Ze is de mooiste Indiase vrouw ter wereld! Ze heeft alle wedstrijden in het universum gewonnen en laat haar schoonheid nu in films zien. Ze is de allergrootste Bollywoodster!'

'Ik weet niet of ik wil dat je me bleekgezicht noemt. Ik heet Göran Borg.'

'Dat is net als de Zweedse onderbroekenman die tennist!' zei Yogi enthousiast. 'Die heet toch ook Borg?'

'Het is genoeg als je me Göran noemt.'

'Gora.'

'Nee, met twee puntjes op de o en een n aan het eind. Het is Göööran.'

'Goooora.'

Yogi haalde een kleine sigaret uit zijn colbertzak en stak die op. Het rook alsof er een stuk bos in brand stond.

'Maar dat is toch ook niet goed voor de gezondheid?' protesteerde ik terwijl ik het autoraam demonstratief naar beneden draaide.

'Jawel, dat is het absoluut. Extreem goed voor de gezondheid! Het is een handgemaakte Indiase minisigaar. Een bidi, uitsluitend van natuurproducten gemaakt. Weet je, mister Goooora, in Nederland kun je bidi's in de apotheek kopen als je aan astma, bronchitis of een andere vervelende longziekte lijdt.'

Yogi zette de Abbamuziek weer harder en glimlachte beleefd.

'Hou je van deze Zweedse muziek?'

'Niet bepaald.'

'Is het misschien te modern voor je? Misschien wil je liever iets horen wat geschikter is voor jouw leeftijd? Mister Erik zei dat je een oude vriend bent.'

Er lag geen spoor van ironie in Yogi's stem. Ik had me misschien beledigd moeten voelen, maar ik kon niet anders dan uitbarsten in een harde, luide lach waarmee mijn reisgenoot al snel instemde. Toen we uitgelachen waren, droogde Yogi zijn ogen en stak een nieuwe bidi op.

'Sorry dat ik het vraag, mister Gora, maar waar lachten we eigenlijk om?'

'Dat is niet belangrijk.'

'Nee, maar het was in elk geval grappig.'

Hij trommelde tevreden met zijn vingers op het stuur terwijl hij tegelijkertijd een levensgevaarlijke inhaalmanoeuvre uitvoerde – drie vrachtauto's achter elkaar – op de weg die uit Jaipur leidde.

'Wil je echt naar Agra, mister Gora?' vroeg hij nadat het een tijdje stil was geweest.

'Ja, daar zijn Erik en de groep nu. Ik heb begrepen dat we morgen de Taj Mahal gaan bezoeken en dat is tenslotte een van de zeven wereldwonderen.'

Yogi knikte nadenkend.

'De Taj Mahal is een heel mooi gebouw. Het mooiste Indiase gebouw ter wereld! Maar ernaar kijken zonder mooie vrouw naast je is hetzelfde als samosa's zonder rode chilisaus eten, als je begrijpt wat ik bedoel.'

'Nee, dat doe ik niet. Ik weet niet eens wat samosa's zijn.'

'Dat is de beste Indiase vegetarische snack ter wereld! Erwten en aardappelen gefrituurd in een heerlijk krokant beslag. Maar als je het mij vraagt is het zonder chilisaus hoogstens een middelmatig gerecht.'

'Net als de Taj Mahal zonder een mooie vrouw naast je?'

'Precies.'

Hoe meer ik erover nadacht, hoe enthousiaster ik werd over

Yogendra Singh Thakurs vergelijkingen en manier om de wereld te beschrijven.

'Als ik niet naar Erik in Agra ga, wat is het alternatief dan?'

Yogi begon breed te glimlachen.

'Dan bel ik meteen naar *amma* zodat ze tegen de bedienden kan zeggen dat ze een logeerkamer in orde moeten maken!'

14

Nadat Yogi zijn moeder had ingelicht over onze komst, leende ik zijn mobiel om Erik te bellen en hem over mijn geleidelijke herstel en nieuwe plannen te vertellen. Hij klonk opgelucht dat ik in veilige handen was. We spraken af dat ik me drie dagen later in Delhi bij de groep zou aansluiten, voor een laatste overnachting in de Indiase hoofdstad voordat we naar Zweden teruggingen.

Na de bijna vijf uur durende, vermoeiende autorit vanaf Jaipur reden we net na middernacht door een bewaakte poort een schaduwrijke woonwijk in. Yogi zette de muziek uit, schraapte zijn keel en stopte een pepermuntje in zijn mond.

'Hier woon ik,' zei hij toen we voor een grote villa stopten waarvoor twee bewakers, van top tot teen in dekens gewikkeld, in een wachthuisje op plastic stoelen zaten te slapen.

'We moeten nu stil zijn zodat we ze niet wakker maken,' ging Yogi met een serieuze klank in zijn stem verder.

'Waarom mogen we ze niet wakker maken?'

'Omdat er een kans is dat amma slaapt, en als we de bewakers op dit heel late tijdstip wakker maken, maken zij op hun beurt amma wakker,' fluisterde hij.

Wat ontroerend dat hij uit bezorgdheid voor zijn moeder zoveel consideratie met de luierende bewakers heeft, dacht ik.

We slopen door een kier in de poort en daarna over een stenen pad naar de voordeur van het huis, die Yogi geluidloos opende met de voorzichtigheid van een dief die een brandkast probeert te kraken.

Een donkergroene plafonnière verspreidde een schemerig licht in de hal. Yogi ging op zijn tenen staan en luisterde. Er klonk ritmisch getik van een klok, maar verder was het stil. Zijn nerveuze gelaatstrekken ontspanden, maar slechts een moment, tot een schelle stem door een gesloten deur een stukje verder in het huis sneed.

'Yooogeeeeendraaaaaaaa!'

Tien seconden later ging dezelfde deur open en er verscheen een kleine, tengere vrouw, gekleed in een nachthemd en met lang grijs haar dat los over haar schouders hing. Ze leunde op een stok maar straalde desondanks een zeldzame kracht uit.

'Amma!' riep Yogi zenuwachtig. Hij rende naar haar toe en raakte de voeten van de vrouw aan alsof ze een godin was, waarna hij haar voorzichtig omhelsde.

'Je ruikt naar whisky,' siste ze.

Er klonk gerinkel van kleine belletjes en een jonge vrouw van in de twintig kwam de trappen van de bovenverdieping af rennen. Yogi's moeder zei iets strengs tegen haar in het Hindi en richtte zich daarna glimlachend tot mij.

'U bent dus Yogendra's nieuwe vriend? Hebt u trek in thee?'

Ik was overrompeld door haar plotselinge vriendelijkheid en stelde me beleefd voor, waarna ik met het oog op het late tijdstip de thee net zo beleefd afsloeg.

'Het is al laat, lieve amma,' zei Yogi sussend.

'Het is nooit te laat voor een lekkere kop thee,' antwoordde zijn moeder met zo'n vanzelfsprekende vastbeslotenheid dat er geen ruimte voor verdere discussie was.

Het kostte twee uur om mrs Thakurs meest acute nieuwsgierigheid naar mij te bevredigen met een geflatteerde versie van mijn levensloop, waarin ik de beladen vraag of ik getrouwd was handig pareerde door mijn kinderen in het gesprek te introduceren. De oude vrouw trok af en toe haar wenkbrauwen op maar knikte voornamelijk geïnteresseerd. Toen ze de theesessie eindelijk beëindigde met een abrupt 'welterusten' en steunend op het dienstmeisje in haar slaapkamer verdween, verspreidde de opluchting zich over Yogi's gezicht.

'Dat ging goed,' fluisterde hij tevreden. 'Lang niet iedereen weet zo goed met amma om te gaan. Ik denk dat ze je aardig vindt.'

Het leek erop dat Yogi gelijk had. De dag daarna, na een verbazingwekkend goede nachtrust, was zijn moeder de vriendelijkheid zelve en ik besloot om uiterst beleefd te blijven nu het zo goed begonnen was.

De dagen met mrs Thakur in de ruime woning verstreken kalm. De broodmagere vrouw, die in de zeventig was en sinds tien jaar weduwe, was altijd gekleed in de Indiase tuniekjurk *salwar kameez*, met een pluizig vest erboven. Mrs Thakur praatte uitstekend, geschoold Engels maar gaf er de voorkeur aan in het Hindi te lezen. Aan haar voeten droeg ze voornamelijk een paar veel te grote, handgekaarde, wollen sokken, die haar tegen de kou van de marmeren vloeren beschermden.

Vanwege osteoporose en reumatische pijnen stond ze niet graag op van haar versleten fauteuil, die op een strategische plek in de zitkamer stond, recht tegenover de ingang en in de buurt van een elektrische radiator en de televisie. Vanaf die plek kon ze alles wat er in huis gebeurde in de gaten houden, en ook al vond ik haar behoefte aan controle hinderlijk, toch was ze onmiskenbaar een originele en interessante vrouw.

Toen de dag waarop ik met Erik herenigd zou worden aanbrak, veranderde ik mijn plannen opnieuw. Na een hartelijke uitnodiging van Yogi was ik van plan om nog twee weken in India te blijven. Niet omdat ik het zo enorm naar mijn zin had – ik vond het land nog steeds veel te groot, smerig, vreemd en deels zelfs angstaanjagend – maar de gedachte om terug te gaan naar Zweden en mijn bestaan als middelbare, werkloze communicatiedeskundige zonder toekomst was nog angstaanjagender.

Deze keer klonk Erik niet alleen verbaasd maar ook een beetje sceptisch toen ik hem te pakken kreeg.

'Wat ga je twee hele weken in Delhi doen?'

'Tja, er gewoon zijn. Ik kan mijn ticket omboeken en het weer in Zweden is tenslotte afschuwelijk in deze tijd van het jaar.'

'Maar je vindt India helemaal niets.'

'Wat klink je bevooroordeeld, Erik. Bovendien is alles relatief. Ik vind Malmö ook niets als het stortregent en stormt. En Yogi is aardig, daar moet ik je gelijk in geven.'

'Mag ik hem aan de telefoon?'

Er stak een duiveltje de kop op.

'Hij is er op dit moment niet, maar je kunt met zijn moeder praten.'

Ik zou de hoorn net aan mrs Thakur geven, die in de fauteuil naast me zat en de Hinditalige krant *Dainik Jagran* met behulp van een vergrootglas las, toen Erik 'nee!' siste met zo'n wanhopige smeekbede in zijn stem dat ik me bedacht.

'Oké, dan niet.'

'Dank je. Hou dat oude wijf in de gaten, ze is een echte gifslang.'

'Tot nu toe ben ik ongedeerd.'

'Het is alleen een kwestie van tijd voordat ze toeslaat. Die vrouw kan niet langer dan vier dagen achter elkaar zonder bloed.'

'Je overdrijft. Waar ben je nu?

'In Delhi. Ik lig bij te komen in mijn luxe suite in het Star Hotel,' lachte Erik.

'Alleen?'

'Nog wel.'

Hij lachte nog harder. Ik geloof dat hij het lachen gebruikte om ons eerdere verschil van mening te vergoelijken. Het was een fijn gevoel dat we geen ruzie meer hadden.

'Hoe is de reis geweest?'

'Goed en slecht. De bus is twee keer stukgegaan en die verwaande Smålander kreeg een allergische reactie in Ranthambore. Blijkbaar zat er iets in de tilak die tussen zijn ogen werd aangebracht waar hij niet tegen kon. Zijn hoofd zwol helemaal op en werd groot als een ballon. Gelukkig vonden we al snel een arts die hem cortison heeft gegeven. Het gevaar is voorbij, maar zijn gezicht heeft alle kleuren van de regenboog. Hij ziet eruit alsof Mike Tyson vier ronden zonder handschoenen tegen hem heeft gebokst. En de hoeveelheid slechte grappen in de bus is de afgelopen dagen dramatisch gedaald.'

Net goed! Ik kon het niet laten om te glimlachen. Leedvermaak was altijd een belangrijke energieverstrekker in mijn leven geweest. Het kon bijvoorbeeld gebeuren dat ik harder juichte als Helsingborgs IF een eredivisiewedstrijd verloor dan als Malmö FF won.

Erik liet zijn stem dalen.

'Ik moet ophangen. Josefin komt binnen. Ik vlieg morgen terug en vertrek over een paar dagen voor drie weken met een groep naar Vietnam. Daarna ben ik een tijdje thuis voordat ik weer naar India kom.'

'Zien we elkaar dan in Malmö tussen je reizen? Misschien voor een biertje in Bullen?' stelde ik voor.

'Absoluut,' zei Erik. 'Doe de groeten aan Yogi en pas goed op jezelf. En hou dat oude wijf in de gaten.'

Yogi's moeder was gestopt met lezen en richtte nu al haar aandacht op mij.

'Met wie praatte je?' vroeg ze.

'Met mijn Zweedse vriend Erik, mevrouw.'

'Aha,' zei ze met een grimas, waarna ze zich weer op de *Dainik Jagran* concentreerde.

Het was heel eenvoudig om je te laten misleiden door mrs Thakurs breekbare uiterlijk, maar in haar tengere lichaam huisde een vrouw die haar omgeving met een ijzeren hand regeerde en bovendien een gedecideerde mening over alles en iedereen had. Tijdens een van onze eerdere gesprekken had ik begrepen dat ze Erik beschouwde als een uiterst ongeschikt contact voor haar enige zoon. Ze had hem twee keer ontmoet toen hij bij hen thuis logeerde en bijzonder ongegeneerd had geflirt met zowel het dienstmeisje als de trap-schoonmaakster. Mrs Thakur zei dat ze de manier waarop Erik naar vrouwen keek herkende: 'als een hongerige leeuw die zijn prooi beloert'. Ze was ondanks haar zwakke ogen heel scherpzin-nig.

15

Een paar dagen later voelde ik me helemaal gezond maar nog niet in staat om op eigen houtje Delhi te verkennen. Als Yogi weg was voor zijn dagelijkse zakelijke beslommeringen met de belofte om over een paar uur terug te zijn, hield ik zijn moeder gezelschap in de grote woning in Sundar Nagar, waarvan ik inmiddels wist dat het een van New Delhi's betere woonwijken was.

Ik was niet onverdeeld enthousiast over mijn rol als gezelschapsheer en was de hele tijd bang voor de gifbeker waarvoor Erik me had gewaarschuwd, maar ik bevond me in de situatie dat ik het Yogi verschuldigd was vanwege zijn gastvrijheid. En een groot deel van de tijd zaten we toch zwijgend naast elkaar te lezen: mrs Thakur in de *Dainik Jagran* en ik in mijn reisgids over India.

'Mister Borg, hebt u trek in een kop *masala chai*?' vroeg ze plotseling, waarna ze met het belletje dat naast haar op tafel stond rinkelde.

Binnen tien seconden verscheen het jonge dienstmeisje Lavanya met vederlichte voetstappen, begeleid door het gerinkel van de kleine belletjes die in een zilveren band rond haar enkels zaten. De belletjes hadden twee functies. Deels hielpen ze mrs Thakur te lokaliseren waar Lavanya was, deels gaven ze mrs Thakur de kans om tegen Lavanya te schreeuwen als ze te lang zwegen, wat erop wees dat het meisje luierde.

'Twee chai en twee stukken van de cake die Shanker gisteren gebakken heeft.'

'Yes, madam,' zei Lavanya terwijl ze knikte met een schommelend gebaar dat me deed denken aan de autohond die op de hoedenplank van onze Opel Rekord lag toen ik klein was.

Lavanya verdween naar de keuken maar was al snel weer terug.

'Madam, er is heerlijk *shortbread*.'

'Dat weet ik, maar we willen de cake met glazuur erop, nietwaar, mister Borg?'

'Ik ben overal tevreden mee,' antwoordde ik diplomatiek.

'Dat kan wel zijn, maar ik wil alleen de cake die Shanker gisteren gebakken heeft. Met glazuur erop.'

'Er is een klein probleem,' zei Lavanya, die zenuwachtig aan haar lange, gitzwarte paardenstaart trok.

'En wat is dat dan?'

'De cake is op dit bepaalde moment niet aanwezig.'

Hoewel Lavanya een eenvoudig dorpsmeisje uit Tamil Nadu was dat nooit naar school was gegaan, praatte ze verbijsterend goed Engels. Het deed veel aan het Engels van Yogi denken, elegant en gekruid met een grammaticale vindingrijkheid waardoor elke Engelsman gekweld zou kronkelen, maar dat volkomen begrijpelijk, uiterst genuanceerd en heel persoonlijk was. Ik verdacht Yogi ervan dat hij het haar had geleerd.

'Als de cake niet aanwezig is, kun je me misschien vertellen waar die zich op dit moment bevindt,' antwoordde mrs Thakur zonder een spier te vertrekken.

'Hij is buiten de deur voor een uiterst belangrijke kwestie,' zei Lavanya. Het leek alsof ze bloosde onder haar donkere huid.

'Wil je zo vriendelijk zijn om Shanker te halen?' zei de vrouw.

Lavanya ging naar de keuken en kwam terug met de kok, die een enorme, glanzende, witte en opvallend angstige glimlach op zijn gezicht had.

'De cake die je gisteren hebt gebakken was heerlijk, Shanker,' zei mrs Thakur.

'Dank u wel, mevrouw.'

'Vooral het glazuur.'

'Dank u wel, mevrouw.'

'Het was een goed idee om er zoveel glazuur op te doen dat de cake heel groot werd, omdat ik nadrukkelijk tegen je heb gezegd dat ik vandaag ook een stuk wilde hebben.'

Deze keer zweeg de kok.

'En de cake is dus buiten de deur voor een uiterst belangrijke kwestie. Wanneer verwachten jullie hem terug?'

Shanker en Lavanya stonden naast elkaar met beschaamd gebogen hoofden naar hun voeten te kijken. Mrs Thakur bleef vriendelijk.

'Heb ik gelijk als ik zeg dat de cake niet in zijn eentje buiten de deur is en rondzwerft door de straten van Delhi? Klopt mijn vermoeden dat de cake zich bevindt in de maag van een gezette man die mijn achternaam draagt?'

'Het spijt me,' zei de kok uiteindelijk zachtjes.

Mrs Thakur zette zich schrap op de armleuningen van de fauteuil en duwde zich omhoog tot haar volle lengte, die hoogstens een meter vijftig was, maar in de ogen van de bedienden voldoende angstaanjagend was.

'Hoe vaak heb ik gezegd dat jullie die gulzige vetzak in toom moeten houden! Het was mijn cake! Als Yogendra zo nodig iets moet eten na het diner staan er zowel *kheer* als vruchten in de koelkast! DE CAKE WAS VAN MIJ EN DAT WISTEN JULLIE! JULLIE HADDEN HEM MOETEN VERSTOPPEN!'

Na haar woede-uitbarsting liet mrs Thakur zich volkomen uitgeput op de fauteuil zakken. Lavanya haastte zich weg en verdween al belletjes rinkelend naar buiten. Tien minuten later serveerde ze gloeiend hete, kruidige thee met vier extreem zoete gebakjes, die ze bij de vlakbij gelegen Sweet Corner had gekocht. De rust keerde terug in de zitkamer. Mrs Thakur bladerde opnieuw in de *Dainik Jagran* en praatte met me op een vriendelijke toon, alsof er niets was gebeurd.

Tot mrs Thakurs verdediging kon worden gezegd dat ze maar voor de helft een driftige oude vrouw met een ziekelijke behoefte aan controle was. De andere helft was misschien niet hartelijk, maar in elk geval menselijk en bovendien ruimhartig. Want ondanks haar regelmatig terugkerende uitbarstingen leed het geen twijfel dat ze een soort liefde koesterde voor haar personeel, dat naast Lavanya en de kok Shanker bestond uit een tuinman, de meestal inactieve chauffeur Harjinder Singh, twee geüniformeerde bewakers, die in het wachthuisje buiten het traliehek luierden, en de trapschoonmaakster, die het geplaveide terras elke dag veegde en alle tuinmeubelen schoonmaakte.

Omdat het huishouden slechts bestond uit Yogi en zijn moeder was de hoeveelheid personeel ruim bemeten, zelfs voor de Indiase middenklasse. Yogi was echter bang dat zijn moeders wereld zou instorten als ze een paar oudgedienden ontsloegen.

Bovendien hadden ze geld. Yogi's vader was een gerespecteerde Indiase rijksambtenaar geweest die een flinke erfenis had nagelaten. Het grote huis in Sundar Nagar was bovendien veranderd in een goudmijntje omdat de prijzen van onroerend goed in New Delhi's betere buurten met de snelheid van een raket omhoog waren geschoten toen de economie in het begin van de jaren negentig gedereguleerd was. Iedereen die grond en onroerend goed in deze wijken bezat, was in principe van de ene op de andere dag multimiljonair. Alleen al de inkomsten van het appartement op de bovenverdieping, dat werd verhuurd aan een Amerikaans gezin, waren ruim voldoende om de hele huishouding te onderhouden en het al solide vermogen te vergroten. Het was dus niet zo erg dat Yogi's bedrijfje, dat kleding en textiel naar Oost-Europa exporteerde, ternauwernood overleefde.

Yogi's twee jongere zusjes waren al lang getrouwd en woonden bij hun echtgenoten in de huizen van hun schoonouders in Bombay en Calcutta. Mrs Thakur had dus voornamelijk contact met haar personeelsleden, over wie ze positief praatte als ze het niet konden horen. Volgens Yogi stond zijn moeder altijd klaar als een van haar personeelsleden geld nodig had voor een acute aangelegenheid. Vorige week had ze bijvoorbeeld vijfentwintigduizend roepie aan kok Shanker geleend, zodat hij geld had om de bruidsschat voor het aanstaande huwelijk van zijn oudste dochter te betalen. Yogi was ervan overtuigd dat ze de lening nooit terug zou vragen, ook al wilde ze dat Shanker dat dacht.

Nadat we onze thee in stilte hadden gedronken, werd de rust opnieuw verbroken, deze keer doordat Yogi de woning binnen kwam stormen. Het eerste wat hij deed was de voeten van zijn moeder aanraken. Daarna herhaalde hij dezelfde procedure bij mij voordat hij op de bank neerplofte, waardoor de veren uit protest boos piepten. Ik vroeg waarom hij onze voeten aanraakte. Dat had hij immers ook gedaan toen we elkaar voor het eerst zagen.

'Dat is om jullie mijn respect te tonen. Dat doe ik bij alle oude, voorname mensen.'

'Dank je, maar in het vervolg mag je dat bij mij achterwege laten.'

'Als je dat noodzakelijkerwijs vindt. Hoe is je dag geweest, amma?' ging hij verder. 'Hebben jij en mister Gora elkaar allerprettigst gezelschap gehouden?'

'We hadden geen cake bij de thee en dat is jouw schuld,' mompelde de oude vrouw, die blijkbaar niet in staat was om haar woede opnieuw tot leven te wekken. 'Je bent te dik,' constateerde ze alleen.

Yogi glimlachte liefdevol naar zijn moeder.

'Er kan iets in je bewering zitten, lieve amma. En juist daarom ga ik beginnen met trainen!'

'Wanneer dan?' vroeg mrs Thakur met een sceptische klank in haar stem.

'Vanavond! Ik ga naar de beste Indiase sportschool ter wereld en ga dit wegtrainen,' zei Yogi terwijl hij zijn spek stevig vastpakte. 'Ik word net zo knap als Shah Rukh Khan!'

'Wie is dat?' vroeg ik.

'De beste mannelijke Bollywoodster ter wereld. Alle vrouwen zijn stapelgek op hem en zijn prachtige lichaam. Hij wordt Sixpack genoemd om zijn beste buikspieren.'

Yogi spreidde zijn armen alsof hij iedereen in de kamer wilde omhelzen.

'En ik vind dat jij ook mee moet gaan, mister Gora, nu je beter bent in je magen. Zodat je ook een mooie man wordt. Ik bedoel een nog mooiere man dan je al bent!'

Mrs Thakur schudde haar hoofd en pakte de *Dainik Jagran* weer op. Ze had al de hele dag achter de krant gezeten, dus kon er niet veel meer te lezen zijn. Ik zag dat het vergrootglas nog op tafel lag. Waarschijnlijk probeerde ze zich achter de krant te verstoppen, maar Yogi kende zijn moeder en praatte daarom alleen over onschuldige dingen. Uiteindelijk keek ze op en staarde chagrijnig naar haar zoon.

'Als je toch een keer ging trouwen zodat je een beetje regelmaat krijgt.'

16

De plotselinge uitbarsting van de oude vrouw met betrekking tot de huwelijkskwestie was geen provocatie om een ruzie uit te lokken maar een onderwerp dat moeder en zoon echt dwarszat. Hij was met zijn negenendertig jaar meer dan oud genoeg om te trouwen.

'Je moet begrijpen, mister Gora, dat nu mijn vader in zaliger gedachtenis dood is, het de kostbare plicht van mijn moeder is om een mooie en verstandige Indiase bruid voor me te vinden,' legde Yogi uit toen we in zijn Tata op weg naar de sportschool waren. 'Ze heeft heel vurig een schoondochter nodig, maar het is niet zo gemakkelijk om iemand te vinden die geschikt is.'

'Is het niet eenvoudiger als je dat zelf probeert?'

'*Love marriage?* We geloven niet in dat loze westerse bedenksel over hoe mannen en vrouwen permanente banden kunnen aanknopen. Dat loopt alleen uit op een scheiding,' zei Yogi, waarna hij een bidi opstak.

'Dat gebeurt toch niet altijd,' zei ik terwijl ik het raam naar beneden draaide.

'Ben jij gescheiden?' vroeg Yogi.

'Ja, maar ...'

'Is mister Erik gescheiden?'

'Maar hij was niet eens echt getrouwd!'

'Het klinkt als een vreemde westerse regel om niet echt te trouwen. Als ik trouw zal dat op de allerallerechtste manier zijn die je maar kunt bedenken,' verkondigde Yogi plechtig terwijl hij op volle snelheid af reed op een van de drukke, identiek lijkende rotondes die New Delhi's wijdvertakte stratennetwerk met elkaar verbonden en die het vrijwel onmogelijk maakten om je in de stad te oriënteren.

Ik begreep van Yogi dat er geen gebrek aan bruidskandidaten was geweest, meisjes die net als hij deel uitmaakten van de Kshatriya's, de kaste van de strijders en de heersers en die zowel goed opgeleid als aantrekkelijk waren.

'Maar het ligt een beetje gevoelig, mister Gora. In India verhuist de vrouw naar het huis van de man en wordt een deel van de familie. De vrouw die mijn geliefde echtgenote wordt moet ook mijn moeders geliefde schoondochter worden. Elke dag, als je begrijpt wat ik bedoel.'

'Ik geloof het wel.'

'Ze moet de dikste olifantenhuid hebben en net zoveel moed en kracht als de godin Durga op de rug van de tijgerin. Anders wordt ze ongelukkig, en een ongelukkige vrouw is het ongelukkigste wat er is. Dat wil ik niet op mijn geweten hebben, dus daarom is het me gelukt alle huwelijken tegen te houden. Met de grootste consideratie voor de vrouwen en mijn meest geliefde amma natuurlijk.'

'Je wacht dus op een Durga met een olifantenhuid?'

Yogi knikte en haalde diep adem, waarna hij een flinke trek van zijn bidi nam. De rest van de rit naar de sportschool van Hotel Hyatt in Zuid-Delhi zwegen we. Toen Yogi de autosleutels had afgegeven aan de parkeerwachter en we de metaaldetectoren en veiligheidscontroles waren gepasseerd, werden we opgewacht door een in livrei geklede portier die ons welkom heette in de ruime foyer.

De zachte, behaaglijke verlichting, de gedempte hotelmuziek, de smaakvolle bloemenarrangementen en de glanzende marmeren vloer waren heel ver verwijderd van het lawaai en de viezigheid in de sloppenwijk die we net waren gepasseerd. Goed geklede Indiërs mengden zich met goed geklede buitenlandse hotelgasten. Opvallend veel waren ook extreem goed gevoed.

Dit is dus de plek waar de Indiase diabetestijdbom tikt, dacht ik bij de aanblik van een man die minstens honderdvijftig kilo woog.

'Zie je, mister Gora, voordat je begint te trainen voel je je hierbinnen al een slankere en mooiere man,' fluisterde Yogi.

De sportschool met bijbehorende spa lag een verdieping lager, aan de andere kant van een verlicht buitenzwembad achter het hotel. Yogi kende de hoofdsportinstructeur, die ons toegang verleende tot de exclusieve club waarvan je lid moest zijn. We lieten ons niet afschrikken door een blonde spierbundel van onbekende nationaliteit bij het bicepsapparaat en een Indiase atlete met gazellebenen op een loopband. Ook in de sportschool was het gemiddelde gewicht van de gasten namelijk hoog, en de calorieverbranding laag.

Ik staarde met verbijsterde fascinatie naar een enorme vrouw die met een geschatte snelheid van tweeënhalve kilometer per uur op een hometrainer fietste. Ze was waarschijnlijk meer calorieën kwijtgeraakt als ze stil had gezeten en tomaten had gegeten. We waren ook niet onder de indruk van de trainingsintensiteit van de opgeblazen jongeman die als een verlamde pad op een bank lag en het sportschoolpersoneel beval om hem halters van zeven kilo te geven die hij daarna in slow motion hief.

Yogi maakte een praatje met de bevriende sportschoolinstructeur, die hem wat eenvoudige opwarmingsoefeningen liet zien, terwijl ik vastbesloten naar een loopband liep. Ik had tenslotte drie voordelen om op te steunen:

1. Een basisconditie van het voetballen.
2. Een krachtig beendergestel.
3. Natuurlijke spieren.

Tegelijkertijd waren er net zoveel problemen:

1. Het was meer dan twintig jaar geleden dat ik voor het laatst had gevoetbald.
2. Een krachtig beendergestel is meestal het gevolg van een belastend overgewicht.
3. Natuurlijke spieren hebben de neiging om in ruststand te gaan als ze niet gebruikt worden.

Als je net bent hersteld van een uitmergelende maagziekte en terechtkomt op een loopband naast een Indiase atlete met gazellebenen, je de voornoemde problematiek niet ten volle beseft en bovendien bent belast met het mannelijke wedstrijdinstinct waardoor het verboden is om ingemaakt te worden door een vrouw, ook al heeft ze toevallig gazellebenen en is ze half zo oud als jij bent, dan beland je langzamerhand in een bijna-doodervaring.

Ik rende te lang te snel, en plotseling werd het zwart voor mijn ogen. Daarna hoorde ik Barry White *Can't Get Enough of Your Love, Babe* zingen en zag ik Mia voor me, die naar me glimlachte en haar armen naar me uitstrekte. Ik kwam bij doordat de sportinstructeur water in mijn gezicht gooide. Achter hem zag ik Yogi, de Indiase gazelle en zelfs de verlamde pad. Ik lag naast de loopband op de vloer.

'We moeten een arts laten komen,' zei de sportinstructeur, waarop Yogi iets in het Hindi mompelde en mijn voeten aanraakte.

'Dat hoeft niet, hij is alweer in orde,' zei mijn vriend en ik stond op zonder dat mijn benen trilden en zonder een schram op mijn lichaam.

Het ontwaken was net zo aangenaam als de bijna-doodervaring. Een messias-happening gesigneerd door Yogendra Singh Thakur. Als toegewijd atheïst voelde ik me ineens verontrustend religieus.

Maar één wonder maakt niemand gelovig. In de kleedkamer had ik al een rationele verklaring voor het wonder gevonden: het zuurstofgebrek veroorzaakte de hallucinaties, terwijl de slapte van het lichaam na het flauwvallen mijn val gebroken had waardoor ik niet gewond was.

'Ik begin bijna te geloven dat je een soort genezende invloed op me hebt,' zei ik met een spottende glimlach tegen Yogi.

We hadden in het bubbelbad gezeten en gedoucht en stonden nu naast elkaar in een ruimte met grote spiegels aan de muur, wastafels van doorzichtig glas en een lang, marmeren werkblad dat vol stond met toiletartikelen om de laatste hand aan ons uiterlijk te leggen.

'Nee, nee, mister Gora. Alles is goddelijke kracht!' protesteerde Yogi. 'Jullie westerlingen zijn grappig. Geen geloof in het huwelijk en geen geloof in een god.'

Hij druppelde haarwater op zijn hoofd en kamde zijn haar in een zijscheiding.

'Maar hoe kun je geloven in een god als er zoveel zijn?' vroeg ik.

'Draai dat om. Hoe is het mogelijk om niet in een god te geloven als er zoveel verschillende zijn om uit te kiezen?' pareerde Yogi, waarna hij een bus Johnson's babypoeder pakte.

Door de absurde logica in zijn redenatie stond ik met mijn mond vol tanden.

'Doe alsof je op je bank voor de televisie zit en de allerbeste uitzending moet kiezen. Gebruik de afstandsbediening!' ging Yogi opgetogen verder. 'Thuis hebben we driehonderd zenders en ik vind altijd een programma dat het waard is om naar te kijken. Binnen het hindoeïsme zijn er meer dan drie miljoen goden en twee keer zoveel incarnaties van hen. Ik weet zeker dat je je god zult vinden als je gewoon begint de afstandsbediening te gebruiken,' zei Yogi, waarna hij in een wolk talkpoeder verdween.

17

Shah Rukh Khan kon gerust zijn. Yogi en ik vormden nog geen bedreiging voor hem. De haastig afgebroken training had de buik van mijn vriend geen millimeter veranderd in de richting van een sixpack. Hij leek nog steeds het meest op een *bag-in-box*. Zelf was ik weliswaar een paar kilo kwijt in verband met mijn buikgriep, maar ik was in principe nog net zo gezet als vroeger.

Aan de andere kant waren we allebei goedgehumeurd, schoon, met gekamd haar, en roken we van top tot teen lekker. Yogi vond dat we, nu we hier toch waren, onszelf ook moesten trakteren op een bezoek aan de schoonheidssalon van het hotel. Hij had zijn moeder weliswaar beloofd dat we terug zouden zijn voor het late diner, dat altijd om halftien werd geserveerd, maar het was pas acht uur, zodat we tijd hadden voor wat lichamelijke verzorging voordat we ons weer in het dichte avondverkeer zouden storten.

'De gezichtsreiniging van de salon is voortreffelijk, maar ik wil toch de manicure voorstellen. Die is absoluut de beste van Delhi! Laten we de mogelijkheden onderzoeken om onze handen de innige liefde te geven die ze verdienen na alles wat ze voor ons doen.'

Het bleek dat de salon bijna sloot. Misschien kon een van ons een manicurebehandeling krijgen, maar voor allebei was geen tijd en personeel, vertelde het meisje achter de toonbank. Ik stelde voor dat Yogi het aanbod zou aannemen, deels omdat hij het met zijn tabaksgele vingertoppen meer nodig had dan ik, deels omdat ik het diep vanbinnen een beetje belachelijk vond om mijn nagels te laten doen.

'Geen sprake van! Ik weet zeker dat we allebei een manicure kunnen krijgen. Dit is tenslotte een vijfsterrenhotel,' zei Yogi verontwaardigd terwijl hij het meisje aankeek met een halsstarrige uitdrukking op zijn gezicht.

Ze wisselden een paar zinnen in het Hindi. Het meisje schudde haar hoofd een beetje zenuwachtig en verdween daarna in een aangrenzende ruimte.

'Wat heb je tegen haar gezegd?' vroeg ik.

'Dat het slecht is voor India dat we onze beste manicure niet kunnen bieden als we voornaam bezoek uit het buitenland hebben.'

'Dat snap ik niet.'

'Ik heb uitgelegd dat je niet zomaar een eenvoudige toerist bent, maar een belangrijke diplomatieke cultuurpersoonlijkheid uit Scandinavië die heel veel goeds over deze salon heeft gehoord en het daarom bijzonder zou waarderen om een manicure te krijgen.'

'Maar dat is een leugen!'

'Hoezo?'

'Ik ben geen diplomaat!'

'Dat heb ik niet gezegd. Ik zei dat je een diplomatieke cultuurpersoonlijkheid bent.'

'Maar dat ben ik ook niet!'

'Dat kun je niet zeker weten, mister Gora. Dat is helemaal afhankelijk van je opvatting over de fraaiste betekenis van het woord. Je weet bijvoorbeeld hoe je je diplomatiek moet uitdrukken, kijk alleen maar hoe goed je kunt opschieten met mijn meest geliefde amma. Bovendien heb je me verteld over de culturele artikelen die je schrijft, en je bent een persoonlijke vriend van me. Dus kun je heel goed een diplomatieke cultuurpersoonlijkheid zijn.'

Ik had geen zin om verwikkeld te raken in een nieuwe discussie met Yogi, een discussie die ik toch zou verliezen. Het meisje kwam terug en nodigde ons allebei uit om de salon binnen te gaan, waar een schoonmaakster bezig was de vloer te vegen. Een vrouw van begin veertig, die was gekleed in een eenvoudig donkerblauw kostuum, kwam ons tegemoet. Haar zwarte haar was in een strakke knot in haar nek gebonden en haar bruine ogen fonkelden als barnsteen. Ze was mooi op de onregelmatige manier waarvan ik hield, met een aantrekkelijk kuiltje in één wang en een neus die een beetje scheef stond. Voor een Indiase was ze ongewoon lang, minstens een meter zeventig.

Ze stelde zich voor als Preeti Malhotra, de bedrijfleidster van de salon. Yogi glimlachte en prees de fantastische salon, die zo spraakmakend was dat de reputatie ervan zelfs was doorgedrongen tot Scandinavië en de beroemde, intellectuele, diplomatieke cultuurpersoonlijkheid mister Gora Borg, die op bezoek was in India om andere belangrijke cultuurpersoonlijkheden te ontmoeten en interessante culturele artikelen te schrijven over het land waar hij al zoveel van hield.

Er was geen enkele reden voor Yogi om door te gaan nu we al over de drempel waren, maar hij was op dreef en genoot ervan om de situatie aan te dikken. Ik voelde me een sukkel zoals ik erbij stond in mijn zwarte coltrui terwijl ik probeerde te beantwoorden aan het beeld dat Yogi van me schilderde. Als er een valluik was geweest waarin ik zou kunnen verdwijnen, had ik zonder enige aarzeling aan de hendel getrokken.

'Helaas zijn onze manicures al naar huis, maar als jullie genoegen nemen met mij en mijn assistente kunnen jullie natuurlijk een behandeling krijgen,' zei Preeti Malhotra vriendelijk.

Yogi bedankte en boog welgemanierd voordat hij op een stoel ging zitten, waar het meisje van de balie al klaarstond om zich om hem te bekommeren, terwijl Preeti me naar de stoel ertegenover leidde. Ze vulde een wasbak met warm water en zeepte mijn handen in. Ik vond de situatie nog steeds pijnlijk, maar kon me tegelijkertijd niet verweren tegen het behaaglijke, kriebelende gevoel in mijn maag dat het schuim en de aanraking opriepen.

'Is dit uw eerste bezoek aan India?' vroeg ze na een paar minuten.

'Ja.'

Meer kon ik niet uitbrengen, en ik voelde mijn wangen rood worden.

'Bent u positief over ons land?'

'Ja.'

'En u werkt dus als cultuurjournalist?'

'Ja.'

'Dat klinkt interessant.'

'Ja.'

'Hebt u al artikelen over India geschreven?'

'Ja.'

'Waar gaan die over?'

'Een beetje van alles.'

Daarna stopte ons 'gesprek'. Preeti knipte en vijlde mijn nagels nauwkeurig. Ik zat er zwijgend bij en vervloekte twee dingen:

1. Dat ik was getroffen door de ergste aanval van zwijgzaamheid sinds ik als verlegen en puisterige veertienjarige voor een schoolfeest was gevraagd door Louise Andersson, het mooiste meisje van de school.
2. Dat er op het naambordje voor de mooie naam van de

eigenares van de schoonheidssalon, Preeti Malhotra, geen MS maar MRS stond.

Terwijl ze mijn handen insmeerde met een verzachtende crème probeerde ik genoeg moed te verzamelen om mijn mond open te doen om iets te zeggen. De woorden wilden echter niet komen. Een communicatiespecialist die het vermogen om te communiceren miste. Kon het pijnlijker? Ja, dat kon, want uiteindelijk zei ik: 'Hoe laat is het?'

'Halfnegen,' antwoordde Preeti. 'U bent klaar, mister Borg.'

18

Het was niet zo dat ik celibatair had geleefd sinds Mia bij me weg was gegaan. Ik had een paar korte romances gehad en zelfs een iets langere relatie met een kleuteronderwijzeres die Lena heette. Ze was een fijne vrouw van mijn leeftijd. We ontmoetten elkaar twee jaar, negen maanden en vierentwintig dagen na de scheiding van Mia. Ik gaf echt om haar. Mijn kinderen hielden zelfs van haar.

We hadden allebei onze eigen woning, maar zagen elkaar elk weekend en op minstens twee doordeweekse dagen. Na ruim een jaar stelde Lena voor om te gaan samenwonen. Ik vond het een verstandig idee en we gingen op zoek naar een ruimer appartement voor ons tweeën. Lena vond een vierkamerflat op de derde verdieping in de wijk Rörsjöstaden in het centrum van Malmö. Hoge plafonds, stucwerk, twee werkende tegelkachels, een Frans balkon dat bereikt kon worden vanaf de slaapkamer en uitzicht bood op de pittoreske binnentuin. Weliswaar geen lift, maar we waren tenslotte niet stokoud en een beetje traplopen zou ons allebei goeddoen.

Lena's jongere broer en een paar vrienden van hem hielpen verhuizen. Mijn zoon John was er ook bij. Iedereen was blij voor ons. We pasten tenslotte heel goed bij elkaar.

De eerste avond in ons nieuwe appartement aten Lena en ik een afhaalpizza en deelden we een fles rode wijn voor de tegelkachel, met de verhuisdozen als stoelen en tafel. Lena nam een slok en keek diep in mijn ogen.

'Göran,' zei ze terwijl ze mijn ongeschoren wang voorzichtig streelde. 'Ik geloof dat ik oud met je wil worden.'

Het was heel mooi gezegd, en goed getimed. Een liefdesverklaring bij de romantische gloed van een vuur zou elke normale man van middelbare leeftijd een warm gevoel bezorgen, maar ik kreeg het in plaats daarvan ijskoud. Ik zag voor me hoe Lena en ik op onze vilten pantoffels rondsloften in een serviceflat zonder drempels maar met een lift, waar we naartoe waren verhuisd toen onze benen ons niet langer de trappen op konden dragen. Gehaktbrood en vruchtenmoes. Bloedworst en amandelbroodjes. Kalfsgelei met rode bietjes. Thor Modéenfilms en Calle Jularbo. Kookkoffie op een schoteltje met een suikerklontje tussen het kunstgebit geklemd. Prostaatkanker en incontinentie.

Er was helemaal geen logica in mijn schrikbeelden over de oude dag, misschien met uitzondering van de prostaatkanker en de incontinentie. Ik had nog nooit bloedworst gegeten en hield niet van amandelbroodjes, dus het risico dat ik die met uitsterven bedreigde levensmiddelen plotseling zou gaan eten als ik zelf oud was, was microscopisch klein. (Ik zou waarschijnlijk knabbelen aan pizzapunten met een zachte bodem of falafel zonder brood maar met heel veel knoflooksaus.)

Er was ook geen persoonlijk gerelateerde gepensioneerdenverwijzing naar ouderwetse lachfilms en accordeonmuziek. Mijn vader stierf plotseling aan een hartaanval terwijl hij op eenenzestigjarige leeftijd Frank Sinatra's *My Way* zong op een bedrijfsfeest met veel drank op de veerboot naar Finland, en mijn nu tweeëntachtigjarige moeder woonde nog steeds in opperste gezondheid samen met een vijf jaar jongere man met wie ze de tango en de salsa danste als ze geen golf speelden of naar het theater gingen.

Maar logica is één ding en gevoelens zijn iets heel anders. Het was, hoe hopeloos stom het ook mag klinken, voorbij voor Lena en mij nadat ze had gezegd dat ze oud met me wilde worden. Twee weken later maakte ik een eind aan onze relatie en ging ik terug naar mijn vrijgezellenhol aan het Davidshallsplein. Mijn zoon John zei dat ik een idioot was en Lena's jongere broer belde me 's nachts en sloeg dreigende taal uit. Zelfs Erik vond dat ik me als een krankzinnige gedroeg.

Ik dacht veel na in een poging te begrijpen waarom ik zo irrationeel had gereageerd en de enige verklaring die ik kon bedenken was dat er ergens in mijn achterhoofd een sprankje hoop zat dat Mia haar vergissing zou inzien, Max zou verlaten en bij mij terug zou komen. En dat alles weer net zo zou worden als toen we jong waren.

Nu zat ik in Yogi's auto, op weg naar zijn huis voor de late avondmaaltijd met zijn moeder, en begon ik een nieuw denkexperiment. Hoe zou ik reageren als Preeti Malhotra had gezegd dat ze oud met me wilde worden?

Het werd me duidelijk dat ik blij zou zijn, een duizelingwekkend besef dat het fundament waarop mijn hele bestaan rustte ontregelde. Tegelijk voelde die haastig opbloeiende passie utopisch ongevaarlijk. Ongeveer zoals toen mijn dochter Linda als twaalfjarige een liefdesbrief naar Nick van de jongensband Westlife schreef.

Want Preeti (wat een prachtige naam!) had niet gezegd dat ze oud met me wilde worden maar dat ik klaar was (wat een prachtige stem!). Bovendien was ze getrouwd en veel te mooi voor mij (wat een ogen!) en afkomstig uit een andere cultuur (wat een spannend land is India toch!).

Zo bleef ik bezig in een schizofrene kruisbevruchting tussen de jonge Werther en Lill-Babs, tot Yogi zich ermee bemoeide.

'Waar denk je aan, mister Gora?'

Zijn vraag overrompelde me.

'Niets speciaals.'

'Je bent zo stil. Was je niet tevreden over Delhi's beste manicure?'

'Zeker wel, het was heel goed,' zei ik terwijl ik probeerde eruit te zien alsof ik mijn nagelriemen bestudeerde.

'En was je ook tevreden over de allermooiste vrouw die je een manicure gaf?'

'Wat bedoel je?'

'Ik zie hoe je de mooiste rode chilikleur op je wangen krijgt. Dat heb ik bij andere gora's gezien en dat betekent dat jullie een heel warme huid hebben van te veel zon of dat jullie een heel warme huid hebben omdat jullie aan een vrouw denken. Je bent vandaag niet in de zon geweest dus denk ik dat de kleur op je wangen door een vrouw wordt veroorzaakt, en de enige vrouw die je vanavond hebt gezien is de mooie vrouw die je een manicure gaf.'

'Stop daarmee!' protesteerde ik. 'Wat raaskal je? Bovendien is ze getrouwd.'

'Is dat zo?'

'Er stond "mistress" op haar naambordje.'

Yogi kreeg een bezorgde rimpel tussen zijn wenkbrauwen.

'Dan heb je in naam van de waarheid gelijk dat ze niets voor je is. Vergeet haar, mister Gora. Vergeet haar!'

19

Ik deed echt mijn best om mrs Preeti Malhotra te vergeten en daar had ik goede redenen voor. Het was natuurlijk eigenaardig om van een man van middelbare leeftijd die acht jaar, vier maanden en vijftien dagen na de scheiding nog steeds ziekelijk geobsedeerd is door zijn ex-vrouw, plotseling te veranderen in een man van middelbare leeftijd die voortdurend denkt aan een getrouwde Indiase vrouw van wie hij niet veel meer weet dan de naam en die hij al zes dagen, vijf uur en ... achtendertig minuten niet meer heeft gezien.

In het begin zocht ik afleiding in het gezelschap van mrs Thakur, maar ik werd stapelgek van het zenuwachtige belgerinkel dat de voetstappen van het dienstmeisje Lavanya veroorzaakten in afwachting van de gebruikelijke uitbarsting van de oude vrouw. Daarom besloot ik Yogi te begeleiden tijdens zijn zogenaamde zakelijke beslommeringen kriskras door de Indiase hoofdstad.

We zaten een groot deel van de tijd in Yogi's Tata, die dienstdeed als rijdend kantoor. Hier behandelde hij alle inkomende en uitgaande telefoongesprekken, afwisselend in Hindi, Engels en Russisch. De laatste taal beheerste hij perfect omdat hij als jonge, veelbelovende student een studiebeurs had gekregen voor een ingenieursopleiding in Moskou. Hoewel Yogi sommige details wegliet, begreep ik uit zijn verhalen dat hij meer succes had gehad in het Russische sociale leven dan in de schoolbanken, en dat hij ook geen gebrek had gehad aan gezelschap van vrouwen tijdens zijn verblijf in Moskou.

'De Russische vrouw is zo'n mooie vrouw dat je haar door alle slagen van je hart graag trakteert op Russische champagne. Telkens opnieuw,' verkondigde hij.

Toen Yogi de helft van zijn studie achter de rug had, was hij ermee gestopt en was hij een Indiase zakenman geworden die zich richtte op de Oost-Europese markt. Minstens één keer per maand nam hij het vliegtuig naar een beurs in Moskou, Boekarest, Warschau of een andere Oost-Europese metropool om Indiase kleding en textiel te verkopen, nieuwe contacten met detailhandelaren aan te knopen en misschien af en toe een glas Russische champagne te drinken met een mooie vrouw.

Op die manier kreeg hij de broodnodige rust van zijn moeder. Want hoe gesteld Yogi ook op haar was, het was duidelijk dat hij het deel van zijn leven waarop zij geen invloed had koesterde en bijzonder op prijs stelde. Daarom reed hij ook bijna altijd in zijn Tata en maakte hij alleen bij wijze van uitzondering gebruik van de door de chauffeur bestuurde, goed onderhouden gezinsauto, een Toyota Innova metallic. De aanzienlijk ruimere auto stond meestal voor het huis in Sundar Nagar geparkeerd voor het geval mrs Thakur een net zo plotselinge als ongebruikelijke opwelling zou krijgen om naar de stad te gaan of – afschuwelijke gedachte, zoals Yogi zei – vervoer naar het ziekenhuis nodig had.

'De chauffeurs in Delhi zijn niet alleen de beste chauffeurs ter wereld, ze hebben ook de grootste oren en de spraakzaamste tongen ter wereld,' verklaarde hij zijn autokeuze.

Mijn mollige Indiase vriend was voortdurend ergens naar op weg. Zodra we een plek hadden bereikt, begon hij onmiddellijk de volgende bestemming te plannen. Maar van alle bestemmingen die we bezochten tijdens een zogenaamde werkdag waren er maar een paar gerelateerd aan zijn werk. De rest bestond uit cafébezoeken, afspraken met oude jeugdvrienden, korte wandelingen in het park, stevige lunches en allerlei privéaankopen.

Op die manier kreeg ik een calorierijke, snelle en uiterst gevarieerde rondleiding door Delhi, dat vooral een enorme, chaotische bouwput was. Het jaar erna zouden de Gemenebestspelen er worden gehouden, en voor dat grootste Indiase internationale sportevenement aller tijden – de mini-Olympische Spelen tussen de oude Britse kroonkoloniën – onderging de stad een omvangrijke renovatie. Hoe ze het op tijd af moesten krijgen leek een van de grootste raadsels van de mensheid.

Op de bodem van indrukwekkende bouwplaatsen boorde de metro zich door rotsgrond en klei, waardoor het verkeer, dat voortdurend vast kwam te staan, gedwongen werd om allerlei serpentineachtige omleidingen te nemen. Enorme viaducten met uitstekend betonijzer lagen als gigantische, gulzige reuzenvingers tussen de stadswijken.

Zwetende asfaltwerkers met ontbloot bovenlichaam repareerden gaten in straten vol kuilen en hardwerkende vrouwen in kleurige sari's hakten ijverig het ene stuk oud trottoir na het andere weg, zodat er enorme molshopen van puin langs de straten ontstonden. Kleine kinderen met snotneuzen speelden tussen betonmolens en stoomwalsen als ze niet om geld bedelden bij automobilisten die in de file stonden.

Midden in die bouwchaos stonden de woningen van de rondreizende dagloners uit Bihar en hun families, in de vorm van roestige plaatijzeren schuurtjes die in bakovens veranderden als de zon op was en in koelkasten als de nacht boven Delhi was ingevallen.

Een veel te zwaar beladen bus met blikschade had ruimte in de linkerrij en scheurde met hoge snelheid langs ons. Yogi week ervaren uit en toeterde.

'Killer Line,' zei hij geïrriteerd.

'Killer Line?'

'Die buslijn heet met zijn officiële en foute naam Blue Line. Maar omdat er elk jaar meer dan tweehonderd stumpers geplet worden door die bussen noemen we de dodelijke Delhi-lijn Killer Line. De gierige eigenaars verhuren de bussen op basis van tariefloon aan de chauffeurs, die vervolgens sneller moeten rijden dan de aapgod Hanuman door de lucht schoot om geld te verdienen voor chapati's, en dan zegt het vroeg of laat boem!'

Yogi liet het stuur los en sloeg zijn handen tegen elkaar om zijn verhaal te illustreren, wat tot gevolg had dat de Tata begon te slingeren en op een haar na een fietser miste.

'Mister Gora, je moet echt nieuwe onderbroeken kopen,' zei hij plotseling.

'Waarom?'

'Omdat je net zo heet als die Zweedse onderbroekenman Borg, en omdat in ons geliefde moederland de mooiste onderbroeken ter wereld gemaakt worden, die wereldwijd geëxporteerd worden. Ik neem altijd onderbroeken mee naar de Russen en de Polen. Ze houden bijna net zoveel van goedkope Indiase onderbroeken als ze van goedkope Russische wodka houden.'

20

Hoewel ik mijn twijfels had over de kwaliteit van de Indiase onderbroeken kon ik geen reden bedenken om te weigeren. Yogi had eerder getoond dat hij gelijk had, en bovendien hadden de naweeën van mijn buikgriep een acute behoefte aan schone onderkleding gecreëerd.

We reden naar Connaught Place, de enorme rotonde midden in de stad der rotondes, waar een overvloedig aanbod van kledingwinkels was. Het lukte Yogi een parkeerplek te vinden en hij trok me mee door de kilometerlange arcade met winkels die als een ring rond Connaught Place liep.

Toen we een straat zouden oversteken kwam er een jongeman in een leren jack en met een honkbalpet op naar me toe. Hij wees naar mijn oor en zei in het Engels dat het vol viezigheid zat.

'Is dat zo?' vroeg ik verbaasd, en voordat ik het wist stak hij een kwastje in het oor, dat hij met een snelle, borende beweging ronddraaide.

Ik was zo verrast dat ik me niet verweerde en toen hij klaar was voelde ik de grond onder mijn voeten schommelen. Advies voor toekomstige bezoekers aan India: begin nooit een gesprek met mannen die beweren dat je viezigheid in je oor hebt.

'Sir, kijk eens wat ik eruit gehaald heb!' riep de orenreiniger en hij liet een oorprop van minstens een bij een centimeter zien. 'Daarom bent u nu zo uit balans.'

Hij pakte een zwart notitieboekje, sloeg het open en hield het onder mijn neus.

'En kijk eens wat een geweldige dingen andere buitenlanders hebben geschreven over mijn behandeling! Ik zal allebei uw oren een heel grondige schoonmaakbeurt geven, sir, dan voelt u zich als herboren en hoort u veel beter. Of wilt u misschien alleen de korte behandeling, sir? Die kost maar tweehonderdvijftig roepie, sir. Per oor. Uit welk land komt u?'

De laatste vraag leek uitermate onbelangrijk om te beantwoorden. Daarentegen voelde ik een sterke behoefte om mijn balans terug te krijgen en ik vroeg bezorgd aan Yogi wat ik moest doen. Mijn vriend haalde een briefje van vijftig roepie tevoorschijn en zei iets in het Hindi tegen de man, die onderdanig glimlachte voordat hij zijn kwastje in mijn andere oor stak en dat op dezelfde manier ronddraaide. Als bij toverslag had ik mijn balans terug. De man met de honkbalpet verdween snel van het toneel en ik vroeg Yogi wat hij tegen hem had gezegd.

'Ach, mister Gora, dat hoef je niet noodzakelijkerwijs te weten.'

'Maar ik sta erop.'

'Goed dan. Ik zei alleen tegen de behendige orenreiniger dat ik met mijn uitermate scherpe ogen had gezien dat hij die grote oorprop niet met zijn snelle handen uit je oor heeft gehaald, maar uit zijn eigen zak. En toen vroeg ik hem om mijn kleine bijdrage aan te nemen en je balans meteen te herstellen tenzij hij zijn werkzaamheden liever bespreekt met de politieagent die daar staat,' zei Yogi terwijl hij wees naar een norse agent met een lange bamboestok die een stukje verderop stond.

'Het was dus gewoon een oplichter?'

'Zo zou je het kunnen noemen als je dat absoluut wilt. Maar het was tegelijkertijd een handige oplichter, daar moet je hem toch de allerbeste lof voor geven.'

Toen we opnieuw een straat waren overgestoken wees een schoenpoetser naar mijn voeten.

'*Shoshine?*'

Ik keek naar beneden en constateerde verbaasd dat er koeienpoep op mijn linkerschoen zat. Ik kon niet anders dan de schoenpoetser de gevraagde twintig roepie geven om hem weer schoon te krijgen.

'Iemand die met hem samenwerkt heeft mijn schoen vies gemaakt,' zei ik na afloop geïrriteerd.

Yogi glimlachte toegevend en verkondigde daarna plechtig dat we bij de onderbroekenwinkel waren gearriveerd. Een geüniformeerde portier opende de deur voor ons, nam Yogi's aktetas aan en gaf hem in ruil daarvoor een bonnetje met een nummer.

'Kijk eens wat prachtig! Een hele winkel gevuld met de beste Indiase onderbroeken!' riep Yogi stralend.

Hij had gelijk. De planken tegen de muren, die van vloer tot plafond liepen, waren niet gevuld met dubieuze producten maar met bekende internationale merken. Allemaal gefabriceerd in India en verkocht voor een fractie van wat ze in Amerikaanse of Europese winkels zouden kosten.

Met behulp van niet minder dan vier verkopers koos ik er zeven in maat XL. Achter de toonbank zaten nog vier verkopers klaar om mijn aankoop te verwerken. De eerste sloeg de artikelen aan op de kassa en gaf een kassabon met twee bijbehorende kopieën aan de tweede verkoper, die controleerde of het aantal onderbroeken overeenkwam met het aantal op de kassabon, waarna hij een van de kopieën op een bonnenprikker stak en het origineel en de resterende kopie samen met de stapel verpakte onderbroeken naar de derde verkoper schoof, die ze in een papieren tas stopte. Herenondergoedverkoper nummer vier had de taak om de tas aan mij te overhandigen, samen met de kassabon en de kopie, en de transactie af te sluiten met een vriendelijk: 'Welcome back, sir.'

Bij de deur gaf Yogi zijn bonnetje aan de portier en hij kreeg zijn aktetas terug. Ik liep achter hem aan de winkel uit, maar werd tegengehouden door de portier, die vroeg of hij mijn kassabon mocht zien. Hij hield de kopie en zette een stempel op het origineel, dat hij daarna aan me teruggaf, maar pas nadat hij nauwkeurig had gecontroleerd of die overeenkwam met de inhoud van mijn tas. Ik was zo verbijsterd door al die overbodige handelingen dat ik met open mond toekeek.

'Wat was dat allemaal?' vroeg ik Yogi toen we eindelijk op straat stonden.

'Dat was de beste onderbroekenwinkel ter wereld.'

'Ja, maar wat deden die verkopers? En waarom moest de portier de kassabon controleren? We waren de enigen in de winkel! De portier stond twee meter van de kassa en zag dat mijn aankoop al nauwkeuriger was gecontroleerd dan de handbagage tijdens een veiligheidscontrole op het vliegveld.'

Yogi keek naar me met een grootmoedige glimlach om zijn lippen.

'Je moet begrijpen dat India een enorm groot land met veel mensen is, mister Gora. En omdat iedereen een baan nodig heeft om geld voor chapati's te verdienen moeten er veel, heel veel banen zijn. Bovendien is het niet leuk voor een portier om dagen achter elkaar alleen deuren open en dicht te doen. Hij moet een beetje van de beste variatie hebben, en dan komt het goed uit dat hij af en toe op een kassabon kan kijken en met een mooie stempel mag stempelen.

Misschien krijgt hij soms ook een fooi voor de moeite. Jij bent blij omdat je mooie, goedkope onderbroeken hebt gekocht en hij is blij omdat hij niet alleen deuren open en dicht hoeft te doen, maar soms ook op de kassabon mag kijken. Waarom klagen als iedereen blij is?'

Yogi duwde zijn haar plat en peuterde in zijn neus voordat hij verderging met zijn redenatie.

'Bedenk hoeveel mensen je alleen tijdens ons korte maar hoogst aangename bezoek aan Connaught Place hebt onderhouden: onderbroekenfabrikanten, onderbroekenmakers, onderbroekenverkopers, de onderbroekenportier, de orenreiniger niet te vergeten en natuurlijk de schoenpoetser en de compagnon van de schoenpoetser, die uitwerpselen van de heilige koe op je allerbeste schoen heeft gegooid. Ze zijn allemaal blij dat jij chapati voor ze geregeld hebt en daarom heb jij reden om je op de allerbeste manier tevreden te voelen!'

Yogi's ingewikkelde uiteenzettingen en theorieën over hoe de wereld in het algemeen en India in het bijzonder in elkaar stak bevatte altijd een verrassende uitsmijter, die bijna onmogelijk voorspeld kon worden.

Maar de ontmoeting die meteen daarna volgde was nog moeilijker te voorspellen. In een stad met meer dan vijftien miljoen inwoners stond ineens de vrouw voor mijn neus die ik de afgelopen dagen op alle mogelijke manieren had geprobeerd te vergeten: mrs Preeti Malhotra.

'Mister Borg, wat een toeval,' zei ze.

Ze wist mijn naam nog, wat ervoor zorgde dat mijn hart sneller ging kloppen.

'Ik zie dat jullie ook aan het winkelen zijn,' ging ze verder terwijl ze met haar papieren tas naar die van mij wees.

Ik kon weer geen stom woord uitbrengen, net als de vorige keer, maar Yogi zat niet om een antwoord verlegen.

'Hij heeft onderbroeken gekocht, madam. Die had hij echt nodig.'

In deze situatie had ik twee alternatieven:

1. Zoals gewoonlijk zwijgen en rood worden.
2. Mijn mond opendoen en hopen dat er iets verstandigers uit kwam dan de vorige keer.

'Indiase onderbroeken zijn echt fantastisch, zowel de prijs als de kwaliteit,' zei ik.

Het was waarschijnlijk niet het meest loepzuivere begin van een charmeoffensief, maar toch ontwapenend genoeg om de bekoorlijke kuiltjes in Preeti's wangen op te roepen.

'Maar nog beter dan de Indiase onderbroeken is de fantastische manicure die u me hebt gegeven.'

Eén moment dacht ik dat ik me te veel bloot had gegeven in mijn ijver om beleefd en charmant te lijken, maar Preeti glimlachte nog steeds.

'Wat fijn dat u tevreden bent. De tevredenheid van de klanten betekent alles voor ons.'

Een standaardantwoord, dacht ik. Formeel maar toch uitnodigend. Ze wacht op mijn initiatief.

'Het is zoveel prettiger om op een toetsenbord te typen nu mijn vingers zacht en mijn nagels hard zijn.'

Het klonk een beetje als een dubbelzinnige opmerking die Erik eruit zou kunnen flappen. Ik huiverde door mijn eigen woorden, maar Preeti bleef glimlachen en haar kuiltjes waren zo aantrekkelijk dat ik mijn ogen er niet van af kon houden.

'Hoe gaat het met uw cultuurartikelen?' vroeg ze.

'Ik heb een afspraak voor een interessant interview gemaakt,' gooide ik eruit.

'Mag ik vragen met wie?' vroeg ze.

Nu begaf ik me op heel glad ijs.

'Met Shah Rukh Khan,' zei ik.

Het was de enige naam van een Indiase cultuurpersoonlijkheid die ik in de haast kon bedenken.

'Shah Rukh Khan?!'

Preeti trok haar wenkbrauwen op.

'Is dat waar? Hij is mijn meest favoriete acteur!'

Ik glimlachte schaapachtig en voelde een zweetdruppel tussen mijn schouderbladen lopen.

'Kunt u dan misschien zijn handtekening voor me regelen?' ging ze verder. Ik vroeg me af of ze een grapje maakte of het meende.

'Natuurlijk,' zei ik.

'Hebben jullie in Delhi of Bombay afgesproken?'

'Bombay, geloof ik.'

'Bij hem thuis?'

'Nee ... eh ... we hebben in zijn kantoor afgesproken.'

Yogi zweeg bij wijze van uitzondering. Ik zag aan zijn openge-sperde ogen dat zijn hoofd tolde.

'Wanneer dan?' vroeg Preeti en ik deed een schietgebedje dat ze bijna klaar was met het afvuren van vragen.

'Over een paar weken of zo. De datum is nog niet precies vastge-steld.'

'Maar dan kunt u Holi met ons vieren. Woensdag over twee we-ken vieren we dat bij ons thuis. Het begint om elf uur 's ochtends en we gaan door zolang we er zin in hebben,' zei Preeti. 'We zouden het fantastisch vinden als jullie komen!'

Ik had er geen idee van wat Holi was, maar ik wist vrij goed wat 'ons' en 'wij' betekende. Dat weerhield me er echter niet van om de uitnodiging meteen aan te nemen, namens zowel Yogi als mij. Preeti haalde een kleurige uitnodiging en een pen uit haar handtas en gaf die aan me. Ze vroeg me om onze namen op de kaart te schrijven en schreef ze daarna over op een stuk papier.

'Het adres en de routebeschrijving staan op de uitnodiging. Jullie zijn van harte welkom,' zei de allermooiste en meest charmante Indiase vrouw ter wereld, waarna ze afscheid nam met een zachte handdruk, die golven van welbehagen door mijn lichaam stuurde.

21

aat op de avond van diezelfde dag zaten Yogi en ik in de tuin in Sundar Nagar met een kop masala chai. Mrs Thakur was naar bed gegaan en het belletjesgerinkel van Lavanya was verstomd. De lucht was zoel en aangenaam en de geur van rotte eieren was minder doordringend. Een eenzame pauw paradeerde over het gras met zijn lange staartveren in een majestueuze sleep.

Yogi had zijn spraakvermogen terug, maar leek niet goed te kunnen bepalen wat hij van mijn voorstelling op Connaught Place moest vinden. Hij was waarschijnlijk net zo geschokt als ik over mijn plotselinge vermogen om initiatief te nemen. Daarentegen vond hij het niet zo vreemd dat we Preeti tegengekomen waren. Hij wees erop dat Delhi ondanks zijn omvang toch een heel kleine stad kon zijn. De Indiase hogere stand en middenklasse hadden hun vaste strijdtonelen waar ze winkelden, naar cafés gingen en elkaar tegenkwamen.

'Je hebt een buitengewoon mooi feest voor ons geregeld. In DFL Chattarpur nota bene! Weet je naar wie we toe gaan?' vroeg hij terwijl hij de uitnodiging omhooghield.

'Naar meneer en mevrouw Malhotra.'

'Natuurlijk, maar ze zijn niet zomaar Malhotras. Vivek Malhotra is een van Delhi's belangrijkste zakenmannen. Hij heeft alles, van theeplantages in Darjeeling tot luxehotels in Goa.'

Met mijn geluk was het logisch dat ik verliefd was geworden op de vrouw van een machtige Indiase zakenman, dacht ik terwijl ik ongemerkt zuchtte.

'DLF Chattarpur is de beste wijk voor Delhi's duurste villa's!'

'O, dat wist ik niet.'

Ik dwong mezelf te glimlachen en haalde mijn vingers door mijn haar.

'Betekent de uitnodiging voor Holi dat je nog wat langer in ons mooiste India blijft?' ging Yogi verder.

'Ja, dat denk ik wel. Maar ik kan een hotel nemen.'

'Geen sprake van! Niemand is gelukkiger dan ik en kleine amma als je bij ons logeert.'

'Dank je, je bent veel te aardig.'

Yogi glimlachte beleefd terug en wreef in zijn handen.

'Vanavond is het de beste avond van alle avonden, vind je niet?'

'Ja, inderdaad.'

'Het is bijna vollemaan.'

'Mmm.'

'En de temperatuur is de aangenaamste die je kunt bedenken in deze tijd van het jaar.'

'Fantastisch.'

'En kleine amma slaapt.'

'Ja.'

'En de sterren stralen.'

'Ja, dat klopt. Dat heb ik nog niet eerder gezien.'

'En jij en ik zitten hier in de beste nacht.'

'Ja.'

'En het begint heel erg laat te worden.'

'Probeer je me iets te vertellen, Yogi?'

'Dat zou ik kunnen denken.'

'Doe dat dan gewoon.'

'Ik wil je de nederigste vraag stellen, mister Gora, en ik hoop dat je me niet op een verkeerde manier begrijpt.'

'Kom ter zake.'

Yogi schraapte zijn keel, haalde een bidi uit zijn zak en stak die op.

'Wat ben je eigenlijk van plan met je gevoelens voor misses Preeti Malhotra?'

'Ik heb geen speciale gevoelens voor haar.'

Ik antwoordde een beetje te snel om geloofwaardig te klinken.

'Sorry, mister Gora, maar ik vind het nogal moeilijk om dat met mijn beste verstand te begrijpen, als je er zo verhit uitziet door haar.'

'Hemel, Yogi, denk je dat ik stom genoeg ben om het aan te leggen met een getrouwde Indiase vrouw? Je fantasie gaat met je op de loop.'

'En die roodste chilikleur op je wangen dan?'

'Het is warm! Kun je niet een keer stoppen met die voortdurende insinuaties van je?'

Yogi stak zijn handen omhoog in een verontschuldigend gebaar.

Ik maakte een snelle analyse van de situatie. Tot nu toe had ik mezelf nog niet verstrikt in iets waar ik moeilijk los van kon komen. Het enige wat ik tenslotte had besloten was mijn terugreis uit te stellen tot na Holi. Daarna moesten de tijd en de omstandigheden de volgende stap bepalen. Het voelde onwennig voor een man die eraan gewend was om alles tot in de kleinste details te plannen, maar ook ongewoon bevrijdend.

Yogi had me uitgelegd dat Holi het feest is waarmee de Hindoes de komst van het voorjaar vieren door met verfpoeder naar elkaar te gooien. Hoe dat precies ging begreep ik niet uit zijn cryptische beschrijving: 'Het is het leukste kinderfeest dat je ooit als volwassene kunt meemaken.'

Hij blies de scherpe bidirook uit in een witte wolk die langs mijn neus zweefde.

'Oké, mister Gora, dan zeggen we dat het zo is, dat je geen bijzondere, verhitte gevoelens voor misses Preeti hebt. Maar nu we naar het feest in haar mooiste huis gaan moet je daar in elk geval op voorbereid zijn zodat alle voorname gasten begrijpen dat je een belangrijke cultuurpersoonlijkheid bent.'

Yogi nam een slok thee en kneep in zijn dubbele kin.

'Ten eerste moet je het beste visitekaartje hebben,' zei hij nadenkend.

'Waarom dat?'

'Als je grote interviews doet met Shah Rukh Khan moet je een visitekaartje hebben met veel goud en mooie krullen erop, waarmee je laat zien dat je een uitstekende cultuurjournalist bent. Zonder visitekaartje ben je niets in India.'

Ik dacht eerst dat hij een grapje maakte, maar Yogi zag er bloedserieus uit.

'Dat met Shah Rukh Khan was gewoon een stomme opmerking die me ontglipte,' zei ik.

'Dat geloof ik helemaal niet, mister Gora. Ik geloof dat je allerbeste god diep binnen in je heel graag dat interview met Shah Rukh Khan wil doen en daarom naar de oppervlakte kwam en tegen je zei dat je de beste Bollywoodster moet interviewen. En je moet altijd luisteren naar je innerlijke god!'

Nu had Yogi de draad waarnaar hij had gezocht gevonden en hij stond enthousiast op van de tuinstoel. Hij drentelde heen en weer over het terras terwijl hij zijn redenatie uitlegde.

Ik was geen leugenaar maar een sluimerende Shah Rukh Khan-interviewer die eindelijk tot leven was gekomen met behulp van mijn innerlijke god (hij wist nog niet welke dat was, maar dat zou beslist binnenkort blijken). En om een afspraak voor een interview te kunnen maken, moest ik een visitekaartje en een perskaart hebben die ik aan Shah Rukh Khans manager kon laten zien, en misschien zelfs kon gebruiken om meer deuren te openen die anders voor me gesloten zouden blijven. Mijn tegenwerping dat ik als toerist in India was en geen persaccreditatie had wimpelde Yogi af met de opmerking dat hij de juiste contacten had waardoor die kleinigheid geregeld kon worden.

Al met al vond hij het een schitterend idee dat ik had bedacht om Shah Rukh Khan te interviewen. Ik zou het culturele middelpunt van het feest kunnen worden en dan kon hij zich als mijn vriend in de glans ervan koesteren.

Alles was typisch yogiaans doordacht, maar ik had inmiddels begrepen dat er altijd een paar kleine probleempjes waren die nog gladgestreken moesten worden. Wat moest ik bijvoorbeeld zeggen als de gasten op het feest me gedetailleerde vragen gingen stellen over mijn ontmoeting met Shah Rukh Khan?

Yogi ging weer op de stoel zitten, nam een slok thee en keek naar de nachtelijke hemel. Na een tijdje denken lag er een schittering in zijn ogen.

'Mister Gora, het is waar dat je de allerminste kennis over Shah Rukh Khan hebt, maar wat je niet weet kun je opzoeken! Ik zal Lavanya vragen om tijdschriften over de beste Bollywoodster te kopen. Daar zul je ook het grootste nut van hebben als je hem daarna ontmoet in het echtste leven.'

'Echt, Yogi, ik ga Shah Rukh Khan niet ontmoeten. Het is een absurd idee dat Bollywoods grootste superster een exclusief interview zou geven aan een onbekende Zweedse journalist zonder opdrachtgever.'

'Nu word ik een beetje boos, mister Gora. Je toont geen respect voor je innerlijke god!'

22

Met die stroom woorden van Yogi moest ik voorlopig tevreden zijn. We zeiden welterusten tegen elkaar en gingen naar bed. Hoe langer ik in bed lag en over de kwestie nadacht, des te meer kreeg ik het gevoel dat ik niets te verliezen had.

Ik pakte de uitnodiging voor het feest van Preeti, die ik in de la van mijn nachtkastje had gelegd, en bestudeerde haar nog een keer nauwkeurig. De buitenkant zag eruit als de uitnodiging voor een kinderfeestje, met verfafdrukken van handpalmen, gekleurde ballonnen en de tekst LETS PLAY HOLI! Als je de kaart openvouwde was de toon formeler, met beleefde uitdrukkingen zoals '*delighted to invite*' en '*most sincerely welcome*'.

Het leek erop dat het een verhoudingsgewijs zorgeloze bijeenkomst was, wat me goed uitkwam. Er was echter één duidelijk probleem, dat niet gemakkelijk onder het tapijt geveegd kon worden: mr Vivek Malhotra.

Ik legde de kaart in de la terug en deed de lamp uit.

'Maak je geen illusies, oude idioot,' zei ik zachtjes tegen mezelf. Daarna dacht ik aan het kuiltje in Preeti's wang en viel in slaap.

Twee uur later schrok ik wakker. Iemand sloeg recht onder mijn slaapkamerraam hard met een stok op de grond en blies schel op een fluitje. Slaapdronken ging ik rechtop zitten. Eerst was ik bang dat er brand uitgebroken was, maar omdat ik geen rooklucht rook en het geluid van het fluitje bovendien wegstierf, ging ik weer liggen en lukte het me om opnieuw in slaap te vallen.

Een uur later werd ik gewekt door hetzelfde geluid dat kwam en ging. Deze keer begon er ook nog een hond te blaffen, en na een paar minuten echode het geluid van jankende straathonden door de hele wijk. Ik bleef nog een uur geïrriteerd woelen, tot het geluid van het fluitje opnieuw door de lucht sneed. Razend schoot ik uit bed, rukte het raam open en schreeuwde '*Shut up!*' in de donkere nacht.

Het fluitje zweeg en in het schijnsel van een straatlantaarn zag ik de schaduw van de eigenaar ervan, voordat hij snel om een hoek verdween en weer begon te fluiten. De honden deden opnieuw hun best en ik gaf mijn pogingen om in slaap te vallen op. Het was alleen nog belangrijk om de nacht te overleven met mijn verstand enigszins intact.

Toen het ochtend werd voelde ik me net zo fris als na een wilde vrijgezellenavond. Mijn hoofd leek te exploderen, ik kon mijn ogen bijna niet openhouden, mijn gezicht was pafferig en mijn humeur, dat zo veelbelovend was geweest toen ik de vorige avond naar bed was gegaan, bevond zich op een nieuw dieptepunt.

Aan de ontbijttafel in de eetkamer probeerde ik de schijn op te houden en ik praatte beleefd met mrs Thakur, die aan haar dagelijkse marathon was begonnen: het lezen van de *Dainik Jagran* met haar vergrootglas. Terwijl ze muizenhapjes nam van haar *poori* – een gefrituurd, gerezen broodje – dat samen met twee eetlepels kruidige kikkererwtenpuree haar ontbijt vormde, kon ze uiteindelijk datgene wat op het puntje van haar tong lag niet meer voor zich houden. Ze richtte haar vergrootglas op mij zodat haar oog net zo groot en angstaanjagend werd als een cycloop en barstte los: 'U ziet er vandaag verschrikkelijk uit, mister Borg!'

We kenden elkaar inmiddels zo goed dat ze een deel van de etiquette tussen ons achterwege liet. Lavanya, die net koffie in mijn kopje schonk, giechelde, waardoor ze een paar druppels op het tafelkleed morste, wat ertoe leidde dat de alleenheerseres van het huis haar een standje in het Hindi gaf dat klonk alsof het was doorspekt met verwensingen. Het dienstmeisje keek onderdanig naar de grond en verontschuldigde zich.

Yogi, de enige aan tafel die met zijn goede been uit bed leek te zijn gestapt, probeerde de gemoederen tot bedaren te brengen.

'Kom, kom, Lavanya, omhoog met je mooiste kin. Je weet dat lieve amma helemaal niet meent wat ze zegt.'

'Wat is dat voor onzin?' protesteerde mrs Thakur. 'Ik meen elk woord!'

'In één ding heeft kleine amma in elk geval een beetje gelijk,' zei Yogi terwijl hij zijn aandacht op mij richtte. 'Je ziet er niet uit als de meest perfecte man in het onbarmhartige licht van de ochtendzon.'

Ik kon het alleen met hem eens zijn en begon over de fluitterreur van de afgelopen nacht als verklaring voor mijn getekende uiterlijk.

'Wat was dat voor idioot die alle honden wakker gemaakt heeft?'
'Bedoel je de nachtwaker?' vroeg Yogi verbaasd. 'Heb je last van hem gehad?'

'Heb jij dat lawaai niet gehoord?'

Yogi nam een handvol poori en legde ze op zijn bord naast een berg *chole*. Met een geoefend gebaar schepte hij wat van de kikkererwtencurry op met het brood, waarna hij het geheel in één hap verslond.

'Toen ik mijn hoofd op mijn beste kussen legde sliep ik meteen,' zei hij, waarna hij aan zijn lippen likte. 'Dat is tenslotte de hele bedoeling van naar bed gaan. En als ik wakker zou worden, krijg ik juist een blij hart door alle mooie geluiden die toevallig in mijn buurt zijn. Want dan weet ik dat ik niet alleen ben.'

'Maar wat heeft die nachtwaker eigenlijk voor functie?' vroeg ik geïrriteerd.

'Hij loopt in de wijk rond en zorgt ervoor dat dieven geen moeite doen om onze mooiste auto's en andere waardevolle spullen te stelen. Het is heel goed dat hij terug is van zijn pelgrimstocht naar Varanasi. Nu kunnen we allemaal weer veilig slapen.'

'Maar hij werkt zichzelf tegen,' protesteerde ik. 'Als hij dieven wil ontmoedigen, moet hij niet zoveel lawaai maken. Ze horen nu precies waar hij is en kunnen wachten met stelen wat ze willen tot het geluid van zijn fluit is verdwenen.'

Mrs Thakur legde haar vergrootglas neer en kneep haar ogen tevreden half dicht, waardoor ze op rozijnen leken.

'Hij is er voor de luiwammesen in de wachthuisjes,' zei ze.

'Wat bedoelt u, mevrouw?' vroeg ik.

'Mister Borg, hebt u niet gezien dat die smeerlappen de hele dag slapend op een stoel hangen? Als ze niet aan het kaarten zijn of naar de een of andere weerzinwekkende cricketwedstrijd op de radio luisteren, zodat ze vergeten wat hun taak is, die nietsnutten.'

Ik deed mijn ogen dicht en masseerde mijn slapen.

'De belangrijkste taak van de nachtwaker is dus om de bewakers die in de wachthuisjes zitten te slapen wakker te maken?'

'Inderdaad!' antwoordde Yogi vrolijk. 'Ik geloof dat je begint te begrijpen hoe het werkt in onze mooiste Indiase wereld. Het is net als met de compagnon van de schoenpoetser, die mest van de heilige koe op je beste schoen heeft gegooid. Iedereen heeft elkaar nodig! De patrouillerende nachtwaker heeft de bewakers nodig zodat hij iemand wakker kan maken. En de bewakers hebben de patrouillerende nachtwaker nodig zodat ze wakker blijven. En de bewoners van Sundar Nagar hebben ze allemaal nodig, plus de jankende honden, zodat de dieven geen grote, domme moeite doen om onze auto's te stelen!'

Mrs Thakur snoof en richtte haar aandacht weer op de *Dainik Jagran*.

'En als jij eindelijk eens zou trouwen, dan kreeg je een beetje regelmaat,' siste ze.

23

De dagen gingen voorbij, net als de nachten met de fluitterrorist, en na nog een week in het huis van Yogi en zijn
moeder moest ik verbaasd erkennen dat wat ik eerder had
afgedaan als flauwekul, waarschijnlijk klopte: de mens was het wezen met het meeste aanpassingsvermogen. Want hoewel het nog
lang niet als thuis voelde, was ik toch zo gewend geraakt aan het
kabaal van Delhi dat ik niet langer migraine kreeg van de claxon-
concerten die uitbraken in de rijen auto's, of in paniek raakte omdat ik plotseling werd omringd door tweehonderd schoolkinderen
die me wilden begroeten en me vooral wilden aanraken. Ik werd
niet eens meer wakker van de patrouillerende nachtwaker en was
mrs Thakurs dagelijkse uitbarstingen bijna gaan beschouwen als
een natuurwet.

Lavanya had me na een discreet verzoek en een royale bijdrage
van Yogi een flinke stapel Engelstalige tijdschriften gegeven waarin
verschillende artikelen over Shah Rukh Khan stonden. Ik las de
bladen enigszins verstrooid, voornamelijk in mijn kamer zodat mrs
Thakur niet nieuwsgierig zou worden en vragen zou gaan stellen.

Ook al waren een aantal foto's van de bijna vijfenveertigjarige
megaster absoluut geretoucheerd, toch was ik enorm onder de indruk van zijn sixpack. En hoe meer ik naar zijn gespierde wasbord
keek, des te jaloerser werd ik. Want als ik erover nadacht, waren we
pas uitgenodigd voor het Holi-feest nadat ik aan Preeti had verteld
dat ik hem zou interviewen. Als er iemand was die de deur naar
haar hart op een kier had gezet, dan was het Shah Rukh Khan en
niet Göran Borg.

Ik probeerde daar echter niet te diep over na te denken, en bovendien had Yogi me een huiswerkopdracht gegeven die enig denk-
werk vereiste, namelijk een ontwerp voor mijn visitekaartje maken.

Yogi was halsoverkop naar Madras in Zuid-India gevlogen om
een grote partij beddenspreien te kopen, die hij naar eigen zeggen
voor een spotprijs op de kop kon tikken. In die tijd leende mrs

Thakur me grootmoedig haar auto met chauffeur, zodat ik tussen mijn thee-uurtjes met haar de stad kon blijven verkennen.

Met behulp van de ernstig verveelde chauffeur Harjinder Singh, een rijzige sikh met een dikke grijzende baard die hij samen met zijn haar onder zijn paarse tulband wond, koos ik geschikte bestemmingen voor uitstapjes. Harjinder leefde zo op doordat hij nodig was dat hij een lange lijst maakte met plekken in Delhi die ik absoluut moest bezoeken voordat ik terugging naar Zweden. Ik schrapte alles wat in mijn reisgids werd omschreven met de woorden 'hectisch' of 'gekrioel' en verminderde het aantal op die manier tot ongeveer de helft. Toch kon ik er maar een handvol bezoeken. Ik verloor mijn hart aan Khan Market in Zuid-Delhi, met zijn goed gesorteerde boekhandels, merkwinkels, restaurants en cafés. Het voelde als India Light. Ik was ook onder de indruk van Edwin Lutyens Delhi, het centrum van de macht dat de superarchitect van de Britse kolonisatoren had gebouwd toen Delhi in plaats van Calcutta de hoofdstad werd, met het krijgsmonument Indian Gate aan de ene en het prachtige presidentiële paleis aan de andere kant van de paradestraat Rajpath.

Om Harjinder mijn waardering te tonen bracht ik ook een bezoek aan de grote sikhtempel Gurdwara in de buurt van Connaught Place, waar hij me persoonlijk rondleidde in de gigantische keuken waar twintigduizend mensen per dag gratis voedsel kregen. Ik ging zelfs zover om een versgebakken chapati van de enorme bakplaat te proeven. Maar toen Harjinder hardnekkig volhield dat ik de geweekte, lauwe deegklomp die bij de uitgang van het tempelgebouw werd uitgedeeld ook moest proeven, lukte het me om die in mijn hand te verstoppen en stiekem te voeren aan de dikke meervallen die rondzwommen in het grote bassin in de binnentuin.

'Dit is heilig water dat zowel voor een gezond lichaam als een gezonde geest zorgt,' verzekerde Harjinder me, waarna hij een slok van het groene, troebele vocht nam en mij aanspoorde om hetzelfde te doen. Ik dacht een nanoseconde aan de schwarzwaldertaart en de openbare toiletten in Jaipur, wat meer dan voldoende was om vriendelijk maar beslist te weigeren.

Van alle plekken waar Harjinder me naartoe bracht was er een vanzelfsprekende favoriet waar ik elke avond naartoe ging: het Hyatt Hotel. Toen ik er voor het eerst terugkeerde liep ik met blozende wangen en een bonkend hart rechtstreeks naar de schoonheidssalon. Ik was van plan om mijn haar te laten knippen en hoopte dat de betoverende bedrijfsleidster al haar kapperspersoneel naar huis had gestuurd en de schaar daarom zelf moest hanteren. Het kapperspersoneel was echter aanwezig, terwijl Preeti naar huis leek te zijn gegaan. Ik zag haar in elk geval niet en belandde in de handen van een onnozele mannelijke kapper, die enorm enthousiast was over de lengte van mijn haar.

'Het is weliswaar een beetje dun, maar het heeft nog steeds heel veel potentieel,' zei hij in schril Engels met een Indiaas accent, waarna hij mijn haar begon te kammen op een manier die gevaarlijk veel op touperen leek.

'We zouden het in deze stijl kunnen knippen,' ging hij verder terwijl hij foto's aanwees in een modetijdschrift met mannelijke modellen die flink waren gekortwiekt en gebleekte haarlokken hadden die in hun nek krulden. Het leek alsof hij mijn uiterlijk wilde verfraaien met een moderne versie van het matje. Ik kwam er met de schrik en een halve centimeter van mijn gespleten haarpunten van af, en ging daarna naar de sportschool.

De hoofdsportinstructeur keek ontsteld toen ik naar de balie liep om mijn entreegeld te betalen. Hij begon te vertellen dat het een besloten club was en dat ze slechts bij uitzondering mensen die geen lid waren binnenlieten, en nu was Yogi er niet eens bij. En misschien moest ik mijn hart en bloeddruk laten controleren voordat ik weer kwam sporten

Nadat ik hem had verzekerd dat ik me uitstekend voelde en de eerstkomende tijd van plan was om met mate en gezond verstand te trainen, liet hij me met tegenzin binnen, op voorwaarde dat ik uit de buurt van de loopband bleef.

In de periode dat Yogi op zakenreis was ging ik elke avond naar de sportschool om op de hometrainer te fietsen, gewichten te heffen en sit-ups te doen. Je kon tenslotte niet uitsluiten dat er een klein sixpack onder mijn vet zat dat erop wachtte om zich aan de buitenwereld te tonen.

De schoonheidssalon lag recht boven de sportschool, en twee keer hing ik een tijdje in de vestibule rond in de hoop dat Preeti langs kwam lopen. Dat gebeurde niet, en beide keren betrapte ik mezelf erop dat ik zuchtte van opluchting. Het was waarschijnlijk beter om tot Holi te wachten.

Na elke training bracht ik minstens een halfuur in de spa door. Hier kwam ik in India wonende Zweden tegen. Ik had gehoord dat er een hele kolonie in Delhi was, en op de herenafdeling van de spa bleken het voornamelijk mannen tussen de dertig en veertig jaar te zijn. Uit hun onderlinge discussies begreep ik dat de meesten bij Ericsson werkten. Sommigen hadden drukke kinderen bij zich, die allemaal als specialiteit hadden de parketvloer in de kleedruimte nat te maken zodat het spekglad werd.

Omdat ik nooit met hen praatte, wisten ze niet dat ik Zweeds was. Dat zorgde ervoor dat ik als een vlieg op de muur hun gesprekken kon afluisteren over werk, familie, vakantieplannen, aflossingen, verzekeringen en smaakpapillen die naar *herrgårds*-kaas en Kalleskaviaar verlangden.

'Heb je gehoord dat Jörgen van 3G naar Zweden teruggaat?' vroeg een van de Ericsson-Zweden op een avond aan een andere Ericsson-Zweed.

'Ja, maar zijn resultaten van het afgelopen jaar waren dan ook dramatisch.'

'Verschrikkelijk om in zijn schoenen te staan. Er is geen enkele kans dat Jörgen hierna nog een goede baan krijgt.'

'Nee, en zeker niet op zijn leeftijd. Hoe oud is hij eigenlijk?'

'Minstens vijftig. *Emma! Laat die fles staan! Daar zit aftershave in, dat is alleen voor papa's.* Kinderen.'

De Ericsson-Zweden schudden hun hoofd in ouderlijke eenstemmigheid.

'Ja, kinderen. Maar als Jörgen vijftig is, dan heeft hij het echt gehad. Ik heb net een artikel in *Dagens Industri* gelezen over de carrièremogelijkheden van mannen en vrouwen. *Nee, Viktor! De staafjes zijn voor je oren, niet voor je neus!* Een vrouw heeft het in het begin lastiger, met zwangerschappen en ouderschapsverlof en zo, maar als ze dat doorstaan heeft, heeft ze alle mogelijkheden om na haar vijftigste promotie te maken. Een man van die leeftijd blijft in het beste geval op hetzelfde niveau.'

'Meen je dat?'

'Ja, een vrouw kan het zich zelfs veroorloven een paar fouten te maken en toch nog naar de top klimmen, stond er in het artikel. *Emma, kom hier, dan borstel ik je haar!* Maar een vijftigjarige man die een blunder maakt zakt als een baksteen. Hij kan het verder vergeten.'

'Dus is het belangrijk om te blijven presteren.'

'Ja, je wilt niet zakken als een baksteen. *Viktor, waar heb je je T-shirt uitgedaan?*'

'Nee, of eindigen als die sukkel van een Jörgen.'

Nadat ze weg waren gegaan, bleef hun lach als een gemene echo in de kleedruimte hangen. Als die Jörgen van 3G een sukkel was, dan was ik waarschijnlijk een enorme mislukkeling.

Ik ging voorzichtig op de weegschaal staan. Toen de digitale cijfers niet meer knipperden bleven ze op 92.4 kilo staan. Vier ons minder dan gisteren, niet slecht.

Voor de spiegel trok ik een paar neusharen uit, trok mijn buik in en spande mijn armspieren zodat mijn beginnende hangarmen verdwenen.

Voor een enorme mislukkeling zag ik er niet eens slecht uit.

24

'Het spijt me, mister Borg, maar dit moet op de stelligste manier mooier gemaakt worden met veel meer van de mooiste kleuren en titels,' zei Yogi nadat hij de schets voor het visitekaartje nauwkeurig had bekeken.

Mijn Indiase vriend was terug in Delhi van zijn zakenreis naar Madras. Na het nuttigen van een eenvoudige tomatensoep met mrs Thakur, waarbij ze luidruchtig had geklaagd over zijn nog luidruchtigere geslurp, zaten we nu in de Tata op weg naar het bedrijf dat de visitekaartjes zou drukken.

Ik had het vrij eenvoudig gehouden en had een witte achtergrond gekozen met daarop mijn naam en de titel 'Cultureel Journalist'. Yogi's onwrikbare eis dat er een elegante tijdschrift- of bureaunaam of een nog eleganter logo op het visitekaartje moest staan, wat aantoonde dat ik een ervaren journalist was, had ik opgelost door van mijn initialen uit te gaan en daarmee een globe te vormen. GB, wat ook de basis voor de bedrijfsnaam was: GloBal Stories. Het was in al zijn eenvoud vindingrijk, vond ik, en ik was verschrikkelijk beledigd toen Yogi zijn neus ervoor optrok.

'Wat is er mis mee?'

'Die vraag kan heel verkeerd gesteld zijn, mister Gora. Ik vraag me in plaats daarvan af wat er goed aan is. Het moet veel beter te zien zijn dat je een belangrijke cultuurpersoonlijkheid bent!'

'Nu moet je ophouden,' antwoordde ik geïrriteerd. 'Ten eerste ben ik geen belangrijke cultuurpersoonlijkheid en ten tweede ben ik, en niet jij, degene die al vijfentwintig jaar in de reclame- en communicatiebranche werkt. Dit moet voldoende zijn!'

Yogi glimlachte zo beminnelijk mogelijk en klopte vriendelijk op mijn arm.

'Dat is waar, mister Gora. Je bent de beste in reclame. Maar ben jij of ik degene die de Indiër is?'

'Wat heeft dat ermee te maken?'

'Veel meer dan je zou kunnen denken. Ik weet wat belangrijk is in dit mooiste land. Je moet begrijpen dat in India een visitekaartje de spiegel is van het allerbeste wat je als persoon te bieden hebt. Alleen de minst belangrijke personen zijn tevreden met hun naam en een eenvoudige titel. Als je wilt laten zien dat je iets betekent, dan moet je het beste visitekaartje hebben, wat iets meer kost om te maken, met elegant goud en mooie letters en plaatjes erop.'

'Maar ik ben geen Indiër. Ik ben Zweed. Zweden is een land waar ze halfvolle melk drinken.'

'Nu begrijp ik niet wat je zegt. "Halfvolle melk"?'

'Vergeet het. Het enige wat ik probeer te zeggen is dat Zweden geen goud en mooie plaatjes op hun visitekaartjes hebben.'

'Maar, meneer Gora, jij bent een slimme Zweed en een slimme Zweed begrijpt het als een Indiër tegen hem zegt wat in India slim is om te doen. En een van de slimste dingen die je hier kunt doen is een visitekaartje met goud en mooie plaatjes erop laten maken.'

We bleven voor een rood verkeerslicht staan en Yogi deed onmiddellijk mee met het hysterische claxonneren om ons heen.

'Moet je claxonneren?' vroeg ik geïrriteerd.

'Waarom zou ik niet claxonneren?'

'Omdat het niets helpt als je vaststaat in een file. Niemand kan tenslotte rijden.'

'Nee, misschien niet op dit moment. Maar zodra het groen wordt kan er van alles gebeuren en dan is het goed dat we al begonnen zijn met claxonneren naar elkaar, zodat we op een uitstekende manier weten wat we aan elkaar hebben.'

'Dat klinkt zo dom dat ik er niet eens commentaar op geef.'

'Je moet niet in een slecht humeur zijn, mister Gora. Hier in India zijn we blij met onze mooie claxons en net zo blij dat de mensen naar ons terugclaxonneren.'

Ik keek om me heen naar alle claxonnerende automobilisten en autoriksjabestuurders en zag nergens geïrriteerde gezichten. De claxons klonken de hele tijd, maar zonder agressieve ondertoon. Op de achterkant van de vrachtauto voor ons stond met grote, dikke letters: HORN PLEASE! Ik beschouwde het als een Indiase regeringsverklaring.

Eindelijk kwam de rij in beweging en na een paar minuten had Yogi ons naar een goede positie in de buitenste rij getoeterd. We naderden Old Delhi, het deel van de hoofdstad dat in mijn reisgids meer dan elke andere wijk werd omschreven met de woorden 'gekrioel' en 'hectisch', en waar het bedrijf gevestigd was dat mijn visitekaartjes zou drukken. Ik was chagrijnig en had het warm en Yogi besefte dat ik opgevrolijkt moest worden.

'Goed, mister Gora. Jij weet het meest over reclame en communicatie en mooi schrijven. Dat weet ik voor honderddertig procent zeker. We laten je visitekaartje eruitzien zoals je dat hebt getekend, dat doen we! Maar, alsjeblieft, een beetje van het mooiste goud en de elegantste titel kunnen we ons toch wel veroorloven?'

Ik aanvaardde het compromis. Yogi sloeg af naar een straat met een dubbele rij geparkeerde auto's en vond zoals gewoonlijk een vrije plek. Ik begreep nooit hoe hij het klaarspeelde, maar het was altijd raak. Hij hield een fietsriksja aan, waar we beiden in stapten.

'Het lukt niet om je op een andere manier in de nauwe steegjes van Old Delhi te verplaatsen,' legde Yogi uit, waarna hij een nieuwe bidi opstak met degene die hij net had opgerookt.

De riksjabestuurder was een magere man die ons de helling op fietste naar de grote moskee Jama Mashid, die aan het begin van Old Delhi lag. Ondanks zijn zware last en de temperatuur van meer dan dertig graden transpireerde of kreunde de man niet. Het enige geluid dat hij voortbracht was als hij met gelijke tussenpozen zijn hoofd draaide en een straal rood speeksel uitspuugde van het stuk *paan* waarop hij kauwde. Het betelnootsap belandde in een stijlvolle boog op straat, tussen kreupelen met uitgestrekte bedelaarshanden en vruchtensapverkopers met rijdende kraampjes.

We passeerden de vis-en-vleesmarkt. Een baardige man met een moslimmuts op zijn hoofd brandde met een gasbrander de haren van de schapenkoppen die in een macabere stapel voor hem lagen. Kippen met veerloze vleugels spartelden in nauwe kooien en bruingestippelde geiten met rinkelbelletjes rond hun nek blaatten gelaten. Dikke, stinkende vissen lagen met hun witte buiken in de brandende zon, tot grote verrukking van de bromvliegen, terwijl de frituurolie siste in de goedbezochte kraampjes die midden tussen al die levende en dode dieren stonden.

'Daar heb je een van de allerbeste redenen waarom ik wil dat je het vegetarische voedsel blijft eten dat je inmiddels tot je beste dieet hebt gemaakt,' zei Yogi terwijl hij wees naar een rottende berg ingewanden en stukken vlees die waren weggegooid in een passage tussen twee slachters.

'Het is nooit goed voor je maag om de magen van anderen te eten.'

Ook al vond ik de indrukken overweldigend en veroorzaakten ze een lichte misselijkheid, toch voelde ik me veilig op de riksjabank naast mijn gids. We reden langs een markt met alle mogelijke reserveonderdelen voor auto's en generatoren, en daarna door kleine steegjes die zo overbevolkt waren dat het een wonder was dat we vooruitkwamen. Gesloten fietskarren propvol schoolkinderen verdrongen zich in de minimale manoeuvreerruimte met riksja's, satanisch claxonnerende motorrijders en uitgemergelde mannen met zwaarbeladen handkarren.

Nadat we ons door de orgie van kleur en kitsch van de bruiloftsbazaar hadden gewurmd, belandden we in een iets bredere straat, waar de markt voor allerlei soorten drukwerk was. Yogi vroeg de riksjabestuurder om voor een gat in de muur te stoppen. We stapten uit, gingen via de pretentieloze ingang naar binnen en belandden in een heel kleine drukkerij met allerlei apparatuur, van moderne kopieerapparaten tot bonkende, oude drukpersen. Het rook er scherp naar alcohol en drukinkt.

Yogi stelde me voor aan de eigenaar, een kromme, oudere man die was gekleed in een zwartgevlekte *kurta* en *pajama* en een bril droeg met glazen zo dik als de bodems van colaflesjes. Na wat over en weer praten stemde ik ermee in mijn globe te omringen met een glanzend goudschijnsel, en de titel te veranderen van 'Cultureel Journalist' in 'Senior Correspondent', wat volgens zowel Yogi als de man in de kurta de meest respectabele titel was die een schrijver in India kon hebben. Het adres van het bedrijf werd dat van Yogi's woning in Sundar Nagar, net als het telefoonnummer.

'Betekent dat dat je moeder mijn secretaresse wordt?' vroeg ik aan Yogi, die dat zo grappig vond dat hij daverend begon te lachen en me hard op mijn rug sloeg.

De eigenaar probeerde me ervan te overtuigen minstens tweeduizend visitekaartjes te bestellen omdat ze, zoals hij zei, in een oogwenk op waren als je eenmaal begon met uitdelen. Ik vond dat aan de ruime kant, omdat ik waarschijnlijk binnen een paar weken naar Zweden terug zou gaan. Eigenlijk wilde ik er maar honderd, maar zulke kleine bestellingen werden niet aangenomen, dus belandden we uiteindelijk bij vijfhonderd visitekaartjes voor een bedrag van vijftienhonderd roepie. Daarvoor werden ze bovendien thuis afgeleverd, en de eigenaar van de drukkerij beloofde naar eer en geweten om alles aanstaande dinsdag, de dag voor het Holi-feest, klaar te hebben.

'Nu begint het op iets heel goeds te lijken,' zei Yogi toen we weer in de fietsriksja zaten.

Hij vroeg de bestuurder om ons naar de kruidenmarkt te brengen.

'Wat gaan we daar doen?'

'De mooiste perskaart bestellen.'

'Op de kruidenmarkt?'

'Je gelooft niet wat je allemaal kunt doen op de beste Indiase kruidenmarkt.'

25

Na een kwartier kwamen we bij een kruising waar we uitstapten.

'Nu lopen we op onze bruikbare voeten,' zei Yogi, waarna hij haastig langs geurige kruidenkramen vol met noten, rozijnen, kleurige curry en geelwortel begon te lopen. Na een tijdje begonnen mijn ogen en keel te prikken, en toen Yogi in een donkere passage verdween merkte ik dat bijna iedereen om ons heen hoestte en snoof. Ik haalde een oud, papieren servetje uit mijn zak, dat ik als een beschermend filter voor mijn mond en neus hield, en volgde hem een steile trap op, waar pezige koelies gebukt liepen onder het gewicht van de grote juten zakken die ze sjouwden.

Toen we ons door het ergste gedrang hadden geworsteld kwamen we uit bij een galerij in een wijk die in een cirkel was gebouwd. Op de binnenplaats onder ons krioelden nog meer koelies met zakken en ook op de verdieping waar wij ons bevonden liepen ze heen en weer met hun zware last.

Buiten de menselijke mierenhoop lag een parelsnoer van kleine open ruimtes, waar beduidend dikkere mannen zich ophielden. Een paar zaten op stoelen of zakken en praatten in hun mobiel, terwijl anderen met levendige gebaren zakendeden. Er werd koortsachtig op zakrekenmachines getikt en in dikke pakken bankbiljetten gebladerd. In en buiten de ruimten stonden open zakken vol gedroogde, rode chili, die tussen de keurende vingers van de kopers heen sijpelde voordat de koop werd bezegeld met een kop dampend hete masala chai in kleine glazen, die loopjongens op teenslippers bij een naburig theekraampje haalden. Bij iedereen, de een wat meer dan de ander, liepen de tranen over hun wangen. De hele wijk dampte van de sterke peper.

'Dit is de beste chilimarkt die je je kunt voorstellen. En het is heel goed voor de gezondheid om hier te zijn, omdat het onze bronchiën reinigt van al het slechte dat zich daarin bevindt.'

Een hoestende chiligroothandelaar die er verre van gezond uitzag liet me ernstig twijfelen aan zijn woorden.

'Wat doen we hier eigenlijk?'

'Ga mee,' zei Yogi, die haastig over de galerij begon te lopen en daarna opnieuw een donkere trap op liep. Zonder dat we deuren hadden geopend, stonden we ineens in een kamer die eruitzag alsof het een deel van een huis was. Yogi liep alsof hij zich thuis voelde over het vloerkleed naar een gordijn achter in de ruimte, trok dat opzij en riep iets in het Hindi in de duisternis aan de andere kant.

Na wat gerochel dat klonk als een kleine aardverschuiving verscheen er een grote, kale man met roodomrande ogen en pafferige wangen in de deuropening. Yogi bukte zich en raakte zijn voeten aan voordat hij hem omhelsde. De man lachte en hoestte en lachte weer, waarna hij geconcentreerd luisterde naar wat Yogi te vertellen had. Nadat hij wat vervolgvragen had gesteld en antwoorden kreeg waar hij redelijk tevreden mee leek te zijn, liep de man naar mij toe en begroette me met een vochtige handdruk. Ik stelde me voor, en hij stelde zich voor als 'mister Kumaz'.

'U hebt dus een Indiase perskaart nodig?' vroeg hij.

'Tja, nodig ... Mijn vriend hier is vooral degene die ...'

'Precies, sir, hij heeft absoluut een Indiase perskaart nodig,' zei Yogi met een scherpe blik in mijn richting. 'Hij gaat Shah Rukh Khan interviewen.'

De man keek naar me met een sceptische blik in zijn ogen.

'Hebt u referenties, of misschien artikelen in het Engels om te laten zien?' vroeg de man, waarna hij zijn neus snoot in een roodgevlekte zakdoek die waarschijnlijk ooit wit was geweest.

Het kriebelde en brandde in mijn keel en ik kreeg een enorme hoestbui. Mister Kumaz wachtte geduldig tot die over was voordat hij zijn vraag herhaalde.

'Nee, ik heb alleen voor Zweedse tijdschriften geschreven,' antwoordde ik snotterig.

'Dus u kunt me niets laten zien?'

'Nee.'

Mister Kumaz stak zijn onderlip uit, waardoor hij op een grimmige buldog leek.

'En over wat voor onderwerpen hebt u geschreven?'

'Voetbal en cultuur. Eigenlijk voornamelijk hoe die twee met elkaar te maken hebben. Voetbal als cultuuruiting zou je dus kunnen zeggen.'

Ik hoorde zelf hoe belachelijk aanmatigend het klonk.

'Speelt u cricket?' vroeg hij.

'Nee.'

'Kent u de regels van het spel?'

'Nee.'

'Dan hebt u nog heel wat te leren voor uw interview met Shah Rukh Khan. Hij is namelijk eigenaar van een cricketteam.'

'Ja, dat weet ik. De Kolkata Knight Riders.'

Mister Kumaz trok zijn wenkbrauwen verbaasd op over mijn kennis, die ik had gehaald uit een van de tijdschriften die Lavanya me had gegeven.

'Shah Rukh Khan heeft zijn cricketteam niet gratis gekregen,' ging de man verder.

'Nee, dat heeft heel wat gekost.'

'Alles in dit leven kost geld.'

Yogi was schuin achter mister Kumaz gaan staan, keek me strak aan en wreef de duim en wijsvinger van zijn rechterhand tegen elkaar. Eindelijk begon het me te dagen waar de buldog op uit was. Ik haalde een biljet van vijfhonderd roepie uit mijn portefeuille en gaf dat aan hem.

Mister Kumaz wierp een snelle blik op het biljet voordat hij het in zijn broekzak stopte met een gezichtsuitdrukking die verried dat hij meer wilde. Yogi bleef zijn duim en wijsvinger over elkaar wrijven, en pas nadat ik nog drie biljetten van vijfhonderd roepie had overhandigd leek de man tevreden. Hij haalde een notitieblokje en een pen uit zijn ruime broekzakken en vroeg me mijn persoonsgegevens op te schrijven. Yogi hielp met het adres en gaf het notitieblokje daarna met een buiging aan mister Kumaz, die ermee achter het gordijn verdween.

'Wat gaat er nu gebeuren?' fluisterde ik tegen Yogi.

'Sshh, toon een beetje van je allerbeste geduld.'

Na een tijdje kwam de kale chilihandelaar rochelend terug met een knalgele kaart waarop in grote, rode letters PRESS CARD stond. Hij was verstrekt aan SENIOR CORRESPONDENT GORAN BORG, ZWE-DEN, had een mooi stempel en een elegante handtekening van mister Kumaz, die volgens de kaart PERSCHEF VAN ICTO was. Boven mijn naam was een lege plek voor een foto.

Ik vond dat het er onaf uitzag, maar Yogi knikte opgetogen en bedankte mister Kumaz voordat hij zich bukte om zijn voeten eerbiedig aan te raken.

We lieten de vreemde man met de pafferige wangen achter en gingen terug naar de riksjabestuurder, die geduldig op ons had gewacht. Op weg naar de auto legde Yogi uit dat we nu alleen nog een foto van mij nodig hadden die we op de kaart zouden bevestigen, die we daarna voor een paar roepie zouden laten plastificeren, waarna we een van de allerbeste perskaarten van India zouden hebben.

'Wat betekent ICTO?'

'Indian Chili Traders Organization,' antwoordde Yogi vrolijk.

Ik vroeg me af hoe het verbond van Indiase chilihandelaren in vredesnaam perskaarten kon uitgeven.

'ICTO is een grote organisatie met veel prachtige onderafdelingen. In India worden elk jaar duizenden artikelen over chili geschreven, dus is het helemaal niet vreemd dat er ook heel mooie perskaarten voor chili-journalisten zijn.'

'Maar was het niet de bedoeling dat ik zou proberen om Shah Rukh Khan te interviewen? Wat heeft hij met chili te maken?'

'Heel wat. Mister Khan is eigenaar van een filmbedrijf dat Red Chillies Entertainment heet.'

'Maar dat is toch gewoon een naam.'

'Oké, mister Gora, ik begrijp je bedenking. En je moet je in dit verband niet zoveel op de chili concentreren. Ik ben er op de meest vastbesloten manier van overtuigd dat zowel Shah Rukh Khan als zijn manager van chili houdt, maar ik betwijfel tegelijkertijd of ze weten wat ICTO betekent. Wees gewoon blij dat je de eigenaar van een heel mooie perskaart bent, die op alle manieren officieel is en op de beste manier is gestempeld.'

'Bedoel je dat die Kumaz echt een soort perschef is?'

'Absoluut. Hij schrijft veel artikelen voor ICTO's eigen chilitijdschrift.'

'Hij leeft dus niet alleen van steekpenningen?'

'Wat bedoel je met "steekpenningen", mister Gora?'

'Hij heeft tweeduizend roepie voor een perskaart gekregen.'

'Dus in Zweden is alles gratis?'

'Nee, maar je kunt daar geen perskaart voor jezelf kopen.'

'Aha, hoe gaat dat in Zweden dan?'

'Eerst moet je lid zijn van de Journalistenbond en daarna kun je een aanvraag voor een perskaart indienen.'

'En die kost niets?'

'Alleen een kleine bijdrage voor de administratiekosten.'

'En het kost niets om lid te zijn van jullie bond voor Zweedse journalisten?'

'Je moet natuurlijk je lidmaatschap betalen.'

Yogi stak een bidi op en nam een paar snelle trekjes.

'In mijn oren klinkt het alsof je in Zweden twee keer een perskaart moet kopen,' zei hij terwijl hij net zoveel vingers omhoogstak. 'En dat is volgens mijn vergelijking twee keer zoveel keer als in India.'

'Dat heeft niets met steekpenningen te maken,' protesteerde ik.

'Administratie?'

'Precies.'

'Maar als een Indiase chiliperschef administratie doet heet het "steekpenningen"?'

'Je verdraait alles, Yogi,' zuchtte ik.

'Mister Gora, daar moet ik je in elk geval een klein beetje gelijk in geven.'

26

Woensdagochtend om tien uur, op het moment dat we naar het Holi-feest zouden vertrekken, werden mijn visitekaartjes geleverd door een bode op een fiets. Dat de bestelling een dag later werd geleverd dan de belofte van de eigenaar van de drukkerij, en pas na drie herinneringen van Yogi, was volgens mijn vriend helemaal geen probleem.

'Die flexibiliteit moet je tenslotte hebben in een land dat zo geweldig is als India, met zoveel leveranties van visitekaartjes overal naartoe. En dat zelfs op de kleurrijkste feestdag!'

Ik probeerde het pakket met de visitekaartjes open te maken, maar het was zo zorgvuldig verzegeld met tape dat ik het noch met mijn handen noch met mijn tanden open kreeg.

'We kunnen die moeilijkste opening onderweg regelen,' zei Yogi.

De rijzige chauffeur Harjinder Singh had de Toyota Innova voorgereden, waarin we naar het feest vervoerd zouden worden. We waren tenslotte uitgenodigd op een chic feest in een van de duurste voorsteden van Delhi, en dan kon je niet aan komen hobbelen in een gedeukte, kleine Tata. Bovendien maakte Yogi me duidelijk dat hij niet van plan was om het feest in 'duizend procent nuchtere staat' te verlaten. Het enorme risico dat Harjinder roddels zou verspreiden, veranderde niets aan dat besluit.

We droegen eenvoudige, ruime witte kurta's en pajama's, die Yogi op een lokale markt had gekocht, omdat volgens hem alleen idioten iets duurs en elegants aantrokken om Holi te vieren. Toen ik op weg naar de omheinde wijk een gele koe zag, begreep ik een beetje wat hij bedoelde.

Yogi had een halve fles Blenders Pride, water en twee glazen langs het waakzame vergrootglas van zijn moeder gesmokkeld. Hij mengde snel twee whiskylongdrinks, die we in één teug leegdronken, en maakte daarna nog een rondje, dat net zo snel verdween. Ik besloot om onderweg een paar opkikkertjes te nemen om mijn zenuwen in bedwang te krijgen, en me tijdens het feest in te houden, zodat ik de controle niet verloor.

Yogi vroeg Harjinder of hij zijn dolk mocht lenen, een wapen dat de chauffeur als strenggelovige sikh altijd bij zich droeg. Toen de verzegeling van het pakketje na een stevig messengevecht eindelijk capituleerde haalde Yogi aandachtig het bovenste visitekaartje tevoorschijn en hield het voor ons.

'Dat is prachtig geworden met het allerbeste goud! Wat heb ik tegen je gezegd, mister Gora,' riep hij triomfantelijk. 'Dit straalt van belangrijke cultuurpersoonlijkheid!'

Hoewel het visitekaartje veel te opzichtig was naar mijn smaak, moest ik hem gelijk geven dat het een zeker respect afdwong en helemaal niet lelijk was. Het logo was verbazingwekkend goed gelukt en de naam was gedrukt in een stijlvol lettertype. Daarna viel mijn blik echter op een miniem detail waardoor het bloed in mijn aderen bevroor: twee kleine puntjes, of liever gezegd wat zich daaronder bevond.

Op mijn nieuwe, mooie, goudglanzende visitekaartje, dat ik aan alle prominente gasten op het feest zou uitdelen en waarmee ik een onuitwisbare indruk zou maken, heette ik ... Güran Borg.

Met een Duitse ü in plaats van een Zweedse ö.

Het was alsof mijn voormalige chef Kent me helemaal naar India was gevolgd en nu schamper lachend vanaf mijn visitekaartje naar me staarde. Ik hoorde zijn weerzinwekkende dialect.

'Gooi ze weg! Nee, verbrand ze!'

Harjinder Singh was zo verrast door de kracht in mijn stem dat hij schrok, waardoor de auto slingerde en de open fles Blenders Pride, die tussen onze stoelen stond, op de grond viel. De kettingreactie eindigde ermee dat Yogi teleurgesteld met open mond toekeek, zowel door de gemorste drank als door mijn onredelijke vonnis over het visitekaartje waar hij zijn hele ziel en zaligheid in had gelegd.

Ik legde de letterblunder aan hem uit. Yogi's mond viel nog verder open. Daarna ging hij in de tegenaanval. Hij vroeg zich af hoe een volwassen man uit een beschaafd land, dat Zweden ondanks alles blijkbaar was, zich zo druk kon maken over zo'n onbeduidend klein detail dat geen Indiër ooit zou ontdekken. Hij verdedigde de drukker zelfs met klem, een achtenswaardige vakman die bij gebrek aan de Zweedse ö de mooie Duitse ü die er zoveel op leek had gevonden.

Ik besefte dat er een uitgebreidere verklaring voor mijn heftige reactie nodig was en begon met tegenzin te vertellen over het gesprek waarin Kent me had ontslagen. Yogi luisterde aandachtig terwijl zijn gezichtsuitdrukking van kritisch naar meelevend veranderde. Hoewel hij mijn uitleg over het Noordwest-Skånse dialect niet helemaal begreep, besefte Yogi toch dat de man die Kent heette een slecht karakter had en dat zijn manier van praten, met de Duitse ü, bittere herinneringen in mij wekte.

Dat betekende echter niet dat hij mijn wens om het visitekaartje in vuur en rook te laten opgaan steunde. Yogi vond integendeel dat ik mezelf gelukkig moest prijzen om het ontbreken van de Zweedse ö in de Indiase drukkerij.

'Weet je, mister Gora, voor alles is een reden in onze grootste wereld. Net als iedereen allerminst één innerlijke god heeft – we hebben er heel veel meer als je erover nadenkt – hebben we ook onze ergste innerlijke demonen. En net als we de innerlijke god naar de oppervlakte moeten laten komen, moeten we onze demonen tevoorschijn halen in het felste licht. Want het is namelijk zo, mister Gora,' zei Yogi terwijl hij zijn arm om mijn schouders sloeg, 'het is namelijk zo dat bij de demonen die in het felste zonlicht naar buiten komen de lucht uit hun opgeblazen borstkassen verdwijnt. Begrijp je?'

'Niet echt.'

'Jawel, deze Kent is een enorme, slechte demon in je binnenste. Maar elke keer dat je je mooie visitekaartje in goud oppakt en de slechte letter met puntjes erboven ziet, waardoor je aan hem en zijn giftige taal moet denken, wordt Kents borstkas een beetje kleiner. En als je het gouden kaartje zo vaak hebt laten zien dat je je niets meer aantrekt van de puntjes, zakt de borstkas van de slechte demon Kent zo in elkaar dat hij eruitziet als de gewoonste van alle gewone mannen op aarde. En uiteindelijk heeft hij helemaal geen lucht meer en dan kan hij niet langer met zijn borstkas ademen en dan verliest hij al zijn kracht om de slechte spraak met Duitse letters te verspreiden.'

Yogi pakte de whiskyfles van de vloer en schonk het beetje dat over was en water in onze glazen voordat hij verderging: 'Maar als je je gouden visitekaartje met de slechte letter niet had gehad, zou je er nooit aan wennen en dan zou de slechte demon Kent steeds groter en sterker groeien zodat hij uiteindelijk net zo machtig en slecht is als de ergste demon Ravana, die koningin Sita naar Sri Lanka heeft ontvoerd van de hoogst geëerde Rama. Begrijp je het nu?'

Ik knikte en glimlachte. Yogi's manier om de hindoeïstische heldenepen te vermengen met cognitieve gedragstherapie was indrukwekkend. Een bevoegd psychiater had het nut om jezelf te confronteren met je angsten en tekortkomingen niet beter kunnen uitleggen.

'Op de dood van alle demonen!' riep mijn vriend en hij hief zijn glas in een toost.

We toostten en dronken en ik voelde me weer een beetje kalmer worden. Tot Harjinder remde en aansloot achter een kleine file voor een grote poort. De poort had een massief ijzeren hek en bewakingscamera's en werd bewaakt door twee bewapende bewakers.

'We zijn er,' zei Harjinder.

27

Voordat de Toyota naar binnen mocht rijden opende de bewaker de motorkap, doorzocht de kofferbak en inspecteerde zelfs het onderstel met een grote spiegel. Ik was weliswaar gewend aan dit soort veiligheidsprocedures door mijn bezoekjes aan het Hyatt Hotel, maar had niet op dezelfde rigoureuze controle gerekend in een particulier huis.

'Dat is omdat alle bezoekers de beste vipgasten zijn,' schepte Yogi tevreden op toen de auto over een laan reed die met zijn dichte rijen kaarsrechte palmen deed denken aan een zuilengalerij.

'En dan mogen de onaangenaamste terroristen of bandieten het feest niet voor ons verstoren met een achterbaks naar binnen gesmokkelde bom,' voegde hij eraan toe.

Bij het paleisachtige gebouw werden de portieren geopend door geüniformeerde bewakers met lange, uiteengerafelde snorren en statige tulbanden. Twee jonge vrouwen hingen bloemenkransen om onze nek en drukten een tilak op ons voorhoofd voordat we via een met bloemen versierde poort verder geleid werden. Die kwam uit op een gang die naar de enorme tuin achter het huis liep, met een gazon zo groot als een voetbalveld en net zo zorgvuldig gemaaid als een golfgreen.

Ik telde minstens driehonderd in het wit geklede gasten, die zich verzamelden bij de vier bars die waren opgebouwd in het achterste deel van de tuin. Tussen de bars stond een prachtige marmeren fontein met opspuitend water in alle kleuren van de regenboog. In livrei geklede obers met witte handschoenen liepen rond en serveerden cocktails en champagne van glanzende zilveren bladen, en uit luidsprekers die in het struikgewas waren verstopt stroomde suggestieve sitarmuziek.

Ik keek in de mensenzee rond op zoek naar Preeti en vond haar bij een van de bars, waar ze nieuwe gasten verwelkomde. Naast haar stond een elegante man van middelbare leeftijd met dik, donker, golvend haar en gedistingeerde gelaatstrekken. Hoewel hij net zo'n eenvoudige kurta en pajama droeg als Yogi en ik, straalde hij macht en elegantie uit. Ik begreep meteen dat hij Vivek Malhotra was, en dat besef maakte me niet echt vrolijker.

Als ik alle kaarten eerlijk op tafel legde zag het er namelijk als volgt uit: voor mijn ogen stond de mooie vrouw op wie ik verliefd was geworden naast haar knappe en machtige man in de overdadig mooie tuin van het stel die was gevuld met knappe gasten (nou ja, de meeste in elk geval). Alleen het feest moest al meer gekost hebben dan vijf jaarsalarissen van mij (uit de tijd dat ik een vast jaarsalaris kreeg). En toch had ik me ingebeeld dat er een soort geheime flirt aan de gang was tussen de mooie vrouw en mij. Ik zuchtte hartgrondig en haalde mijn vingers door mijn haar.

Yogi leek daarentegen in een stralend humeur. Hij pakte twee glazen champagne van het blad van een ober en gaf er een aan mij.

'Nu toosten we op ons succes en dan gaan we de beste gastheer en gastvrouw begroeten en daarna doen we zaken met de gasten.'

'Zaken?'

'Natuurlijk! Alle visitekaartjes die we uitdelen en alle interessante antwoorden die we geven op alle beleefde vragen die we zullen krijgen zijn investeringen voor de toekomst,' zei hij.

Dat wordt buigen of barsten, dacht ik. We dronken onze champagneglazen leeg en liepen naar meneer en mevrouw Malhotra toe. Toen Preeti me zag glimlachte ze. Mijn hartslag versnelde onmiddellijk en mijn wangen werden warm. Een ouder paar dat net was verwelkomd, liep verder en daarna was het de beurt aan Yogi en mij.

'Mister Borg en mister Thakur, wat fijn om jullie hier te zien!' zei Preeti hartelijk, waarna ze ons voorstelde aan haar echtgenoot.

Hij pakte mijn hand in een snelle maar ijzeren greep. De opgeplakte glimlach ontblootte een perfecte rij witte tanden.

'Mister Borg is een cultuurjournalist uit Zweden,' ging Preeti verder.

'Interessant. Welkom in India en op ons feest,' zei Vivek Malhotra.

Voordat ik hem kon bedanken keek hij al naar de volgende gast in de rij.

'Laten we straks meer praten,' zei Preeti, waarop Yogi riep: 'Ja, echt! Over Shah Rukh Khan!'

De kleine hoop die ik had gekoesterd dat ik niet hoefde te fantaseren werd effectief vernietigd door mijn vriend. Preeti stelde me meteen voor aan een propperige filmcriticus van *The Times of India* voordat ze naar haar man terugging. Ik voelde de grond onder mijn voeten schommelen en kreeg een droge mond. Ineens kreeg ik echter een idee over een tactiek, die na een aarzelende start uitstekend werkte. Door de nieuwsgierige buitenlandse journalist te spelen die informatie over Shah Rukh Khan wilde vergaren, had ik twee voordelen:

1. Ik hoefde niet specifiek te praten over het aanstaande interview (dat immers nog geen interview was en dat waarschijnlijk ook niet zou worden).
2. Ik bezorgde de propperige filmcriticus een enorm goed humeur.

Ze genoot ervan te pronken met haar kennis en nodigde me uit haar te bellen als er lastige vragen zouden opduiken waarop ik antwoord wilde hebben.

We wisselden visitekaartjes uit en vlak daarna kwam ik in gesprek met een in films geïnteresseerde bankdirecteur. Hij vond het heel leuk dat Shah Rukh Khan zo ver buiten de grenzen van India bekend was dat de Zweedse media niet alleen hun cultuurjournalist helemaal naar India stuurden om hem te interviewen, maar hem hier zelfs als vaste correspondent aanstelden.

Op die ingeslagen weg ging ik verder met mijn verbroedering met de society van Delhi, enthousiast geholpen en gesouffleerd door Yogi. We praatten met allerlei mensen, van bedrijfsleiders en politici tot cricketspelers en fotomodellen. De enige beroepsgroep waar een acuut gebrek aan leek te zijn, was tot mijn grote opluchting die van Bollywoodsterren.

Toen de Duitse manager van BMW in India vroeg of ik van Turkse afkomst was (vanwege mijn naam Güran) brak het koude zweet me weliswaar uit, maar dat was waarschijnlijk alleen een nuttig onderdeel van het therapeutisch blootleggen van mijn innerlijke demon Kent. Verder fungeerde het goudglanzende visitekaartje probleemloos, en binnen een uur had ik dertig kaartjes uitgewisseld tegen net zoveel andere.

Tot slot legden Yogi en ik onze eigen visitekaartjes in een grote glazen schaal die de gastheer en gastvrouw op een tafel hadden geplaatst. Yogi had eveneens een aanzienlijke hoeveelheid nieuwe contacten verzameld en was meer dan tevreden met het resultaat van het intensieve contact met de andere gasten.

'Dit kan zijn gewicht in goud waard zijn, dus is het beter om de kaartjes weg te stoppen voordat het mooiste feest echt begint,' zei hij, waarna hij de verworven visitekaartjes in een envelop stopte die hij dankzij een vooruitziende blik in zijn zak had.

Mijn vriend wenkte een ober en vroeg hem de envelop te overhandigen aan Harjinder Singh met zijn paarse tulband, die samen met de andere chauffeurs voor het huis wachtte. Daarna pakte Yogi nog twee glazen champagne van een blad en dronk ze allebei leeg omdat ik niet wilde. Zijn lichte dronkenschap begon zich te ontwikkelen tot iets wat aanzienlijk ernstiger was, en toen ik om me heen keek naar de overige gasten zag ik dat Yogi niet de enige was die een metamorfose onderging. Net als hij waren ook veel anderen bezig kaartjes weg te stoppen en handtassen en andere persoonlijke spullen door een ober naar hun chauffeurs te laten brengen, alsof ze zich voorbereidden op een slagveld.

Dat bleek het inderdaad te zijn. Plotseling klonk er een harde knal als een kanonschot en een regen van confetti dwarrelde op de gasten neer. Een klein leger bedienden rolde grote waterkuipen op wielen de tuin in en droeg enorme schalen met bergen gekleurd poeder naar buiten. Waterspuiten en waterpistolen werden uitgedeeld.

Indiase etnodisco dreunde uit de luidsprekers, samen met de ritmische aansporing 'Let's play Holi! Let's play Holi!'

Daarna brak er een bonte oorlog uit waaraan alleen de voorzichtige gasten die zich hadden teruggetrokken in een beschut deel van de tuin ontkwamen.

Na minder dan een kwartier zat ik van top tot teen onder een kleverige smurrie van kleurpoeder. Ik probeerde Preeti tussen alle andere kleurige en speelse gasten te ontdekken, maar zag haar niet. Yogi kwam naar me toe waggelen met een glas met een groene vloeistof erin, die ik volgens hem absoluut moest proberen. Het was geen alcohol, maar een nuttig Indiaas gezondheidsdrankje, benadrukte hij.

Ik dronk. En daarna dronk ik nog een glas omdat het eerste zo lekker smaakte en me zo blij maakte, en in één moeite door nog een glas. Daarna barstte ik samen met twee Amerikaanse dames bij een van de bars uit in een hysterisch gegiechel. Een halfuur eerder waren ze allebei grijs geweest, maar nu pronkten ze met hun knalroze kapsels.

'Zo stoned zijn we sinds *college* niet meer geweest!' jubelde een van de vrouwen, waarna we nog meer van het groene Indiase gezondheidsdrankje dronken, waarvan ik inmiddels wist dat het *bhang* heette en een flinke hoeveelheid marihuana bevatte. Dat weerhield me er echter geen seconde van om te blijven drinken, omdat de controle die ik niet had willen verliezen allang verdwenen was.

'Geweldigste Holi is beslist het beste ... hihi ... het allerbeste ... hihi ... feest ter wereld,' lalde Yogi giechelend tussen de slokken door, en ik was het natuurlijk met hem eens.

'Hoooooliiiiii!' riep hij, waarna hij zich met een onnozele glimlach om zijn lippen op een rieten stoel liet zakken.

Een jongeman begon een wilde dans midden in de grote fontein, die al snel gevuld was met meer ritmisch bewegende jongeren. Plotseling kreeg ik van achteren een emmer water over me heen. Ik draaide me om en zag dat het Preeti was.

'Hebt u het naar uw zin, mister Borg?'

Haar natte kleren sloten rond haar goedgevormde lichaam. Haar gezicht glansde in zilver, goud en purperrood. Het was bijna te mooi om waar te zijn. Nee, het wás te mooi om waar te zijn. Want na dat fantastische beeld in het tegenlicht verdween ik in een toestand die een combinatie vormde van vergeetachtigheid en ongeremdheid. Ik geloof dat ik samen met Preeti in de fontein danste. En ik heb een vage herinnering dat ik koortsachtig met een waterpistool op mister Malhotra's ogen en mond schoot, zodat hij uiteindelijk als een vis naar adem hapte.

Maar het enige wat ik me met zekerheid herinnerde was dat ik enorme hoeveelheden van het groene gezondheidsdrankje dronk en dat het Holi-feest er voor mij mee eindigde dat twee bewakers me naar de Toyota sleepten, op de achterbank duwden, die was afgedekt met plastic, en het portier dichtsloegen. Daarna sliep ik.

28

Toen ik wakker werd lag ik bij Yogi thuis in bed. Het was donker maar nog geen nacht; het geluid van de televisie in de zitkamer naast mijn kamer was duidelijk te horen. Schoten, dramatische muziek en gegil van vrouwen in een cineastische curry met veel te veel smaken in één keer. Mrs Thakur zat zoals gewoonlijk naar een oude actiefilm in het Hindi te kijken.

Ik deed de lamp op het nachtkastje aan en zag dat niet alleen mijn handen maar mijn hele armen eruitzagen alsof ze in een verfbad waren gedoopt. Het duurde een paar seconden voordat ik dat verbond met het Holi-feest, maar dat veroorzaakte nog geen rechtstreekse paniekgevoelens. Op verbazingwekkend lichte benen kwam ik overeind en vond mijn horloge op het nachtkastje. Het was halftien.

Dan had ik dus een paar uur geslapen sinds het wazige eind van het feest, dacht ik, waarna ik naar de badkamer liep die bij mijn slaapkamer hoorde. Toen ik mezelf in de spiegel zag schrok ik. Alles behalve de witte onderbroek en het witte katoenen shirt dat ik op de een of andere ondoorgrondelijke manier aan had gekregen voordat ik in bed belandde, was gekleurd. Mijn huid wisselde van rood tot donkerpaars, en mijn normaal gesproken grijze slapen waren knalroze. Zelfs mijn tanden hadden een duidelijke roze kleur, alsof ik op paan had gekauwd en in slaap was gevallen met een mond vol betelnootsap.

Het onbehaaglijke gevoel dat niet alles was zoals het zou moeten zijn begon me langzaam maar zeker te besluipen. Wat was er eigenlijk gebeurd op het feest?

Ik trok mijn onderkleding uit, ging onder de douche, zeepte me in en liet de warme stralen over mijn lichaam stromen. Het water dat door het afvoerputje stroomde was bijna zwart, maar de donkere kleur van mijn huid bleef. Het was alsof de verfdeeltjes in elke porie waren gekropen en zich vast hadden gebeten in mijn huid.

Pas nadat ik mezelf tien minuten lang hard had geschrobd met een borstel kreeg ik de meeste Holi-verf weg, maar ik hield een rode huid door de onzachte behandeling.

Wazige beelden van mister Malhotra die als een vis op het droge naar adem hapte flitsten voorbij. Mijn keel was kurkdroog en ik had verschrikkelijke dorst. Er stond een halfvolle karaf met gefilterd water in de badkamer die ik in één keer leegdronk, waarna ik me aankleedde en voorzichtig de deur naar de zitkamer op een kier opendeed.

Mrs Thakur zat op haar gebruikelijke plek op de fauteuil en keek met samengeknepen ogen naar het flikkerende televisiescherm terwijl Yogi half op de bank naast haar lag met een gekwelde uitdrukking op zijn gezicht. Ik overwoog om me om te draaien en weer in bed te kruipen, maar besefte dat alle pogingen om weer in slaap te vallen gedoemd waren om te mislukken. Bovendien had de oude vrouw me al in het vizier gekregen en zette ze het geluid van de televisie met de afstandsbediening bliksemsnel uit.

'Hij is wakker!' siste ze, waarop Yogi van de bank omhoogkwam alsof hij was afgeschoten door een kanon en met uitgestrekte armen naar me toe kwam.

'Mister Gora! Dank aan alle goede goden omdat je weer op je beste benen staat!'

Hij omhelsde me zo innig dat ik ongerust werd over mijn gezondheidstoestand.

'Kalm maar, Yogi, ik heb gewoon een beetje geslapen,' probeerde ik met een onhandige glimlach, die verstrakte tot een vermoedelijk onnozele gelaatsuitdrukking.

'Aha, wat zegt u, meneer Borg? Dat u een béétje geslapen hebt?' bemoeide mrs Thakur zich ermee. Haar stem was zo ongegeneerd insinuerend dat ik besefte dat mijn wittebroodsweken met haar definitief voorbij waren.

'Ik zou in plaats daarvan willen beweren dat u heel véél geslapen hebt,' ging ze verder terwijl ze haar vergrootglas op me richtte.

Yogi pakte me onder mijn arm en leidde me voorzichtig naar de bank. Ik probeerde te voelen of ik gebroken botten in mijn lichaam had die zijn behoedzame behandeling motiveerden, maar de enige pijn die ik voelde was het drukkende gevoel van angst dat als een spanband rond mijn borstkas lag.

Mrs Thakur volgde ons met het vergrootglas en legde het pas weg toen ik op een armlengte afstand van haar op de bank was gaan zitten. De geluidloze televisiebeelden van twee gangsterbendes die verwikkeld waren in een dodelijke strijd met automatische wapens fungeerde als angstaanjagende, zwijgende achtergrond voor het indringende toneelstuk waarin ik de hoofdrol speelde zonder dat ik wist wat er in het script stond.

De stilte was zo verstikkend en onheilspellend dat ik Lavanya's belletjesgerinkel dankbaar verwelkomde toen het dienstmeisje de zitkamer binnenkwam met een blad met drie bekers masala chai. Ze zette ze voorzichtig op tafel zonder een druppel te morsen. Je kon heel duidelijk zien hoe haar gespannen gezichtsuitdrukking na de goed uitgevoerde opdracht ontspande. Zonder een woord te zeggen liep ze de kamer weer uit.

De belletjes verstomden. Een vlieg zoemde rond de zoete thee. Yogi peuterde zenuwachtig in zijn oor voordat hij zijn beker pakte en een slok naar binnen slurpte. Mrs Thakur maakte aanstalten om hem terecht te wijzen maar bedacht zich. Het was duidelijk dat ze genoot van de geladen sfeer en uitkeek naar het vervolg.

'Zullen we naar de tuin gaan, Yogi?' stelde ik voor in een wanhopige poging om aan haar scherpe tong te ontkomen.

'Ik denk niet dat dat op dit moment mogelijk is, mister Borg, omdat de tuinmannen bezig zijn insectengif tegen de muggen te spuiten,' zei ze met haar krakende stem.

Ik keek naar Yogi. Hij knikte kort en gaf me met een blik te kennen dat ik mijn lot hier en nu moest ondergaan. Mrs Thakur zou met minder geen genoegen nemen.

29

'Je hebt echt zo lang geslapen, mister Gora,' zei Yogi. 'Het is niet de mooiste woensdagavond, het is de mooiste donderdagavond. Je hebt langer dan vierentwintig uur geslapen. Aan één stuk door.'

Mrs Thakur zat rechtop op de fauteuil met een satanische glimlach rond haar ruwe lippen.

'Maar hoe ...?'

'U vraagt zich af hoe het mogelijk is om zo lang te slapen? Dat kan ik u vertellen,' zei ze. Ze schoof haar kin zo ver naar voren dat de onderkant van haar kunstgebit zichtbaar werd. 'Dat komt doordat u enorme hoeveelheden bhang hebt gedronken en hebt meegedaan aan de onzedelijke orgieën van de verwende hogere stand!'

'En alsof dat niet genoeg was,' ging ze verder met haar gekromde wijsvinger in de lucht, 'hebt u Yogi verleid om ook dronken te worden en schande over zijn familie te brengen!'

Als de situatie niet zo verschrikkelijk pijnlijk was geweest, zou ik geprotesteerd hebben, want als er iemand verleid was, was ik dat. Ik had tenslotte niets geweten van de verdovende kracht van het 'gezondheidsdrankje' dat Yogi me had gegeven. Mijn vriend was me echter voor.

'Nu is het genoeg, amma!'

Het was de eerste keer dat ik hoorde dat hij zijn stem tegen zijn moeder verhief en het had onmiddellijk effect. De oude vrouw zweeg, leunde achterover op de stoel en knoopte de bovenste knoop van haar pluizige vest dicht, hoewel het verstikkend heet was in de kamer.

'Ik ben een volwassen man en ik kan voor mijn eigen persoon zorgen. Bovendien moet lieve amma niet alles geloven wat Harjinder zegt. Hij zit het grootste deel van de tijd zwijgend in de auto en dat is het allersaaist, dus als hij eindelijk de kans krijgt om te praten stromen de woorden uit hem als water in de uitmonding van de Ganges. Zo erg was het niet.'

'Niet? Dus je vindt het normaal dat twee volwassen mannen midden op de dag naar binnen worden gedragen door de bewakers, zodat alle buren het zien?!'

'Het was Holi, amma. Heel India viert dat vrolijke feest op de vrolijkste manier.'

Ik zat zwijgend te luisteren naar Yogi's verslag over wat zich op het feest had afgespeeld. Zijn pogingen om bepaalde delen te censureren resulteerden er alleen in dat mrs Thakur de kans kreeg om het aan te vullen met de roddels die ze uit de blijkbaar gemakkelijk over te halen Harjinder Singh had gekregen. In grote lijnen was het volgende gebeurd:

Ik was inderdaad heel erg onder invloed geweest en had eerst met Preeti gedanst en daarna met haar man, en ik had hem niet alleen beschoten met het waterpistool, maar had ook een hele schaal kleurpoeder over hem heen gegooid.

Toen er een tafel met zoetigheid de tuin in was gereden, had ik beslag gelegd op een schaal met *gulab jamun*, de heerlijk smakende gefrituurde melkballen in suiker, die ik naar de gasten gooide terwijl ik bhang achterover bleef slaan. Uiteindelijk was zowel Yogi als ik in slaap gevallen en naar de wachtende auto gedragen, waarvan de bekleding door de vooruitziende Harjinder was beschermd met plastic.

In Sundar Nagar hadden de bewakers ons het huis in gedragen en de kok Shanker had het twijfelachtige genoegen gehad om mijn smerige kleding uit te trekken en me witte onderkleding aan te trekken voordat ik in bed was gelegd.

Yogi was woensdagavond wakker geworden met een knallende hoofdpijn en had flink op zijn donder gekregen van zijn moeder, terwijl ik nog steeds in diepe slaap was. Toen ik vanochtend nog steeds niet wakker was uit mijn coma-achtige toestand, had Yogi de huisarts laten komen, die slaap had voorgeschreven omdat een te vroeg ontwaken uit een roes volgens hem een hasjpsychose zou kunnen veroorzaken.

Daarna was Yogi naar de kleine familietempel gegaan, die in een van de vele slaapkamers was ondergebracht, en had bloemen geofferd en wierook aangestoken voor de goden in het algemeen en voor de Indiase supergod van de ayurvedische geneeskunde Dhanvantari in het bijzonder, omdat hij me beter moest maken.

'En dat heeft hij gedaan! Dus is er over het geheel genomen geen ernstige fout gemaakt. Door wat er is gebeurd, hebben we iets geleerd voor de aangenaamste toekomst. Mister Gora heeft alleen een kleine pauze genomen van zijn meest creatieve periode en gaat nu verder met het plannen van zijn grootste interview met Shah Rukh Khan.'

'Ik snap niet waarom iedereen dweept met die parvenu,' mopperde de oude vrouw terwijl ze het geluid van de televisie harder zette. Ze had voldoende schandalen gehoord en wilde nu het eind van de film zien.

'Dat is een echte acteur!' riep ze en ze wees met de afstandsbediening naar een acteur die met een woedende stem en fonkelende ogen van haat en wraakzucht bezig was aan een monoloog over een omgekomen kameraad.

'Daar heeft amma in hoofdzaak gelijk in. Amitabh Bachchan is een heel fantastische acteur,' zei Yogi.

'Niet alleen fantastisch, hij is onovertroffen! Shah Rukh Khan mag de schoenen van Big B niet eens poetsen!'

De martelsessie van die avond was voorbij. Ik was naar het leven teruggekeerd na een ongeveer dertig uur durende toestand van verdoving, was aan de schandpaal genageld door mrs Thakur en was na de uitgediende straf zo menswaardig bevonden dat de oude vrouw zelfs licht naar me knikte voordat ze een slok van haar thee nam en zich verdiepte in de spannende finale van de actiefilm, waarin Big B liet zien dat hij niet alleen boos kon schreeuwen maar ook karateschoppen kon uitdelen die zijn tegenstanders, hoewel ze nooit raak waren, toch velden.

Een uur later sliep de oude vrouw en zaten Yogi en ik in de tuin, die nog steeds sterk naar verdelgingsmiddel rook. We probeerden de afgelopen vierentwintig uur samen te vatten. Ik hield vol dat het een ramp was geweest en dat Yogi daar deels schuldig aan was omdat hij me niet had verteld dat er marihuana in het groene gezondheidsdrankje zat. Hij vond dat het een enorm geslaagd feest was en dat de uitbarsting van zijn moeder over ons immorele gedrag niets was om je druk over te maken omdat het net zo traditioneel was als het Holi-feest.

'Het is net de beste oude Bollywoodfilm waarvan telkens herhalingen worden vertoond. Elk jaar roddelt Harjinder en elk jaar wordt amma boos. Daar moet je je niets van aantrekken en het vrolijkst van iedereen zijn vanavond, mister Gora, want je bent wakker geworden en gezond als een jonge, viriele man. En als ik het noodzakelijkerwijs moet zeggen probeerde ik je minder bhang te laten drinken, maar je hoorde helemaal niets met je oren.'

'Dat maakt niet uit. Ik heb me in elk geval zo erg geblameerd als maar mogelijk is. Het enige wat op dit moment goed voelt is dat ik een ticket naar Zweden heb. Ik ga proberen om een vlucht voor zondag te boeken.'

'Maar dat is onmogelijk! Denk aan het interview met Shah Rukh Khan dat je gaat doen! En denk aan de mooie bedrijfsleidster van de schoonheidssalon!'

'Dat doe ik ook. Na wat er op het feest is gebeurd, wil ze me nooit meer zien.'

'Integendeel! Je hebt jezelf niet geblameerd, je was een succes! Kijk naar het bericht dat ik van haar heb gekregen. We hebben immers onze mooiste visitekaartjes achtergelaten, en omdat er op dat van jou met veel goud geen mobiel nummer stond heeft ze haar meest beminnelijke groet aan jou via mij gestuurd.'

Yogi pakte zijn mobiel en bladerde naar een sms'je met de volgende tekst:

BESTE MR THAKUR. BRENG MIJN HARTELIJKE
GROETEN AAN MR BORG OVER.
JULLIE HEBBEN BIJGEDRAGEN AAN EEN HOLI-FEEST
DAT IK NIET SNEL ZAL VERGETEN. PREETI

Ik las het sms'je telkens opnieuw en probeerde de inhoud te duiden. Hoewel ik Yogi's mening dat het een open invitatie was niet deelde, moest ik toegeven dat het allesbehalve afwijzend klonk.

'Je moet haar antwoord geven. Het lijkt erop dat ze je wil ontmoeten.'

'Denk je?'

'Probeer me niet te bedriegen, mister Gora, want ik heb begrepen dat je de heetste gevoelens voor Preeti Malhotra hebt. Niet alleen je warme chiliwangen verraden dat. Je hele lichaam straalt als iemand haar mooiste naam uitspreekt.'

'Maar ze is getrouwd.'

'Daar heb je nog steeds heel erg gelijk in. En getrouwde vrouwen moet je onder de normaalste omstandigheden vermijden zoals je de godin van de dood Kali moet ontwijken als ze haar verwensingen uitkraamt. Maar er zijn altijd uitzonderingen op die gouden regel.'

Ik herinnerde Yogi eraan dat hij eerder zijn afkeuring had geuit over het hoge scheidingspercentage in de westerse wereld, maar dat standpunt botste op geen enkele manier met zijn nieuwe hypothese. Want het kon immers heel goed mogelijk zijn dat Preeti en ik in een eerder leven getrouwd waren geweest maar door ongelukkige omstandigheden waren gescheiden. De tijd zou bewijzen of dat het geval was, als ik maar geduld had en mijn *puja* elke ochtend of in elk geval elke vrijdag uitvoerde.

Yogi's vermogen om oplossingen voor religieuze en morele problemen te vinden liet hem nooit in de steek, maar er bleven nog steeds twee cruciale vragen onbeantwoord:

1. Hoe kon ik zeker weten dat mijn gevoelens voor mrs Malhotra beantwoord werden? Ik was tenslotte niet volledig bij zinnen geweest toen ik haar de laatste keer zag.
2. En als het echt waar was dat ze me leuk vond, hoe moest het dan met haar man?

'Jullie westerlingen veranderen nooit,' zuchtte Yogi terwijl hij geïrriteerd zijn hoofd schudde. 'Jullie willen op de meest onmiddellijke manier antwoord op elke wereldse vraag. Hebben jullie nooit horen praten over het prachtige woord "geduld"? Denk aan de hoogst geëerde lord Rama, die veertien jaar in ballingschap in het oerwoud heeft geleefd en langer dan een jaar naar zijn ontvoerde vrouw Sita heeft gezocht voordat de aapgod Hanuman haar bij de demon Ravana in Sri Lanka vond. Dan kun jij toch nog iets langer het beste geduld hebben. Of is dat een te veel gevraagde wens?'

30

Ik volgde Yogi's raad op en stuurde de volgende dag een sms vanaf zijn mobiel naar Preeti waarin ik haar vroeg of ze zin had om met me af te spreken. Het antwoord kwam vier uur, dertien minuten en twaalf seconden later:

> IK HEB HET DE KOMENDE TIJD DRUK, MAAR WE KUNNEN OVER TWEE WEKEN, OP WOENSDAGAVOND 25 MAART, IN LODI GARDEN AFSPREKEN. HALFZEVEN BIJ DE INGANG VANAF SOUTH END ROAD. ALS JE DAN NATUURLIJK NOG NIET BENT VERTROKKEN VOOR JE INTERVIEW.

Haar vraag over een zekere reis naar een zekere Bollywoodster verminderde mijn blijdschap over het ongelofelijke dat was gebeurd niet: ik had een afspraakje met haar! Weliswaar pas over twee weken, maar toch. Op de een of andere manier was wat ik eerst als een enorme catastrofe had beschouwd, veranderd in iets wat in elk geval op de display van het mobieltje een triomf leek.

Omdat Yogi als eigenaar van het voornoemde mobieltje rechtstreeks betrokken was bij mijn sms-correspondentie met Preeti, kocht ik onmiddellijk een eigen mobiel met telefoonkaart.

Ik stuurde een paar voorzichtige sms'jes om de kracht van onze sms-band te testen en merkte tot mijn onuitsprekelijke vreugde dat ze met toenemende openhartigheid antwoordde. Ze hield van Lodi Garden omdat het park ZO MOOI WAS IN DE SCHEMERING, ze KEEK UIT NAAR ONZE ONTMOETING en ze stuurde een smiley toen ik over mijn roze slapen vertelde.

De situatie was zo hoopgevend dat ik een voor mijn doen radicale beslissing nam. Ik zou in India blijven! Göran Borg, de man die verslaving aan veiligheid een volslank gezicht had gegeven, dacht erover om weg te gaan uit zijn geboortestad, waar hij altijd had gewoond, en zich te vestigen in het krioelende New Delhi. Ik moest alleen een eigen plek vinden, zodat ik kon ontsnappen aan mrs Thakurs groteske cyclopenoog en kon uitnodigen wie ik wilde.

Mijn beslissing had niet alleen met Preeti te maken. Ik begon steeds meer te houden van India en de verwelkomende, nieuwsgierige houding van de Indiërs. En wat moest ik zonder mijn voortdurende metgezel Yogi? Hoewel onze vriendschap nieuw was, beschouwde ik hem inmiddels als een dierbare, oude vriend.

Misschien zou ik kunnen werken als de Senior Correspondent die ik nu was, volgens zowel het ü-visitekaartje als de chili-perslegitimatie. De vertrekpremie van Kommunikatörerna zou niet voor eeuwig voldoende zijn, ook al was India een goedkoop land. Maar als Erik mijn laptop tijdens zijn volgende reis naar India meenam, zou ik hier artikelen kunnen schrijven die ik aan Zweedse bladen kon verkopen, zodat ik in mijn levensonderhoud kon voorzien.

Yogi vond het natuurlijk een schitterend idee dat ik een Delhiër zou worden, of *dilliwala* zoals hij het noemde, maar hij wilde absoluut dat ik bij hem in Sundar Nagar zou blijven logeren. Ik legde zo goed mogelijk uit dat het een te grote belasting voor de toch al enigszins gespannen relatie met zijn moeder zou zijn, een argument waar hij een aangeboren begrip voor had. Yogi beloofde om meteen bij zijn contacten te informeren of er ergens een geschikte flat was die ik tegen een redelijke prijs kon huren.

Ik belde naar Zweden om mijn besluit mee te delen aan achtereenvolgens mijn moeders antwoordapparaat, Eriks voicemail, Richard Zetterströms secretaresse, mijn dochter Linda's vriendin Steffi (die om de een of andere reden haar mobiel had geleend) en mijn zoon Johns voicemail op skype. De communicatiemaatschappij had zonder enige twijfel communicatieproblemen.

De enige die zelf opnam was mijn ex-vrouw. Het was een onwerkelijk gevoel om met Mia te praten zonder te worden overvallen door het verlangen dat haar stem automatisch bij me opriep vanaf de scheiding, die ... tja, hoe lang was die ook alweer geleden? Ik was gestopt met tellen, en dat was zo'n onthutsende ervaring dat ik nauwelijks kon geloven dat het zo was.

Mia klonk net zo zelfverzekerd als altijd tijdens de inleiding van ons gesprek. Ze vertelde over de geslaagde reis naar Thailand en de vergevorderde plannen om haar kleine zakenimperium uit te breiden. Mia had een postorderbedrijf, dat sportmedische artikelen zoals spalkverband en sportbandages verkocht, en daarnaast een klein reisbureau dat exclusieve golf- en skireizen aanbood. Nu dacht ze erover om samen met een fitnessinstructeur, een masseur en een ostheopaat een praktijk voor preventieve zorg te openen. De naam, Rundsmörjning NV, was geregistreerd en de financiering geregeld. Ze zochten alleen nog een geschikte ruimte, en als het allemaal lukte zouden ze in de herfst van start gaan. Mia had al meerdere bedrijven als klant, die vooraf personeelszorg hadden ingekocht.

Ik verdacht teflonpak Max met zijn geld en zijn grote netwerk binnen het bedrijfsleven ervan dat hij beide daarvoor inzette, maar daar zei Mia geen woord over. Ze straalde alleen de positieve zelfbewustheid uit die ik ooit bij haar had losgemaakt.

Jazeker. De afgelopen tien jaar had ik weliswaar de onwrikbare reputatie dat ik een ongeneeslijke pessimist was, maar in het begin van onze relatie was het niemand minder dan Göran Borg die uit blijdschap over zijn relatie met Mia Murén geloof in de toekomst en optimisme in het kleine rijtjeshuis in Djupadal verspreidde. In die tijd zat Mia nogal in de put door een aantal mislukte relaties en een kwijtgeraakte baan in Stockholm. Door haar echter voortdurend bevestiging te geven en tegelijkertijd het goede carrièrevoorbeeld te geven als bekwame copywriter bij Smart Publishing lukte het me om Mia langzaam maar zeker weer in zichzelf te laten geloven. Na verloop van tijd zat ze in de lift en steeg ze tot ver boven mijn niveau.

In de sportwereld zou je me kunnen vergelijken met schansspringer Jan Boklöv, die met zijn ski's in V-formatie zo ver sprong dat zijn sceptische rivalen uit pure overlevingsdrang gedwongen waren om zijn techniek te kopiëren, die ze vrij snel daarna verder ontwikkelden. Een paar jaar later was Boklöv hopeloos op achterstand gezet en gereduceerd tot een kleine voetnoot in de sportgeschiedenisboeken, terwijl de concurrenten die eerder hun neus hadden opgehaald voor zijn kraaiensprong met dezelfde stijl nieuwe, bejubelde kampioenstitels behaalden.

Mia, mijn Mia, was net een van die parasiterende schansspringers. Ze zweefde boven de wolken en surfte op de succesgolf. Ze had alles waar ze redelijkerwijs van had kunnen dromen: liefde (zelfs al was dat voor het teflonpak), geld, twee gezonde en veelbelovende kinderen en een carrière als succesvolle zelfstandig ondernemer. Ze had me met andere woorden het beetje blijdschap en trots dat ik voelde toen ik haar vertelde dat ik erover dacht om in India te blijven, kunnen gunnen.

In plaats daarvan werd het doodstil aan de andere kant van de lijn. En toen ze eindelijk weer begon te praten was dat met het zeurderige dialect dat ze had geërfd van haar azijnzure moeder uit Örebro en dat ze slechts bij uitzondering gebruikte. 'India? Dat is toch een land voor investeerders en IT-ingenieurs? Waarvan ga je daar leven?'

'Er zijn heel veel interessante onderwerpen om over te schrijven, en er is maar een handvol Zweedse journalisten. Ik geloof eerlijk gezegd dat ik op dit moment geen betere plek had kunnen kiezen om naartoe te verhuizen. Er gebeurt hier van alles, van mystieke religieuze festivals tot wereldpolitiek. Er is altijd iets aan de hand.'

Mia gooide het over een andere boeg: 'Word je rampjournalist?'

'Wat bedoel je?'

'Neem bijvoorbeeld die afschuwelijke terreurdaden in twee hotels in Bombay onlangs. En alle armoede en bedelaars. En het verschrikkelijke klimaat, waardoor er op sommige plekken droogte heerst en er op andere plekken overstromingen zijn.'

'Je klinkt bijzonder bemoedigend.'

'Ik wil alleen dat je erover nadenkt. Je bent geen vijfentwintig meer, Göran. Als je het mij vraagt, vind ik het dom dat je ontslag hebt genomen bij Kommunikatörerna.'

Voor één keer had ik zin om te zeggen dat het me geen bal kon schelen wat zij vond, maar tegelijkertijd voelde ik een enorme opluchting omdat ze niet wist dat ik ontslag had gekregen en ik liet het moment voorbijgaan.

'Ik heb het niet meer naar mijn zin in Malmö,' zei ik. 'De winter duurt te lang en mijn kostuum voelt als een gevang.'

Het was een sterk citaat, rechtstreeks gejat uit het nummer *Mellanstora mellansvenska städer* van Tomas Andersson Wijs. Uit mijn mond klonk het echter als een slecht rijm van Tomas Ledin. Mia giechelde.

'Maar, Göran, je hebt niet eens een kostuum. Alleen een heleboel versleten corduroy colberts.'

Trap niet in die valstrik, prentte ik mezelf in. Misleid haar.

'Je hebt hier geen kostuums nodig. Het is ver boven de dertig graden in Delhi terwijl het nog maar vroeg in het voorjaar is,' zei ik en met dat citaat was ik in elk geval enorm tevreden.

Mia gooide het opnieuw over een andere boeg: 'Denk dan tenminste aan de kinderen.'

Nu klonk ze als een echo uit mijn verleden, in een laatste wanhoopsdaad om twijfel te zaaien bij de tegenpartij. Het was lang geleden dat Mia me nodig had gehad als het positieve, klapwiekende Jan Boklövtype dat haar de weg wees. Tegenwoordig was ze eerder afhankelijk van mijn status als mislukte vrijgezel die haar verslaving bleef voeden door zijn verlangen naar haar. Ongeveer zoals de vrouwtjesspin na de paringsdaad het mannetje opeet.

'Waarom moet ik aan de kinderen denken?'

'Omdat het nu eenmaal je kinderen zijn en omdat ze misschien af en toe behoefte hebben aan hun vader.'

'Ik ben niet naar de maan verhuisd. De kinderen kunnen hiernaartoe komen en ik kan af en toe naar Zweden vliegen om ze te zien.'

'En hoe vaak denk je dat dat gaat gebeuren? Je toont tenslotte niet bepaald veel continuïteit in een dergelijk contact.'

'Alsjeblieft, Mia, waarom heb je plotseling zoveel belangstelling voor mijn relatie met de kinderen? Linda en John zijn volwassen. Het is een hele tijd geleden dat we elkaar regelmatig zagen.'

'Ja, daar kan ik over meepraten. Je hebt niet bepaald je best gedaan om iets met ze op te bouwen.'

Ik voelde dat ik chagrijnig werd, ook al had Mia een punt.

'Dus nu moet ik een slecht geweten hebben omdat jij me in de steek hebt gelaten en de kinderen hebt meegenomen.'

'Ik heb de kinderen niet bij je weggehouden! Ik heb voor ze gezorgd omdat jij daar geen interesse voor toonde, ouwe!'

Als een vrouw van middelbare leeftijd een man van middelbare leeftijd 'ouwe' noemt en daarmee weg wil komen moet ze drie regels in acht nemen:

1. Ten eerste moet ze de juiste man kiezen, iemand die geen te kort lontje heeft en het meeste van wat ze zegt slikt met een onderdanige dan wel toegeeflijke glimlach.
2. Daarna moet ze het juiste verband en onderwerp kiezen. Het liefst een beetje grappig. Absoluut niets wat een ontstoken zenuw raakt.
3. Het is duidelijk een voordeel als ze zelf niet geïrriteerd is.

Als de vrouw deze drie regels in acht neemt komt ze er altijd mee weg. Als ze twee van de drie regels voor elkaar heeft, lukt het haar meestal ook. Zelfs als maar een van de drie regels klopt, maar dan moet het regel 1 zijn, kan het goed aflopen.

Normaal gesproken zou Mia wegkomen met alleen het feit dat ze de juiste man had gekozen. Maar deze keer was het anders. Mia had het fout, fout, fout, en de man met de gewoonlijk onderdanige dan wel toegeeflijke glimlach was zo boos dat hij explodeerde.

'"Ouwe"? Is het ooit bij je opgekomen dat jullie vrouwen ons zo maken? Jullie geven ons de schuld van al het slechte op de wereld! Jullie zeuren tot vervelens toe over vrouwenonderdrukking en dat jullie niet voldoende waardering krijgen voor wat jullie doen. En wat hebben die arme vrouwen het moeilijk tijdens de zwangerschap en de geboorte! En dan de overgang! Jullie zijn de hele tijd zo zielig! Alsof wij mannen het gemakkelijk hebben. Is het ons privilege dat we eerder doodgaan dan jullie? En wordt prostaatkanker niet als een ziekte beschouwd? Tegenwoordig zijn het verdomme de mannen van middelbare leeftijd die achtergesteld worden omdat de vrouwen zich hees schreeuwen en door middel van positieve discriminatie de ene na de andere topbaan in de wacht slepen. En als jullie daar niet in slagen, dan versieren jullie gewoon een rijke vent en trouwen jullie met hem zodat jullie de droom van een eigen bedrijf kunnen realiseren!'

Mijn voorhoofd was helemaal bezweet na mijn ontlading. De woede moet binnen in me hebben liggen pruttelen als kokende, borrelende lava die na jaren van insluiting onder de aardkorst uiteindelijk door een barst naar buiten stroomt in een zeldzame vulkaanuitbarsting.

Mia en ik hadden natuurlijk eerder ruzie gehad, maar dat liep nooit echt hoog op. Nu bestreden we elkaar echter met glimmende wapens in een sidderende geslachtsoorlog.

'Wat zeg je daar verdomme! Beweer je dat ik op mijn rug heb gelegen voor mijn succes? Je bent zo door en door seksistisch dat zelfs de taliban bij jou vergeleken feministen lijken! En wat is dat voor onzin dat mannen van middelbare leeftijd achtergesteld worden? Is dat de reden dat jullie op alle managersstoelen zitten en alle bestuurskamers bevolken en alle oorlogen beginnen? Dat jij niet verder bent gekomen dan een mager schrijversbaantje in een smerig ontwikkelingsland berust uitsluitend op je eigen gebrek aan talent! Prostaatkanker? Is dat echt het beste waarmee je kunt komen? Als meisjes in India worden geaborteerd en vermoord alleen omdat ze minder waard zijn dan jongens! Schrijf daarover, ouwe!'

'Hou je koloniale vooroordelen voor je, trut!'

Mia gooide de hoorn op de haak en ik bedacht dat er nu geen terugkeer meer mogelijk was. Er was nog maar één weg – vooruit.

31

Ik ging helemaal op in mijn sms-flirt met Preeti. Het was niet zo dat ik haar overstelpte met berichtjes, maar ik woog elk woord op een goudschaaltje voordat ik het op de display intoetste. Ik probeerde geïnteresseerd maar niet opdringerig te lijken, en om me daarbij te helpen hield ik me aan twee compromisloze regels:

1. Zeg geen woord over Preeti's machtige echtgenoot, de industriemagnaat Vivek Malhotra.
2. Blijf een flink stuk boven de gordel en op gepaste afstand van haar roodgestifte lippen.

Het leek erop dat ik precies de juiste toon had gevonden. Preeti bevond zich op een schoonheidsbeurs in Bangalore, waar het blijkbaar enorm hectisch was, maar ze nam toch de tijd om mijn sms'jes te beantwoorden en een paar keer begon ze zelf een gesprek.

Zodra mijn mobiel vibreerde versnelde mijn hartslag. Meestal daalde die al snel weer omdat het reclame-sms'jes van telecombedrijven waren, maar een paar keer per dag had mijn hart reden om kleine salto's van blijdschap te maken. Een eenvoudige vraag van Preeti zoals WAT DOE JE OP DIT MOMENT? was voldoende om me in een bruisende liefdesroes te storten.

Ik had al eens geflirt via sms. Het onderwerp van mijn digitale liefde was een fitnessinstructrice bij Friskis & Svettis die Eva heette en die bijverdiende als optimismeconsulent (jazeker, zo noemde ze zich, echt waar). Mijn voormalige chef Jerker van Kommunikatörerna, die een veel prettiger karakter had dan Kent maar die extreem bang was voor conflicten, had haar ingehuurd voor een kick-off in een cursuscentrum in Skanör. Het was Eva's taak om de hele dag positieve vibraties te verspreiden en wij-gevoelens op te roepen bij de enigszins verdeelde personeelsleden. Het was in de tijd waarin kleine en middelgrote bedrijven nog steeds van mening waren dat ze geld hadden voor dat soort wazige investeringen in het 'menselijk kapitaal'.

Eva begon met een powerpointpresentatie waarin ze foto's liet zien van blije mensen die samen 'positieve dingen' deden, begeleid door muziek. Sommigen wandelden in de natuur op de tonen van Griegs *In de grot van de bergkoning*, anderen transpireerden en glimlachten tijdens een les in spinning (natuurlijk georganiseerd door Friskis & Svettis), enthousiast aangespoord door George Michael met *Wake Me Up Before You Go-Go*.

Daarna volgde een serie foto's van een jong, mooi stel dat lekker, gezond eten kookte en daarbij werd geïnspireerd door Bruce Springsteens *Hungry Heart*. Het eten, dat werd weggespoeld met één (slechts één) glas rode wijn, werd begeleid door Edith Piafs *La vie en rose*. Bij het nagerecht van donkere chocolade luisterden ze naar Umberto Tozzi's *Ti amo*, of misschien was het Eros Ramazzotti's *Più bella cosa*, voordat ze tot slot seks met elkaar hadden. (We zagen alleen een foto van twee paar voeten in missionarishouding die onder een dekbed vandaan staken, en de muziek die werd gespeeld was *Teach Me Tiger* van April Stevens.) Al die activiteiten hadden volgens optimismeconsulent Eva een gemeenschappelijke noemer: er kwamen endorfinen door vrij waardoor mensen zich fijn voelden.

Het was beslist niet eenvoudig om het verband te zien tussen het door chocolade aangespoorde liefdesuurtje onder het dekbed en een goede sfeer op het werk, wat iemand ook enigszins hatelijk onder de aandacht bracht. Daar maakte Eva zich echter geen moment druk om. Ze zei alleen dat we onze zware rugzakken vol geïntellectualiseerde zaken af moesten doen en onze vrije, luchtige gedachten en gevoelens moesten loslaten.

Daarna ging ze verder met een 'groepdynamische groepsopdracht'. We werden in twee even grote groepen verdeeld en mochten zeggen aan welke dieren onze groepsleden ons deden denken en welke karaktereigenschappen die dieren bezaten. Dat was de optimale manier voor teambuilding, benadrukte ze.

Eva belandde in mijn groep, waar heel veel ironische, gemene opmerkingen werden gemaakt, vooral tussen mij en een veel jongere collega die Christoffer heette en die een doortrapte streber was. Ik vergeleek hem met een hyena ('je kunt fantastisch in een groep werken maar tegelijkertijd ben je ontzettend egoïstisch als de buit verdeeld moet worden') terwijl hij mij vergeleek met een Vietnamees hangbuikzwijn ('die zijn heel aanhankelijk en dol op eten en ze houden van slapen').

Toen het Eva's beurt was zei ze dat Christoffer haar deed denken aan een hert ('snel, gespierd en met scherpe horens') terwijl ik een tijger was ('sterk, zelfstandig en levensgevaarlijk onder het kalme uiterlijk').

Omdat tijgers herten verorberen bij wijze van lunch en omdat de tijger het symbool is voor de mannelijke potentie (denk aan de Chinezen, die vierduizend kronen betalen voor een lauwe soep die is gemaakt van gehakte tijgerpenis) en omdat Eva niet alleen *Teach Me Tiger* had laten horen bij de foto van de seksende voeten, maar er ook een beetje ongeremd uitzag toen ze zei dat ik op een tijger leek, voelde ik me enorm gevleid. Ik antwoordde dat zij net zo mooi was en net zo'n vrije geest had als een hinde.

Toen we de oude, beproefde vertrouwensoefening uit het begin van de jaren zeventig gingen doen, waarbij je je achterover moet laten vallen en wordt opgevangen door de persoon die achter je staat, koos zij mij als partner. Ze viel en ik hield haar een hele tijd stevig vast. Ik viel en zij hield me nog langer en nog steviger vast (ze was zoals ik al zei een fitnessinstructrice en heel sterk en goed getraind).

Aan het eind van de dag bedankte ik Eva voor het fantastische, inspirerende programma. Ze glimlachte en zei dat het een plezier was om te werken met een man die zo ontvankelijk was. Daarna drukte ze discreet een briefje met het nummer van haar mobiel in mijn hand en verdween met een knipoog uit het cursuscentrum.

Ik ben van mening dat mannelijke bankhangers een speciale aantrekkingskracht uitoefenen op goed getrainde vrouwen. Ongeveer net als verpleegsterstypes vallen voor verslaafden. Het heeft te maken met de behoefte van vrouwen om de verloren zielen te redden en te bekeren.

Een paar dagen later belde ik Eva. Ze klonk oprecht blij en nodigde me meteen uit voor een van haar fitnesslessen met een lichte moeilijkheidsgraad. Ik trainde samen met drie zwangere vrouwen en een trillende man van een jaar of vijfenzeventig, die zich in het voorstadium van parkinson leek te bevinden. Het voelde een beetje vernederend, maar Eva zei dat je voorzichtig moest beginnen als je begon met trainen, en jezelf niet moest uitputten, omdat je dan je motivatie kwijtraakte. Daarna gingen we naar haar huis en aten een voedzame spinazielasagne, waarbij we sleepruimensap in plaats van wijn dronken omdat het midden in de week was. Ik had gerekend op chocolade en seks onder het dekbed, maar kreeg in plaats daarvan wortelcake en kruidenthee voor de televisie.

We zagen elkaar meerdere keren en het concept was altijd hetzelfde. Eerst een lichte fitnessles en daarna licht eten. Geen wijn en geen seks. Ik zag niets meer terug van de ongeremde indruk die Eva tijdens de cursusdag in Skanör op me had gemaakt. Totdat ik naar haar begon te sms'en. Toen veranderde ze heel plotseling in een Friskis & Svettis-variant van Anaïs Nin. Ze schreef lange sms'jes over van alles, van de hoeveelheid calorieën die je verbrandt tijdens seks tot atletische standjes waarbij bijzonder veel endorfine vrijkwam.

Ik dacht dat ze eindelijk verder wilde gaan en antwoordde met uitdagende sms'jes waarin ik niet alleen haar goed getrainde lichaam prees, als je begrijpt wat ik bedoel. De volgende keer dat we elkaar zagen probeerde ik Eva's theorieën in praktijk te brengen, maar ik kwam niet verder dan twintig seconden strelen over haar kleding op de bank voor de televisie voordat ze opstond en naar de keuken ging om kruidenthee te zetten.

We zagen elkaar steeds minder vaak maar bleven flirten via sms. Daar was de hartstocht nog steeds aanwezig. Het was heel raar dat we bijna alle obsceniteiten naar elkaar konden sms'en, om daarna samen op de bank te zitten en alleen elkaars hand vast te houden terwijl we naar Eva's favoriete televisieprogramma *Så ska det låta* keken.

Hoe meer tijd er verstreek tussen onze ontmoetingen, des te meer raakte ik ervan overtuigd dat onze relatie gedoemd was een natuurlijke dood te sterven. Op een avond werd er echter aangebeld. Eva stond voor de deur met een halve fles mousserende wijn en een rode roos, die ze aan me gaf met een glimlach die ondeugend was bedoeld, maar die voornamelijk angstig was. Ik denk dat we allebei beseften dat het onze laatste kans was.

Misschien ging het daarom helemaal mis. Na de wijn trokken we ons plichtmatig in de slaapkamer terug en probeerden een beetje ongeremd te zijn, maar de tijger in me liet me in de steek. Ik kreeg geen erectie en Eva deed geen serieuze poging om me op weg te helpen. We belandden dus zoals altijd voor de televisie, maar deze keer dronken we in elk geval koffie. Na de late nieuwsuitzending gaf ze me een kus op mijn wang en ging naar huis. Het was de laatste keer dat ik haar zag.

Ik weet nog steeds niet wat er is misgegaan tussen ons. Misschien was ik in het begin te heetgebakerd. Misschien was ze gebrandmerkt door een eerdere relatie of gebeurtenis en was ik te ongevoelig om dat te merken.

Had ik haar grote bossen rode rozen moeten geven? Zeggen dat ik van haar hield? (Wat een leugen was, maar daar had ik mee kunnen leven.) Iets anders naar haar lichte trainingsles dragen dan een verwassen T-shirt en een te korte sportbroek?

Of had ik Eva een poging moeten laten doen om me te veranderen? Misschien was ze van plan om me te laten trainen en afvallen tot ik een echte hunk was voordat ze ongeremde seks met me wilde. Ik viel echter geen gram af tijdens onze zogenaamde romance. Tussen de trage fitnesslessen door had ik maling aan haar trainings- en voedingsadviezen. En ergens in mijn achterhoofd zat Mia, ook al wilde ik dat niet toegeven.

Eén ding leerde ik in elk geval van mijn sms-seksrelatie met de optimismeconsulent, en dat was om nooit te veel waarde te hechten aan de ongeremde uitnodigingen van een vrouw en om nooit zelf over seks te praten of te schrijven voordat de kleren uit zijn.

Deze keer zou ik ook proberen lering te trekken uit mijn vroegere onvermogen om af te vallen. Niet omdat Preeti iets had gezegd over mijn welvaartskilo's, maar ik was van plan mijn kansen zo veel mogelijk te verhogen nu ik voor de eerste keer na Mia echt verliefd was. Ik wilde zo weinig mogelijk aan het toeval overlaten en werkte aan de details als een Gunde Svan van de romantiek.

Mijn trainingsroutine was helaas een beetje ontregeld door het Holi-feest. Aan de andere kant deed de beperkte inname van calorieën omdat ik uitsluitend vegetarische gerechten at wonderen voor mijn figuur. De coma, de verliefdheid, de warmte en het ontbreken van Ben & Jerry's was een goede afvalcombinatie, constateerde ik toen ik voor de spiegel stond en naar mijn lichaam keek.

Ik probeerde een eerlijke analyse te maken. Als ik nog zes of zeven kilo kon afvallen door middel van trainen en voedselbeperking zou ik bijna een normaal gewicht hebben. En dat was geen slechte prestatie voor een man die al minstens tien jaar te dik was.

Yogi's enthousiasme om te trainen was na ons eerste bezoek aan de fitnessclub van het Hyatt Hotel verdwenen. Mijn vriend begon in plaats daarvan elke ochtend met tien minuten stilzittende yoga, waarvan hij beweerde dat het de beste methode was om zowel lichaamsomvang als eetlust onder controle te houden, volgens het devies dat geestelijk voedsel iemand ook verzadigt.

Dat was nog niet aan de eettafel of aan zijn taillemaat te merken. Yogi's gezetheid was echter van de flatterende soort. Net als er mooie, mollige vrouwen bestaan, zijn er mannen die hun overgewicht weten te dragen. Yogi behoorde tot die groep.

Zelf hoorde ik tegenwoordig bij de verwarde groep verliefde mannen van middelbare leeftijd die niet kunnen slapen door alle gedachten en gevoelens waarmee ze worden gebombardeerd. Toen ik maandagavond laat in bed lag en me omdraaide tussen mijn klamme beddengoed kreeg ik een sms van Preeti GOOD NIGHT.

Twee kleine woorden die een enorme endorfinekick veroorzaakten. Toen de fluitterrorist langs mijn slaapkamerraam liep stapte ik uit bed en deed het raam open.

'*Good night!*' riep ik in de duisternis, waarop de honden begonnen te janken. Er verspreidde zich een heel brede glimlach over mijn gezicht.

32

De voorjaarswarmte had Delhi bereikt. Voor een onervaren noorderling leek het eerder pure woestijnhitte. De temperatuur klom midden op de dag tot boven de vijfendertig graden en vanaf Rajasthan waaide een kurkdroge wind die deed denken aan een hete haarföhn.

Alle aircoapparaten die maandenlang uitgestaan hadden, moesten plotseling onder hoogspanning werken, waardoor het elektriciteitsnet zo overbelast raakte dat de stroom voortdurend uitviel. Telkens als dat gebeurde sloeg de reservegenerator automatisch aan, waardoor het hele huis vibreerde en de dieselrook door de kieren in de ramen naar binnen sijpelde. Mijn badkamer, die achter de naar olie stinkende generator lag, rook als de machinekamer van een boot.

In de zitkamer, waar de altijd kouwelijke mrs Thakur haar dagen doorbracht, stonden zowel de airco als de ventilatoren aan het plafond altijd uit. Pas als de temperatuur tot veertig graden steeg had de oude vrouw wat koelte nodig, legde haar zoon uit. Ze droeg nog steeds haar pluizige vest, maar had de handgekaarde, wollen sokken ingeruild voor een paar sandalen, wat volgens Yogi het duidelijkste teken was dat het voorjaar was in Delhi.

Iets anders was de toenemende honger van de apen. Yogi had de gewoonte om een paar keer per maand naar de wijk bij de gebouwen van het parlement en de krijgsmacht in het centrum van Delhi te rijden om de krijsende resusapen die zich daar ophielden te voeren. Daar was het nu weer tijd voor en hij drong erop aan dat ik meeging.

Ik was eigenlijk van plan geweest om 's middags bij wijze van training te gaan zwemmen in het mooie zwembad van het Hyatt Hotel, maar liet me overhalen door Yogi toen hij zei dat het van het grootste belang was dat ik de apen respect betuigde voor mijn afspraakje met Preeti de volgende avond.

'Zwemmen kun je morgen doen. De apen hebben ons vandaag

nodig omdat het zo warm is dat niemand anders de energie heeft om ze te voeren. En jij hebt de apen nodig zodat de sterren aan het hemelgewelf het gunstigst boven je stralen. Want je weet inmiddels, mister Gora, dat de aapgod Hanuman de hoogst geëerde Rama heeft geholpen om zijn geliefde Sita te vinden die naar Sri Lanka was ontvoerd door de gevreesde demon Ravana,' dreunde Yogi de formule op die ik als zijn religieuze mantra beschouwde.

'Maar eerst moet je proberen het beste interview met Shah Rukh Khan te regelen. Het is inmiddels de hoogste tijd,' ging hij verder.

Yogi had het inleidende werk gedaan en het productiebedrijf van de Bollywoodster gelokaliseerd. Via de wispelturige internetverbinding van zijn woning had hij een mail gestuurd met een vriendelijk verzoek om een interview. Ik koesterde niet veel hoop op een positief antwoord, maar het voelde toch goed dat ik een eerste, enigszins serieus bedoelde poging had gedaan.

Omdat het zo warm was, verwisselde ik mijn lange broek voor een luchtige bermuda die ik uit Zweden had meegenomen. Toen Yogi me daarin zag begon hij te lachen.

'Wat is het probleem?' vroeg ik.

'Het is waarschijnlijk over het geheel genomen geen groot probleem, maar als er een probleem is, dan is het in elk geval niet mijn probleem,' zei hij terwijl hij vrolijk naar mijn korte broek wees.

'Wat is daar zo grappig aan?'

'Alles, zou je kunnen zeggen, maar vooral de lengte. Als je noodzakelijkerwijs dat soort broeken moet dragen horen er kniekousen bij, zodat je er een beetje koloniaal Engels uitziet. Nu is het geen vlees en geen vis.'

'Bedoel je dat de broek te lang is?'

'Eerder te kort. Weet je, mister Gora, hier in India dragen alleen kleine jongens en de mannen uit het zuiden met hun lange rokken die niet beter weten geen echte broeken met pijpen.'

'Dus je denkt dat ik niet beter weet?'

'Helemaal niet. Je bent tenslotte een gora, mister Gora, en als zodanig heb je geen verplichtingen om de Indiase kledingmode voor volwassen mannen te volgen. Maar als je me toch om advies vraagt, dan vind ik dat je een broek met pijpen moet kiezen. Dat is ook oneindig veel prettiger in deze warmte.'

'Maar dat kan toch niet kloppen?' protesteerde ik.

'Natuurlijk wel! Met behulp van de lange broek bescherm je je benen tegen de onbarmhartige hitte van de zon. Het allerbest is natuurlijk een koele kurta en pajama, maar dat is kleding waarin je een beetje oud lijkt. Als de moderne man die je bent kies je beslist iets wat jeugdiger is.'

Ik had geen energie meer om te protesteren en trok de lange broek weer aan. Daarna vertrokken we voor een verbazingwekkend koele rit in de Tata, die ondanks alle deuken was voorzien van een goed functionerende airco. Na een tijd arriveerden we op de grote volksmarkt in de wijk Sarojini Nagar.

'Het goede apenvoer ligt soms onder het slechte apenvoer,' zei Yogi. Hij pakte het fruit op de kraam en kneep erin met een kritische kennersblik. Alleen het beste was goed genoeg voor zijn vrienden.

Ik was erop voorbereid dat we een paar trossen bananen zouden kopen, maar het werd niet minder dan veertig kilo fruit, en Yogi zorgde er nauwgezet voor dat ik de helft betaalde. We zetten de tassen op de achterbank en reden verder.

Toen we aankwamen bij een van de apenkolonies achter het presidentiële paleis werd de Tata al snel bedolven onder een berg snaterende primaten. Een geüniformeerde bewaker met een bamboestok knikte herkennend naar Yogi, draaide zich om en liep weg.

'Eigenlijk is het verboden om ze te voeren,' zei Yogi.

'Waarom dat?'

'Omdat onze viceburgemeester in zaliger gedachtenis, die hier vlakbij woonde, een tijd geleden is gestorven toen hij bang was voor de apen en van zijn balkon is gevallen. Het was jammer voor hem maar nauwelijks de schuld van de apen. Die wilden hem niet in het minst kwaad doen maar alleen zien hoe chic hij woonde, daar ben ik voor honderdtachtig procent van overtuigd. Dus alle goede bewakers weten dat ze de andere kant op moeten kijken als ik kom. Alleen idioten zitten de goden dwars.'

Yogi opende het portier en zette twee tassen fruit op straat. Na minder dan een halve minuut waren er alleen bananenschillen over.

'Kijk eens hoe hongerig die stakkers zijn. En er zijn veel meer plekken in de buurt dus denk ik dat we ook nog een beetje brood voor ze moeten kopen.'

'Een beetje brood' bleek dertig gesneden broden te zijn, die we in een winkel in de buurt kochten. Daarna reden we een uur lang in de wijk rond en voerden de apen fruit en brood.

Op sommige plekken zaten de dieren in grote drommen op straat op ons te wachten, terwijl Yogi ze op andere plekken moest lokken met een roep die klonk alsof die uit de keel van een bronstige gorilla afkomstig was. Mijn reisgids had me gewaarschuwd dat de apen van Delhi agressief konden zijn, maar tegenover Yogi hadden ze die neiging niet. Ze leken te begrijpen dat ze eten zouden krijgen zonder dat ze het uit de handen van de mollige man met de grote vriendelijke ogen hoefden te rukken. En omdat ik bij hem was beschouwden ze mij blijkbaar ook als een vriend.

'Nu hebben we een van de beste prestaties van de dag geleverd,' zei Yogi toen het voer op was en de apen verzadigd en tevreden waren. 'Tegelijkertijd hebben we het grootste respect aan de goden betuigd, zodat het ons goed zal gaan in ons huidige leven en alle andere levens die daarna zullen volgen.'

Ik hield van Yogi's praktisch toegepaste geloof in de goden, waarin een offer aan Hanuman een eetfestijn voor uitgehongerde apen werd. Maar er was iets in zijn godsdienstigheid wat me soms stoorde, zoals dat er altijd een beloning volgde op een goede daad. En ook al was het jammer voor de apen, er waren tegelijkertijd massa's arme en dakloze mensen in Delhi. Zou het niet beter zijn om hun in plaats van de apen eten te geven?

Voordat ik de vraag had kunnen stellen, gaf Yogi me antwoord. We reden verder naar Old Delhi, waar hij bij een kraampje tweehonderd porties groentecurry en chapati kocht, die we daarna uitdeelden aan de hongerige mensen die zich voor een tempel hadden verzameld. Die bleek gebouwd te zijn ter ere van de aapgod Hanuman. Ik was sprakeloos van verbazing.

'Het hoort bij elkaar,' zei Yogi toen we weer in de auto zaten. 'Je kunt geen dieren van mensen en mensen van goden en goden van dieren scheiden. Alles hoort bij elkaar en draait rond in de grootste en rondste cirkel. En alleen door het beste voor elkaar te doen waartoe we in staat zijn kan ons karma groeien en zo sterk worden dat we kunnen reïncarneren in een latere vorm.'

'Ik denk dat ik niet echt in karma en reïncarnatie geloof,' zei ik.

'Dat komt nog wel.'

'Wanneer dan?'

'Tja, als het niet eerder gebeurt, dan in je volgende leven,' zei hij met een slim lachje. 'Maar laten we niet vooruitlopen op de gebeurtenissen, mister Gora. Ik weet dat er zelfs onder jullie gora's veel intelligente filosofen en dichters zijn die op de allerbeste manier verstandige dingen hebben geschreven en gezegd. Zoals "carpe diem" bijvoorbeeld.'

'Pluk de dag.'

'Absoluut! En denk eraan dat alleen iemand die een dag kan plukken en in het moment kan leven goed kan doen en in zijn karma kan groeien. De apen hebben vandaag honger, net als de mensen voor de tempel. Wat je vandaag doet krijg je morgen terug. Alleen als ...'

Yogi stopte midden in zijn mantra en haalde zijn schouders op.

'Ik klink als een schijnheilige swami,' zei hij, waarna hij met zijn geoefende handbeweging het handschoenenvak opende. 'Een beetje Blenders Pride kan geen kwaad om alles in balans te brengen.'

Ik schonk voor ons allebei een longdrink in, die we dronken terwijl Yogi met een hand op de claxon aansloot achter een stilstaande rij. Naast ons stonden drie herkauwende koeien en een stukje verder stak de rug van een olifant boven de autodaken uit.

'Carpe diem,' zei Yogi al smakkend terwijl de roodgele zon daalde boven de stad met zijn bewoners en dieren en claxonnerende voertuigen – en niet te vergeten verliefde mannen van middelbare leeftijd.

Yogi's woorden klonken na in mijn oren: 'Wat je vandaag doet krijg je morgen terug.'

Voor alle zekerheid draaide ik het raam naar beneden en gaf de koeien een paar koekjes om op te kauwen.

33

Woensdag 25 maart om kwart over zes in de avond verscheen er eindelijk een zwart-gele Hindustan Ambassador met gerafelde gordijnen voor het achterraam in de straat voor het huis in Sundar Nagar. Yogi had aangeboden om me naar Lodi Garden te rijden, maar omdat het een beetje voelde alsof ik door mijn vader naar een tienerafspraakje werd gebracht, had ik het afgeslagen en een taxi gebeld. Met het oog op het gevoelige karakter van de avond was het absoluut uitgesloten om gebruik te maken van de diensten van de roddelende chauffeur Harjinder Singh.

'Hoe zie ik eruit?' vroeg ik Yogi zenuwachtig terwijl ik een laatste keer in de spiegel in de hal keek.

Ik droeg een beige linnen broek en een donkerblauw overhemd met verticale strepen dat ik eerder die dag had gekocht in een trendy boetiek in Greater Kailash. Het meisje dat het aan me had verkocht, had gezegd dat het me slanker maakte. Ik kon niet beslissen of ik het als een compliment of een belediging moest opvatten.

'Je ziet er schitterend uit! Als de meest viriele van alle viriele mannen,' antwoordde Yogi terwijl hij nog een knoop opende zodat er een paar centimeter meer van mijn harige borst zichtbaar werd.

'Indiase vrouwen houden van echte mannen,' legde hij uit, waarna hij zijn duim opstak.

Ik nam met een klamme handdruk afscheid van mijn vriend en haastte me naar de taxi. Omdat die een kwartier te laat gearriveerd was, vroeg ik de chauffeur om gas te geven, een verzoek waaraan hij meteen gehoor gaf zonder aandacht te schenken aan de verkeersdrempels die waren bedoeld om de snelheid in Sundar Nagar laag te houden.

Wat de auto betrof was dat helemaal geen probleem. De in India geproduceerde Ambassador zag er nog net zo uit als toen hij in de jaren vijftig was geïntroduceerd, en was met zijn fantastische vering en royale chassishoogte perfect geschikt voor de hobbelige grindwegen van het land. Een paar kleine bulten in de weg vormde geen probleem.

Het was erger voor mij. Ik stuiterde op en neer als een rubberen bal op de zachte achterbank zodat mijn hoofd telkens weer tegen het dak stootte. Omdat dat was bekleed met zacht vilt kwam ik er zonder schedelblessure van af, maar van mijn nauwkeurig achterovergekamde kapsel was binnen de kortste keren niet veel meer over.

Toen we op de doorgaande weg kwamen, belandden we na een paar huizenblokken al in een file. Door de zenuwen in combinatie met de warmte parelde het zweet op mijn voorhoofd.

'*Put on the AC, please,*' zei ik.

'*No AC, sir,*' antwoordde de chauffeur kort. Dat is het laatste wat je wilt horen als je op weg naar een afspraakje in een gloeiend hete taxi in een file in Delhi staat.

Ik draaide de twee achterramen naar beneden om een beetje tocht te creëren, maar de lucht stond helemaal stil. Een door polio gehandicapte bedelaar duwde zijn mismaakte arm naar binnen zodat die als een stuk touw op mijn schoot lag. Het lukte me een biljet van tien roepie tevoorschijn te halen en dat aan hem te geven, waarna ik de twee ramen snel weer dichtdraaide.

Ik begon in paniek te raken. De zweetpareltjes groeiden tot druppels en begonnen langs mijn slapen te lopen. Mijn nieuwe overhemd voelde plotseling net zo krap en warm als een duikpak en mijn billen waren vochtig van het zweet door het contact met de plastic bekleding.

Tegelijkertijd viel het me in dat ik niet meer van Preeti wist dan dat ze getrouwd was met een heel rijke en machtige man en in een schoonheidssalon werkte. Ons sms-verkeer was weliswaar veelbelovend geweest, maar nogal bondig. We hadden in totaal niet meer dan een paar minuten met elkaar gepraat en mijn herinneringen aan het Holi-feest waren veel te fragmentarisch om voor iets anders dan een beschrijving van haar uiterlijk te kunnen dienen.

Terwijl ik in mijn onvrijwillige sauna zat begon ik er ook aan te twijfelen of de onenigheid tussen Preeti en haar man, die ik bijna als vanzelfsprekendheid had aangenomen, werkelijk bestond. Haar belangstelling voor mij kon net zo goed voortvloeien uit het net zo eenvoudige als leugenachtige feit dat ik haar idool zou interviewen.

Een fundamentele voorwaarde om uit te zoeken hoe het daarmee stond was natuurlijk haar ontmoeten. Het was nu vijf voor halfzeven. Met een falsetachtige wanhoop in mijn stem vroeg ik de chauffeur of er geen manier was om uit de file te komen.

Hij keek me met slaperige ogen aan en antwoordde dat er altijd een manier was om uit files te komen, maar dat het een kwestie was van wat de klant voor die service wilde betalen.

Ik zwaaide met een biljet van vijfhonderd roepie, wat blijkbaar voldoende voor hem was om onmiddellijk in actie te komen. Hij rende de straat op en begon te gebaren en te tieren tegen automobilisten en riksjabestuurders terwijl hij tegelijkertijd wat kleine bankbiljetten gaf aan twee mannen, die meteen de rol van verkeersregelaar op zich namen.

Een minuut later was er een kleine doorgang voor ons gecreëerd naar een zijstraat die door een lommerrijke villawijk liep. De chauffeur trapte het gaspedaal in, betaalde steekpenningen om door een gesloten hek te rijden, laveerde door een plaatselijke bazaar en reed een paar honderd meter aan de verkeerde kant van de straat met zijn hand op de claxon, waarna hij een dwarse bocht maakte en op het parkeerterrein voor Lodi Garden eindigde.

Het was zes minuten over halfzeven. Ik was dus bijna op tijd, maar absoluut niet in de staat waarin ik had willen verkeren. Zweetvlekken zo groot als lp's verspreidden zich van onder mijn oksels over mijn nieuwe, trendy overhemd, en mijn ademhaling was zo geforceerd alsof ik een marathon had gelopen.

Ik kamde mijn haar zodat het min of meer weer in model zat, stapte op trillende benen uit de taxi en keek angstig om me heen. Ik hoopte zelfs bijna dat ze niet kwam opdagen.

Nadat ik een paar minuten over het parkeerterrein heen en weer had gedrenteld, en zowel mijn hartslag als mijn transpiratie redelijk was afgenomen, begon ik langzaam het park in te lopen via een oude stenen brug. Ineens voelde ik een vinger in mijn rug en toen ik me omdraaide stond ze daar, net zo fris en mooi als ik me haar had voorgesteld, met een lichte, vlotte zomerjurk, een groene sjaal die haar schouders bedekte en het dikke haar in de stijlvolle knot in haar nek.

Ik glimlachte, en zij glimlachte zodat haar kuiltje zichtbaar werd, en daarna vroeg ik of ze de gewoonte had om mensen van achteren te besluipen.

'Het leek me leuk om je te verrassen,' zei ze, waarna ze met een paar snelle stappen over de stenen brug liep zodat ik een stuk achterbleef.

De zon ging onder en een verzachtend schemerlicht daalde over het park neer. Ik was dankbaar dat mijn donkerblauwe overhemd de zweetplekken onder mijn armen camoufleerde en dacht erover na wat ik moest zeggen. Preeti haalde een zak met pistachenoten uit haar tas, pelde een nootje en ging bij de voet van een eucalyptusboom op haar hurken zitten. Meteen kwam er een eekhoorntje aanstuiven, dat het nootje rechtstreeks uit haar hand pakte.

'Kijk eens wat lief hij knaagt!' riep ze als een vrolijk kind, waarna ze snel meer pistachenootjes pelde. Binnen een paar seconden was ze omringd door een stuk of tien eekhoorntjes, die de lekkernijen brutaal uit haar hand pakten.

'Dat was het fijnste wat ik kon bedenken toen ik klein was, om de eekhoorntjes in Lodi Garden te voeren. Mijn oma ging hier elke zondag met me naartoe. Eerst voerden we de eekhoorntjes en daarna aten we ijs.'

Ze klonk zenuwachtig en een beetje geforceerd. Ik beschouwde het als een goed teken.

'Wacht even,' zei ik en ik rende over de brug naar het parkeerterrein terug, waar ik een ijscokar had gezien. Ik kocht twee chocolade-ijshoorns van Mother Dairy en ging terug naar Preeti. Ze lachte verlegen toen ik er een aan haar gaf en ik bedacht dat het een heel mooie openingsscène was die uit een Amerikaanse romantische comedy met een happy end kon komen, met het verschil dat we niet in Central Park in New York maar in Lodi Garden in New Delhi waren.

'We zouden er een gewoonte van kunnen maken om hiernaartoe te gaan om de eekhoorns te voeren en ijs te eten.'

Het was misschien erg overmoedig, maar Preeti lachte weer en daardoor kriebelde het aangenaam in mijn armen en benen. We aten het ijs terwijl we langzaam door het park wandelden, langs een kanaal met witte ganzen die in de schemering op zwanen leken, en het oude, koepelvormige, islamitische grafmonument, waarvan het silhouet zich scherp aftekende tegen de zachtoranje hemel.

Lodi Garden was gevuld met bloemengeuren, vogelgekwetter en romantiek. In het donker onder de lommerrijke bomen en op de parkbanken die een eind van het wandelpad af stonden zaten in elkaar verstrengelde, verliefde jonge stelletjes.

'Ze verstoppen hun verboden liefde,' zei Preeti terwijl ze knikte naar een meisje dat op de schoot van een jongen was gekropen en haar armen om zijn hals had geslagen. 'Achter bijna elke heimelijke omhelzing of kus verbergt zich een liefdesdrama.'

'Wat bedoel je?'

'Hun ouders weten niet dat ze elkaar ontmoeten of accepteren hun relatie niet. Ze zijn misschien van verschillende kasten, of er is iets anders wat niet klopt.'

'Meen je dat?'

Preeti knikte ernstig.

'Als je jong en verliefd bent in India gaat de meeste tijd zitten in geheimzinnig doen en uitvluchten bedenken.'

Er klonk een duidelijke verontwaardiging in haar stem, waardoor ik het vermoeden had dat ze zelf ook ervaring op dat gebied had. Ik overwoog of ik het haar zou vragen, maar Preeti was al van onderwerp veranderd en vertelde over de schoonheidsbeurs in Bangalore, waar ze contact had gelegd met meerdere gerenommeerde stylistes en kappers uit Bombay en zelfs uit het buitenland, voor toekomstige gastoptredens in Delhi. Ik had het eerder niet begrepen, maar ze was niet alleen de bedrijfsleidster van de schoonheidssalon in het Hyatt Hotel maar ook de eigenares.

'Ik zou een ander de dagelijkse werkzaamheden kunnen laten doen, maar ik wil werken en een actief deel van de salon zijn. Anders verlies ik het contact met de werkelijkheid en mis ik alle trends en de band met mijn klanten. Er zijn veel te veel welgestelde vrouwen in Delhi die thuis duimendraaien, als dodelijk verveelde meubelstukken.'

'Hoe weet je dat?'

'Omdat meerdere van mijn zogenaamde vriendinnen tot die categorie behoren. Verbitterd, arrogant en tegenwoordig ook enorm dik. Ze hebben overal bedienden voor en piekeren er niet over om zelf auto te rijden. Voor mij is het precies andersom, ik pieker er niet over om afhankelijk te zijn van een chauffeur.'

Ik knikte omdat ik niet wist wat ik moest zeggen en ging met mijn hand door mijn haar, dat nog steeds een beetje vochtig was van het zweet.

'Maar we moeten niet alleen over mij praten. Wat heb je gedaan sinds we elkaar de laatste keer hebben gezien?' vroeg ze.

'Allereerst heb ik geslapen. Het feest heeft me uitgeput.'

In de sms'jes aan Preeti had ik mijn door de marihuana veroorzaakte coma niet genoemd, maar nu voelde het plotseling goed om het te vertellen.

'Ik heb langer dan een etmaal aan één stuk door geslapen.'

'Maak je een grapje?'

'Nee, het is de zuivere waarheid. Ik had er geen idee van hoe sterk die bhang was. Het zag er heel onschuldig uit.'

'Het groene gevaar, zo noemde je het toch?'

'Dat heb ik misschien gedaan, maar ik herinner het me eerlijk gezegd niet. Ik heb een heel groot gat in mijn geheugen. Ik hoop dat je het me vergeeft. Het was beslist ontzettend gênant.'

'Ik vond het heel grappig,' lachte Preeti. 'In elk geval tot je in slaap viel. Bovendien is het maar één keer per jaar Holi en dan mag je zo ongeremd en gek doen als je wilt. Hoe is het trouwens met je haar? Zit er nog verf in?'

Ze streek voorzichtig met haar vingertoppen over mijn natte slapen. Ondanks de warmte kreeg ik kippenvel op mijn armen.

'Het is moeilijk te zien in het donker, maar ik geloof dat er nog wat roze in zit. Als je wilt kan ik het verven.'

'Graag. Wanneer?'

'Morgenavond, als dat je uitkomt.'

'Uiteraard.'

'Mooi. Kom om kwart over acht naar de salon. Na sluitingstijd.'

Het loopt op rolletjes, kon ik nog net denken voordat Preeti haar mond weer opendeed.

'Wanneer is je afspraak met Shah Rukh Khan trouwens?'

Hoewel ik erop had gerekend dat ze die vraag vroeg of laat zou stellen, voelde ik me er toch ongemakkelijk door. Niet alleen omdat het me dwong om te liegen, maar ook omdat het voelde alsof de Bollywoodster met de blokjesbuik een wig tussen mij en Preeti dreef.

'Vrij snel. Zijn manager heeft beloofd om deze week een datum door te geven,' zei ik terwijl ik huiverde van onbehagen over mijn eigen woorden.

'Dus je blijft nog een tijdje in India?'

De verwachtingsvolle, bijna smekende toon smoorde mijn gevoelens van onbehagen helemaal.

'Ik ben op zoek naar een plek om te wonen. Ik ben van plan hier te blijven.'

'Ga je je in Delhi vestigen?'

'Ja, dat is mijn bedoeling.'

'Mag ik vragen waarom?'

'Dat mag je. Omdat ik het hier naar mijn zin heb. En omdat jij hier woont. Ik wil dicht bij je zijn.'

Göran Borg, zei ik diep vanbinnen tegen mezelf, je laat je dekking helemaal zakken, oude gek.

Het laatste licht van de zonnestralen werd door de duisternis opgeslokt. Preeti zweeg een paar seconden en keek naar de grond alsof ze in het donker iets zocht. Het was ineens stil. De vogels stopten met zingen en het drukke verkeer rond het park was alleen nog een zwak geruis in de verte. Daarna pakte Preeti mijn hand.

'Kom,' zei ze en ze trok me mee naar een lege parkbank.

34

Zo begon mijn verhouding met de mooie schoonheidssalon-
eigenaresse Preeti Malhotra, op een parkbank voor verboden hartstocht in het hart van New Delhi.

De avond daarna zagen we elkaar in de verlaten salon. Ik sloop na
sluitingstijd als een inbreker naar binnen en Preeti deed de deur
snel achter me op slot. Toen ik in de kappersstoel was gaan zitten,
verfde ze mijn slapen in een stilte die zo vervuld was van koortsachtige verwachting dat het bijna pijn deed. Het was alsof we allebei
bang waren dat de broze draad tussen ons zou breken als we iets
verkeerds zeiden.

Daarna bedreven we de liefde op de bank in haar kantoor, met
een enthousiasme dat puur technisch gezien nauwelijks stijlpunten
opleverde. Ik frunnikte op de klassieke tienermanier aan haar beha
en Preeti kreeg kramp in haar been, waardoor we moesten pauze-
ren om wat fysiotherapie te doen voordat we verder konden.

Dat maakte echter niet uit. Het was een van de beste seksuele ervaringen van mijn leven. Na afloop zaten we naast elkaar uit te blazen.
Als ik nog steeds had gerookt zou ik een sigaret opsteken en die zou
beslist heerlijk smaken. Het was gewoon een heel bijzonder moment.

'Dat was fantastisch,' zei ik. Het viel me op dat het helemaal niet
banaal klonk.

Preeti's scheve glimlach bracht het kuiltje in haar wang naar buiten. Haar ogen glansden en haar stem klonk een beetje breekbaar.
Dunne stroompjes zweet liepen over haar voorhoofd en werden
opgenomen door de dikke, geprononceerde wenkbrauwen.

'Dat vind ik ook. Maar we moeten voorzichtig zijn, zodat niemand ons betrapt.'

De belofte in haar stem, hoewel er tegelijkertijd angst in door-
klonk, vulde me met een brandend ongeduld.

'Wanneer zien we elkaar weer?'

Ze deed mijn haar bij elkaar in een klein kwastje in mijn nek en
glimlachte.

'Als je het een beetje laat groeien kun je een paardenstaart nemen. Ik denk dat het je goed zou staan.'

Zij ook, dacht ik. Zij ziet het ook.

'Ik heb ooit een paardenstaart gehad. Denk je niet dat ik een beetje te oud ben en te dun haar heb om er weer een te kweken?'

'Ik weet niet hoe oud je bent.'

'Tweeënvijftig.'

'Dan ben je nog jong, maar vijf jaar ouder dan ik.'

'Je maakt een grapje. Ik dacht dat je hoogstens vijfendertig was.'

'Je vleit me.'

'Ik meen elk woord dat ik zeg. Je bent een prachtige vrouw en ik vind het heerlijk om bij je te zijn.'

Ze keek verlegen naar beneden.

'Ik vind dat soort woorden een beetje moeilijk. Ik weet niet goed wat ze betekenen.'

'Dat kan ik je leren. Ik wil niets liever dan je leren wat ze betekenen.'

'Je bent er dus aan gewend om dat soort dingen tegen vrouwen te zeggen?'

'Zo bedoelde ik het niet.'

'Het is schattig als je bloost.'

'Dat geldt ook voor jou.'

'Nu klinken we als tieners,' zei ze en ze probeerde nonchalant en ongedwongen te glimlachen.

Ze wreef met haar handpalm over haar neus, wat ik opvatte als een zenuwtic. Dat was ook schattig, en het liefst van alles zou ik me willen verliezen in al haar kleine, subtiele gebaren en gezichtsuitdrukkingen. Iets weerhield me er echter van om me helemaal over te geven. Het duurde even voordat ik wist waardoor dat kwam. Of liever gezegd door wie.

Langzamerhand kroop er een formele toon in ons gesprek. Preeti noemde haar man niet rechtstreeks, maar het was alsof zijn geest toch boven ons zweefde. Ze vertelde dat ze een volwassen zoon had die Sudir heette. Hij studeerde economie in Edinburgh en ze ging af en toe bij hem op bezoek. Ik vertelde over mijn twee kinderen en dat ik jaren geleden was gescheiden. Preeti beet op haar onderlip.

'Wat is er?' vroeg ik terwijl ik met mijn handrug over haar wang streelde.

'Niets.'

'Ben je bang?'

'Nee, niet meer dan nodig is.'

'En wat betekent dat precies?'

'Dat we voorzichtig moeten zijn.'

'Dat vind ik geen probleem. Wanneer zien we elkaar weer?'

'Je nagels zijn nog steeds mooi,' zei ze en ze raakte mijn hand aan. 'En je bent afgevallen. Dat staat je goed.'

'Nu ben jij degene die mij vleit, maar je geeft geen antwoord op mijn vragen.'

Ze kwam overeind van de bank en trok de rest van haar kleding aan. Het bloed bonkte in mijn slapen. Het voelde alsof ik een aanval van migraine zou krijgen.

'Het is niet zo gemakkelijk, Goran,' zei ze. Het was de eerste keer dat ze mijn voornaam probeerde uit te spreken. Eén moment was ik bang dat het ook de laatste keer zou zijn, maar ze ging weer naast me zitten en legde haar hand op mijn blote knie.

'Ik wil je heel graag vaker zien, maar dat moet op mijn voorwaarden gebeuren,' zei ze.

'En wat zijn die?'

'Ten eerste moeten we elkaar op mijn initiatief ontmoeten. Ik neem contact met jou op, niet andersom.'

Ik zei niets maar knikte zwak.

'Dat is het beste,' ging ze verder. 'En stuur alsjeblieft geen sms'jes meer als het geen antwoorden op die van mij zijn. Je weet nooit wie ze misschien leest. En kom niet naar de salon als ik niet heb gezegd dat het kan. Mensen roddelen zo gemakkelijk.'

Wat een beperkingen en restricties ineens, dacht ik. We zijn een grens gepasseerd.

'En wanneer zien we elkaar dan weer?'

'Over een tijdje. Ik heb het de eerstkomende tijd nogal druk, maar ik neem contact met je op als ik tijd heb.'

'Ik weet niet zeker of ik het aankan om zo in onzekerheid te wachten. Ik wil weten wanneer we elkaar weer zien. Is dat over een paar dagen of over een week? Of duurt het nog langer?'

Ik was me er volkomen van bewust dat mijn hardnekkigheid indruiste tegen alle gangbare versiertrucs, maar ik voelde tegelijkertijd dat ik niets te verliezen had. Voor de eerste keer in een heel lange tijd was ik volkomen eerlijk tegen mezelf en tegen degene met wie ik praatte. Preeti zag dat blijkbaar aan mijn gezicht.

'Ik wilde dat ik je een antwoord kon geven, maar dat gaat niet. Het enige wat ik kan zeggen is dat ik je weer wil zien. Ik begrijp het als het niet genoeg voor je is en in dat geval ...'

Haar afgebroken zin bleef in de lucht hangen als een drukkende onweerswolk. Mijn hoofd explodeerde en ik zocht naar iets om te zeggen.

'Kan ik er zeker van zijn dat je van je laat horen?' vroeg ik uiteindelijk.

'Dat kun je. Geloof me.'

35

Een week later had ik nog niets van Preeti gehoord. Ik ging regelmatig naar de sportschool in het Hyatt Hotel om te trainen, maar bleef zoals we hadden afgesproken uit de buurt van de schoonheidssalon. Ze had beloofd om contact met me op te nemen en ik wist vrij zeker dat ze van plan was zich aan haar belofte te houden, maar de wetenschap dat ze zich misschien op de verdieping boven me bevond maakte me gek van verlangen en frustratie.

Een deel van die machteloosheid probeerde ik kwijt te raken op de loopband. De fitnessinstructeur had me toestemming gegeven om die weer te gebruiken na mijn bijna-doodervaring. Ik jogde in een heel rustig tempo en iets langer dan eerst om Operatie Vetverbranding, die zo veelbelovend was begonnen, nog meer te stimuleren.

Terwijl ik sportte keek ik naar de Indiase versie van MTV, waarin Shah Rukh Khan regelmatig verscheen in een uitgelaten massale dans à la Bollywood. Ik zei tegen mezelf dat het goed was om hem naar buiten te laten, nu hij zich had ontwikkeld tot een van mijn innerlijke demonen. Behalve saaie piet Kent en wasbord Shah Rukh Khan had Preeti's man inmiddels ook een plek in mijn groeiende demonengalerij gekregen, maar hij was zo extreem onaangenaam dat ik hem nog niet naar het volle licht had durven halen.

Na de training ontspande ik in de spa. Mijn favoriete bubbelbad werd helaas meestal in beslag genomen door een groep volumineuze Indiërs die half in het warme water lagen en naar een televisie keken die aan het plafond hing. Met hun buiken als boeien deinend op het rimpelende wateroppervlak volgden ze de beurskoersen onder aan het scherm tijdens de non-stopuitzendingen van de Indiase financiële zender, terwijl ze tegelijkertijd met hun mobieltjes belden om opdracht te geven aandelen te kopen of juist te verkopen. Intussen rende het onderdanige personeel heen en weer met nimbu pani, fruit, handdoeken en zakentijdschriften.

Het leek me een comfortabel maar ook nogal nat bestaan om halve dagen in een jacuzzi te liggen en van daaruit het vermogen te beheren.

Zelf zou ik een beetje financiële aanvulling niet afslaan. De luxe sportschool was niet goedkoop en daarnaast had ik een aantal dure gewoonten aangenomen, zoals een bezoek aan het restaurant van het vijfsterrenhotel (om vlees te eten zonder dat Yogi het zag), en een onverantwoord grote aanschaf van trendy overhemden in transpiratiecamouflerende kleuren. Ik bevond me nog lang niet in een acute crisis, maar als ik op dezelfde manier doorging zou mijn geld van Kommunikatörerna voor nog hoogstens vier tot vijf maanden toereikend zijn, vooral omdat ik binnenkort ook de huur voor een flat moest betalen.

Als werkloze voorlichter met een uiterst onzekere toekomst had ik niet veel zin om mijn spaargeld aan te spreken, dat bovendien nog ruim een halfjaar vaststond in een investering die de vroegere communist en huidige beursmakelaar Rogge Gudmundsson me had aangeraden. Mijn hoop lag deels bij mijn tweede vriend in Malmö, antidieetcolumnschrijver Richard Zetterström, die, nadat hij was hersteld van de schokkende mededeling dat ik van plan was om me in Delhi te vestigen, had beloofd dat hij zou proberen om mijn flat aan het Davidshallsplein onder te verhuren.

Ik had met Yogi afgesproken dat hij me om drie uur 's middags zou ophalen bij de hoofdingang van het hotel, maar om halfvier was hij er nog steeds niet en hij nam zijn mobiel niet op. Ik bestelde een cola light met ijs in de lobby en bladerde geërriteerd door de *Hindustan Times*. Het was bepaald niet de eerste keer dat Yogi bewees dat hij een belabberde discipline had om op tijd te komen. Als hij me belde en zei dat hij er binnen tien minuten zou zijn, kon het drie kwartier duren voordat hij eindelijk verscheen.

Ik had inmiddels geleerd dat tijd een rekbaar begrip was in India, en in een grote stad als Delhi was er altijd een verkeersopstopping om de schuld aan te geven als je te laat was, maar deze keer duurde het tot na vieren voordat hij arriveerde, en toen was ik flink chagrijnig.

'Je hebt me weer een uur gekost,' siste ik boos terwijl ik het portier met een knal dichtsloeg.

'Daar heb je geen gelijk in, mister Gora. Het is eerder zo dat ik je een uur heb geschonken,' zei Yogi terwijl hij met zijn grote, trouwhartige ogen naar me keek voordat hij naar de bewakers zwaaide en door het beveiligingshek reed.

'Wat zit je nou weer te kletsen?'

Yogi keek op zijn horloge, haalde diep adem en zuchtte hartgrondig.

'Ik zal het uitleggen, maar dan vraag ik je om met je beste oren en niet met je slechtste oren te luisteren. Oké?'

'Ik zal het proberen, als jij belooft dat je je bij het onderwerp houdt.'

'Goed. Als we zoals vandaag hebben afgesproken dat we elkaar om drie uur hier bij het hotel ontmoeten en ik kom pas om vier uur, dan betekent het dat je een uur vrije tijd tot je beschikking hebt. Dan kun je doen wat je te binnen schiet! Je kunt een interessant tijdschrift lezen of met een van de meest spannende mensen tussen alle internationale gasten praten. Of misschien een glas bier drinken of een kop Italiaanse koffie met melkschuim wat je zo lekker vindt. Het wordt een fantastisch uur dat je niet gehad zou hebben als ik op tijd was geweest, want dan had je al je aandacht op mij moeten richten. Je kunt dus zeggen dat je een uur gewonnen hebt.'

'Ik moet met enorm goede oren luisteren om dat te begrijpen,' mompelde ik.

'Dan is het maar goed dat je dat doet. Bovendien heb je ook in alle andere opzichten reden om je anders zo mooie gezicht niet te laten bederven door deze vreugdeloze gelaatsuitdrukking die je helemaal niet staat. Ik heb namelijk goed nieuws!'

Yogi vertelde dat hij een tweekamerflat voor me had geregeld via een kennis van de familie. Ik had meteen een slecht geweten omdat ik zo chagrijnig was geweest, maar ik was vooral blij. Het allerbeste nieuws was de huur, die negenduizend roepie per maand was, een bedrag van maar vijftienhonderd kronen. Na de enorme bedragen die ik van makelaars had gehoord – tot honderdvijftigduizend roepie per maand en een voorschot van een halfjaar voor een tweekamerwoning in Sundar Nagar – klonk het bijna te mooi om waar te zijn. Maar Yogi hield vol dat de woning uitstekend geschikt voor me was. Bovendien vond hij dat ik mijn zuurverdiende geld niet moest verspillen aan het vetmesten van de huiseigenaren in Delhi's meer gewilde stadswijken.

'We verdienen al meer dan voldoende.'

De zon brandde aan een wolkeloze hemel toen we twintig minuten later via een hek de woonwijk RK Puram binnenreden. Yogi was vooral tevreden over de naam. RK was een afkorting van de heilige swami Ramakrishna, die aan de basis had gestaan van de wereldomvattende religieuze missiebeweging met dezelfde naam. Maar de letters RK konden ook apart gelezen worden als de initialen van Rama en Krishna, die volgens Yogi samen met de aapkoning Hanuman de belangrijkste van de drie miljoen Indiase goden en hun incarnaties waren.

'Dat is een van de beste tekenen waarop we hebben gewacht!'

'Nu kan ik het niet meer volgen.'

'Maar, lieve mister Gora, zie je het patroon niet? Alles houdt verband met elkaar. Rama praat tegen je, hij is je innerlijke god!'

'En waar baseer je dat op?'

'Zijn naam duikt altijd in mijn hoofd op als ik met je praat over demonen en apen en alle andere dingen die zich in onze wereld van licht en duisternis bevinden. En nu heb je de beste woning in Rama's eigen wijk gevonden! En dan kan heel goed kloppen wat ik al vermoedde, namelijk dat de mooie Preeti een symbool is voor de mooie koningin Sita.'

'Die de vrouw was van de hooggeëerde Rama en die werd ontvoerd naar Sri Lanka door de gevreesde demon Ravana maar is bevrijd met behulp van de aapgod Hanuman,' stroomde het als water uit me.

'Precies! Je hebt je godenles geleerd.'

Ik vertrok mijn mond om de eindeloze hoeveelheid associaties van mijn vriend.

'Maar als ik Rama ben, dan ben jij Hanuman, toch?'

'Je mag niet godslasterlijk praten,' zei Yogi met een strenge stem. 'We zijn maar mensen! Maar de goden en hun incarnaties leven binnen in ons, en als Hanuman inderdaad een plek in mijn hart heeft gevonden, dan ben ik de gelukkigste van alle mannen op aarde.'

Ik koos ervoor om de religieuze discussie met de religieuze textielexporteur uit Delhi niet voort te zetten, maar me in plaats daarvan te concentreren op het opzuigen van de sfeer in RK Puram sector 7, zoals dit deel van de enorme woonwijk in Zuid-Delhi heette.

Het was er heel rustig en vredig, met veel groen tussen de schoe-
nendoosachtige gebouwen. Een oudere vrouw zat op een stoel in de
schaduw van een boom en borstelde haar lange, hennakleurige
haar terwijl een paar jongens zonder zich bovenmatig in te spannen
cricket speelden op het verdorde grasveld.

De bergen afval in een steeg tussen twee armoedige gebouwen
aan de uiterste rand van de wijk bedierven die indruk een beetje,
net als de kuilen die overal in de grond waren gegraven, maar over
het algemeen zag RK Puram sector 7 er heel aardig uit op deze
warme en slaperige middag.

Een eenzame groenteverkoper met een fietskar fietste langzaam
langs en riep zijn 'Saaaabzeeeeleeelee' zonder dat de honden in de
buurt in actie kwamen. Ze bleven onder de geparkeerde auto's liggen om te ontsnappen aan de enorme hitte.

Yogi parkeerde voor een gebouw van twee verdiepingen. De ge-
uniformeerde bewaker die klaarstond met de sleutel nam ons mee
de trap op en opende de deur naar de flat, die drukkend warm en
bedompt was. De airco werkte niet, maar toen we de ventilatoren
aan het plafond aan hadden gekregen, leek het in elk geval mogelijk
om hier te leven.

Het was bepaald geen luxe appartement. Mijn stereo en televisie
van Bang & Olufsen zouden hier niet tot hun recht komen. Maar de
flat, die bestond uit twee donkere kamers naast elkaar, een keuken-
hoek en een kleine badkamer met douche en toilet (dat weliswaar
bestond uit een gat in de vloer, maar het was in elk geval een fris
gat), had een zekere spartaanse charme die me aansprak. De verf op
de muren was gebarsten en op het plafond zat een oude vochtplek,
maar dat waren kleine gebreken die een schilder eenvoudig kon
verhelpen. Als de airco gerepareerd was, zou ik hier absoluut kunnen wonen, dacht ik. Wat ontbrak waren meubels, een koelkast,
een fornuis en misschien een televisie.

'Je mag een paar van onze tweedehands stoelen hebben, en we
hebben ook een prima bed en een zachte bank. Alles wat je verder
nodig hebt is op de beste elektronische markt in de wijk hiernaast
te vinden,' zei Yogi.

Wat me uiteindelijk van het potentieel van de flat overtuigde was
het kleine dakterras dat erbij hoorde. Het was niet groter dan zo'n
vijftig vierkante meter en werd voor de helft in beslag genomen
door twee watertanks en een roestig, oud reserveaggregaat, maar

de rest lag heerlijk in de schaduw van een grote bananenboom.

Er stonden twee oude rieten stoelen en een kleine plastic tafel en ik zag tot mijn blijdschap dat er ook plek was om een hangmat op te hangen.

'Ik neem hem,' zei ik tegen Yogi, die een heel tevreden gezicht trok.

'Dit wordt een heel nieuw leven voor je!'

'Nu al? Ik ben nog niet eens dood.'

'Nu ben je grappig op de allerbeste manier,' lachte Yogi.

Volgens Yogi hoefde ik geen contract te ondertekenen, en een maand huur als voorschot was voldoende omdat de eigenaar een vriend van de familie was. De bewaker gaapte en gaf me de sleutels. In al zijn prozaïsche eenvoud was het een plechtig gevoel. Nu was ik een echte dilliwala.

'Je kunt hier over een paar weken naartoe verhuizen.'

'Ik had op eerder gehoopt,' zei ik.

'Kampioen geduld hebben,' mompelde Yogi, maar hij pakte toch zijn telefoon en begon te bellen om de verhuizing te organiseren. Binnen een halfuur was alles geregeld. De volgende dag zou een schilder de muren komen verven, de dag erna zou een elektricien de elektrische installatie nakijken en de airco repareren, en nadat het dienstmeisje Lavanya de flat in het weekend had schoongemaakt en een transporteur de tweedehands meubels op maandag had overgebracht, zou ik hier over vijf dagen al kunnen wonen.

Op de terugweg naar Sundar Nagar werd ik nog blijer door een sms van Preeti met de vraag of ik haar donderdag over een week, om zeven uur 's avonds in Lodi Garden wilde ontmoeten.

JE KUNT BETER NAAR MIJN HUIS KOMEN. ZELFDE DAG EN TIJD, schreef ik met een borrelend gevoel van blijdschap, en ik voegde mijn nieuwe adres eraan toe.

Preeti antwoordde meteen met OKÉ en een smiley, en ik dacht dat mijn leven nu niet alleen vooruitging, maar dat alles precies ging zoals ik dat wilde. Na alle jaren die waren gekenmerkt door verbittering en mislukkingen was de wind definitief gedraaid.

Ik voelde me onsterfelijk. De wereld was van mij, met inbegrip van liefde en succes, tot in de eeuwigheid. Of in elk geval voorlopig.

Amen.

36

'Carpe diem!'
Ik wreef de slaap uit mijn ogen en ging halfwakker in bed zitten. De opgewonden stem was van Yogi, die zijn dikke hoofd om de deur had gestoken. Voordat ik iets kon zeggen had hij drie grote stappen mijn slaapkamer in gedaan.

'Nu, mister Gora! Nu heb je een van de allermooiste kansen van je leven gekregen!' riep hij enthousiast. 'Nu ga je de dag plukken! Nee, nog beter dan dat. Je gaat Shah Rukh Khan plukken en dat doe je vandaag. Carpe diem! *Challo!*'

In Yogi's enorme, wijdvertakte netwerk bleek zich een Canadese freelancejournaliste te bevinden die was gestationeerd in New Delhi en die wist dat ik de Bollywoodster wilde ontmoeten. Een paar dagen geleden had de journaliste een mailtje gestuurd, dat Yogi vanochtend pas had gelezen. Het bevatte opzienbarende informatie. Mister Sixpack zou vandaag, wat tegelijkertijd mijn grote verhuisdag was, een exclusieve persconferentie geven voor leden van de Foreign Correspondents' Club in New Delhi. De ster was toch in de hoofdstad voor een reclameopdracht en maakte van de gelegenheid gebruik om de buitenlandse correspondenten te vertellen over zijn deelname aan de volgende grote film van Oliver Stone over Akbar de Grote, heerser van het Mogolrijk. Khan had de hoofdrol gekregen, wat hopelijk zijn doorbraak in Hollywood zou betekenen, iets wat ontbrak aan zijn verder zo schitterende carrière.

'De persconferentie is om drie uur vanmiddag. Nu kun je eindelijk je exclusieve interview met de beste Bollywoodster krijgen!'

Ik zag meteen twee belangrijke problemen.

1. Op persconferenties worden in de regel geen exclusieve interviews gegeven.
2. Ik was geen lid van de Foreign Correspondents' Club.

Yogi pareerde mijn bezwaren met zijn gebruikelijke optimisme. Ik was tenslotte een geaccrediteerde Senior Correspondent met een mooie perskaart van de chiliorganisatie ICTO, en dat privémoment met Shah Rukh Khan zou zeker lukken als hij zag wat een voortreffelijke journalist ik was.

'En ik kan je helpen en mooie woorden in het Hindi met hem praten zodat hij in het vrolijkste humeur komt!'

Ik zwichtte voor Yogi's argumenten. Zijn positieve instelling en mijn geplande verhuizing leken een grootse combinatie. Als ik ooit de mogelijkheid zou hebben om een paar woorden met Shah Rukh Khan te wisselen, dan was dat vandaag. Carpe diem.

Om halfdrie parkeerden we de auto voor de Foreign Correspondents' Club, die was gevestigd in een gepatineerde villa in het groen tegenover het grote beursterrein Pragati Maidan. Voor de poort kronkelde een rij van minstens vijftig zomers geklede journalisten. De gelaatsuitdrukking van de lange, roodharige man die naast een kleine bewaker met een donkere huid stond en de perslegitimaties controleerde, voorspelde niet veel goeds.

'Dit gaat niet lukken,' zei ik tegen Yogi, die antwoordde door me een opbeurende duw in mijn rug te geven.

Ik ging in de rij staan en Yogi posteerde zich achter me. Toen het mijn beurt was overhandigde ik de gele perskaart terwijl ik probeerde er zo veel mogelijk als een Senior Correspondent uit te zien. De roodharige man bekeek de perskaart van alle kanten.

'Je bent geen lid, nietwaar?' zei hij met een onmiskenbaar Engels accent.

'Daar heb ik nog geen tijd voor gehad.'

'Duits?'

'Nee, Zweeds.'

'Welke krant?'

'Freelance.'

'Oké. Maar zorg ervoor dat je voor de volgende keer het lidmaatschap hebt aangevraagd,' zei hij en hij knikte dat ik door kon lopen.

Ik was zo verrast dat de perskaart werkte dat ik stap twee van ons plan vergat. Yogi duwde opnieuw in mijn rug, harder nu.

'O, ja, natuurlijk. Deze fotograaf hoort bij mij,' zei ik nonchalant terwijl ik met mijn duim naar Yogi wees, die mijn kleine camera omhooghield als een niet bepaald overtuigend bewijs dat hij bij die beroepsgroep hoorde.

De roodharige man keek naar hem met een afgemeten blik in zijn ogen.

'Heb je een perskaart?'

'Natuurlijk, sir! Maar helaas heb ik die op kantoor laten liggen.'

'Dan zul je hem moeten gaan halen.'

'Dat red ik niet, sir. Het kantoor ligt in Noida en het kost meer dan een uur om daarnaartoe te rijden.'

'Dat is mijn probleem niet.'

'Maar misschien kunnen we het oplossen, sir. Ik ken mister Bill Lancaster, de allerbeste journalist van Canada en mijn hoogst-geëerde vriend. Hij is een gerespecteerd lid van deze voorname club. Misschien is hij hier vandaag en kan hij getuigen dat ik foto-graaf ben. Kunt u hem halen?' stelde Yogi voor.

'Ik heb hem niet gezien en dat is ook niet belangrijk. Ik wil de perskaart van Bill niet zien, maar die van jou. En zelfs als je die hebt, ben je geen lid. Doe ons dus allemaal een plezier en ver-dwijn.'

'Maar, sir ...'

'Ben je doof? We laten alleen echte journalisten binnen. Dit is geen bijeenkomst voor de Indiase fans van Shah Rukh Khan,' siste de roodharige man. Hij keek minachtend naar Yogi voordat hij zich tot mij richtte.

'Ik zal je een kleine tip geven,' zei hij terwijl hij zijn stem liet da-len. 'Bij de FCC worden we doodmoe van alle Indiase journalisten-wannabe's die proberen binnen te komen. Stel mijn geduld niet nog een keer op de proef als je wilt dat we je lidmaatschapsverzoek welwillend behandelen.'

Ik kon er niets over zeggen dat Yogi de toegang werd geweigerd. Zijn leugentje om bestwil had deze keer niet bepaald een geraffi-neerde hoogte bereikt. Maar de neerbuigende houding van de roodharige man met de onmiskenbare stank van koloniale verach-ting maakte me boos. Yogi keek me aan en knipoogde vergoelij-kend. Ik dacht aan Preeti, slikte mijn woede in en volgde de jour-nalisten door de voortuin naar het clubhuis.

De traag vloeiende stroom persmensen leidde me via een gang naar een rumoerige zaal, die de bar van de club bleek te zijn. De dorst van persmuskieten is universeel, dacht ik en ik bestelde een koude Kingfisher. Al snel raakte ik in gesprek met een Spaanse journaliste, die vertelde dat ze in India was om toezicht te houden op de aanstaande parlementsverkiezingen, maar had besloten om een kleine pauze in te lassen om een artikel over het fascinerende fenomeen Shah Rukh Khan te schrijven. Daarna kwam ik in gesprek met een Franse fotograaf met de naam Jean Bertrand, die te oordelen naar zijn gerimpelde gezicht eerder zestig dan vijftig was. Hij zag eruit als een overwinterende hippie uit Goa met het lange, grijze, piekerige haar in een paardenstaart en een sjekkie die op een joint leek achter zijn oor gestoken. De Fransman kwam net uit Pakistan voor zijn zoveelste op zelfmoord lijkende opdracht en beweerde dat hij absoluut niet geïnteresseerd was in Shah Rukh Khan.

'Maar ik heb er behoefte aan om mensen te spreken en een paar biertjes te drinken voordat ik weer naar die rotzooi vertrek. Volgende week ga ik mee met een groep taliban in Afghanistan,' zei hij terwijl hij het restant van zijn Kingfisher in één teug naar binnen klokte.

De roodharige man verscheen in de deuropening en bekeek de bijeenkomst met een gewichtige gezichtsuitdrukking. 'Wie is dat?' vroeg ik aan de Fransman.

'Jay Williams, alias de arrogante Gans van Londen. Journalist bij de *Financial Times* en president van deze club. Ik begrijp niet wat hij in India doet, omdat hij alle Indiërs die niet heel rijk of heel beroemd zijn lijkt te haten. Maar de Gans verdwijnt gegarandeerd tijdens de volgende ledenraadverkiezingen. En hij zou net zo gegarandeerd zijn darmen uit zijn lijf schijten na een halfuur in het Swatdal.'

De Gans trok onze aandacht met een langgerekt en hautain *'Laaadies and geeeentlemen, pleeeease!'*

Toen het rumoer was verminderd tot een zwak geroezemoes ging hij verder: 'Mister Khan arriveert over ongeveer vijftien minuten, dus ik moet jullie vragen om nu naar de achtertuin te gaan, waar de persconferentie zal plaatsvinden. Degenen die hun plaatsen niet binnen tien minuten hebben ingenomen, wordt de toegang ontzegd. De bar is vanaf nu een uur lang dicht.'

'Verdomde fascist,' siste Jean Bertrand, waarna het hem lukte om nog een laatste biertje te krijgen voordat de barman zijn werkzaamheden staakte.

37

Vijf minuten later zaten alle journalisten in rijen op stoelen in de tuin onder een groot tentdoek. Ventilatoren die waternevel sproeiden verspreidden een behaaglijke koelte en dat was maar goed ook, omdat het nog een halfuur duurde voordat Shah Rukh Khan eindelijk het podium betrad onder een spervuur van flitslichten.

Hij was iets kleiner dan ik had verwacht, maar heel charismatisch. Nadat hij een inleiding van een paar minuten had gehouden over zijn rol in de nieuwe Oliver Stonefilm bedankte Gans hem in een vleierige toespraak vol eerbetoon, waarna hij met een strenge blik naar ons benadrukte dat mister Khan alleen antwoord gaf op vragen die gerelateerd waren aan zijn werk als acteur.

'Zo streng hoeven we toch niet te zijn,' zei Sixpack, waarop de mond van Gans openviel van verbazing.

Het hielp echter niet veel, omdat Khans tijdschema zo krap was dat hij maar een stuk of dertig vragen kon beantwoorden. Geen daarvan was afkomstig van mij, hoewel ik de hele tijd met mijn balpen in de lucht zwaaide.

Na de persconferentie kreeg de BBC een interview van tien minuten met Khan in een aparte kamer, waarna hij op weg naar buiten en omringd door zijn vier potige lijfwachten nog een paar verspreide vragen beantwoordde.

Ik zag mijn kans uit mijn handen glippen en gebruikte mijn ellebogen om me een weg naar voren te banen, tot ik naast de wachtende Mercedes met geblindeerde ramen stond.

'Mister Khan! Mister Khan!' riep ik zo hard dat hij zich uiteindelijk omdraaide en in mijn ogen keek.

'Ik ben een Zweedse journalist.'

'Zo hebben we allemaal onze problemen,' antwoordde Sixpack met een tandpastaglimlach.

'Alstublieft, alleen een handtekening,' smeekte ik terwijl ik mijn hand met een foto van de filmster, die al bijna in de auto zat, naar hem uitstak.

'Het is voor mijn vrouw!' riep ik in een laatste, wanhopige smeekbede.

De lucht echode van het gelach en een blos verspreidde zich snel over mijn wangen. Een lijfwacht pakte mijn arm om me weg te duwen, maar Shah Rukh Khan hield hem tegen.

'Dat moet een heel speciale vrouw zijn,' glimlachte hij. 'Hoe heet ze?'

'Preeti.'

Hij krabbelde een paar woorden en zijn handtekening op de foto en gaf hem aan me terug. Vanuit mijn ooghoeken zag ik dat Yogi met mijn kleine camera foto's maakte alsof zijn leven ervan afhing. Shah Rukh Khan zwaaide nog een keer naar de vertegenwoordigers van de wereldpers in New Delhi en ging op de achterbank van de Mercedes zitten, die vlak daarna verdween. Ik bleef met mijn trofee in mijn handen staan en kon niet beslissen of ik voornamelijk blij of voornamelijk gegeneerd was. Gans keek met afkeer naar me, maar de Spaanse journaliste kwam naar me toe en gaf een vriendelijk tikje op mijn arm. Ze zei dat ze onder de indruk was van de show en begon kleine, aarzelende vragen te stellen over wie de vrouw was die de handtekening zou krijgen.

'Niemand in het bijzonder,' antwoordde ik afwerend en pas toen ze een fotograaf naar zich toe riep besefte ik dat ik het risico liep om in *El Mundo* te belanden.

Het lukte me om te ontsnappen en ik liep naar Yogi, die meteen zijn arm om mijn schouders sloeg en me triomfantelijk naar de Tata loodste alsof ik een ster was en hij mijn lijfwacht.

'Dat, mister Gora, heb je op de allerbeste manier gedaan! Ik wist het vanaf het begin! Ik wist dat jij de bekwaamste Shah Rukh Khaninterviewer bent die de wereld ooit heeft aanschouwd!'

Hij toonde me trots de foto's die hij had genomen op de display van de camera. Ze waren verbazingwekkend goed gelukt en helemaal gericht op mij en de Bollywoodster. Vooral één foto was indrukwekkend: daarop leek het alsof ik een interessante vraag aan Shah Rukh Khan stelde, die op zijn beurt met een gefronst voorhoofd lachte, waardoor hij er tegelijkertijd geamuseerd en een beetje nadenkend uitzag.

Ik had de kriebels in mijn benen toen ik samenvatte wat ik had

overgehouden aan het bezoek aan de Foreign Correspondents'
Club op deze in alle opzichten hete woensdag in april:

1. Drie exclusieve SRK-citaten:
   a. 'Zo hebben we allemaal onze problemen.'
   b. 'Dat moet een heel speciale vrouw zijn.'
   c. 'Hoe heet ze?'
2. Uitstekende foto's, die niet eens gefotoshopt hoeven te
   worden.
3. Een gesigneerde foto met een persoonlijke groet: *Aan
   Preeti met liefde – Shah Rukh Khan.*
4. Een diepe overtuiging dat de Bollywoodster niet langer bij mijn innerlijke demonen hoorde. Integendeel,
   hij was een vriend. De persoonlijke groet aan Preeti
   had hij tenslotte voor mij geschreven.

Het was, alles bij elkaar genomen, heel veel. Punt 4 gaf me zielen-
rust, punt 3 gaf me het optimale cadeau voor Preeti en was tegelijkertijd de optimale cover-up van mijn eerdere leugens. En de punten 1 en 2 zouden beslist voldoende zijn voor een artikel over een
exclusieve ontmoeting met Shah Rukh Khan. De *Kvällsposten* had
ooit een aanplakbiljet en vier hele pagina's gemaakt over het Greta
Garbocitaat 'Laat me met rust' plus twee korrelige foto's geschoten
met een telelens van de terugdeinzende prima donna en de journalist van de krant toen ze elkaar op een wandelpad passeerden. Dan
zou het een dikke onvoldoende voor mij zijn als het mij niet zou
lukken om iets redelijks in elkaar te flansen van drie citaten en
minstens een handvol messcherpe foto's.

Het was een echte geluksdag. Over een paar uur zou ik naar mijn
flat vertrekken en morgen was de housewarming, waarvoor alleen
de mooie schoonheidssaloneigenares Preeti was uitgenodigd.

38

Apartement number 520, second floor, RK Puram, Sector 7. 201 112 New Delhi. India.

Vind de vijf fouten! Dat is niet zo moeilijk:

1. De airco werkt niet hoewel hij 'gerepareerd' is.
2. Ik hoor elk geluid van de buren (wat betekent dat de buren ook elk geluid van mij horen).
3. Het stinkt naar de nog natte verf die de schilder heeft gebruikt.
4. Het water stopt terwijl ik een douche met veel schuim neem.
5. Vlakbij ligt een sloppenwijk en het trottoir waarop ik uitkijk wordt door de kinderen als toilet gebruikt.

Ik kan geen topcomfort eisen voor negenduizend roepie per maand, maar het gevoel dat ik een kat in de zak had gekocht was toch heel sterk toen de zonnestralen mijn slaapkamer in stroomden na mijn eerste nacht in de flat. De grote sloppenwijk, die ik de vorige avond tijdens een eerste voorzichtige, oriënterende wandeling door de omgeving had ontdekt, had me zowel met verbazing als met afschuw vervuld. Ik had hem niet gezien toen ik de flat had bezichtigd omdat er een dichte, hoge haag tussen de buurt en de sloppenwijk ligt en Yogi en ik de wijk vanaf de andere kant waren binnengereden.

In de drukkende hitte overdag bleven de meeste bewoners in de schaduwrijke stegen van de krottenwijk, maar als de zon onderging en het iets koeler werd stroomde iedereen naar de grote straat, die als een natuurlijke grens met de rest van de stad fungeerde. Kleine, eenvoudige kraampjes met gasbranders werden opgebouwd, karren met limonade en snacks werden naar de straat geduwd, muziek stroomde uit enorme, trechtervormige geluidsboxen die er ineens gewoon waren, en kinderen op blote voeten gingen in lange rijen zitten om hun behoefte te doen op het trottoir waarop ik uitkeek van achter mijn raam.

Er lagen een verdord grasveld en een hek tussen mijn huis en het algemene openluchttoilet en het schemerlicht verborg de intiemste details, maar de aanblik van de poepende kinderen was toch erg storend.

Het goede nieuws was dat die activiteit in een relatief kort tijdsbestek leek plaats te vinden, alsof de darmen van de kinderen gesynchroniseerd waren. Om halfzeven 's avonds waren ze begonnen en een halfuur later leken de meesten klaar te zijn. Vanochtend waren er geen overblijfselen van hun collectieve activiteit te vinden. Iemand had alle sporen verwijderd en had wit desinfecterend poeder over het trottoir gestrooid. Ik was hem, wie het ook was, heel dankbaar.

Verder voelde ik me voornamelijk alsof ik de nacht in een blik thinner had doorgebracht. De bijtende dampen van verf en oplosmiddel hingen nog in de flat, hoewel ik had geslapen met het raam open en de ventilatoren op de hoogste snelheid. Mijn keel was dik, mijn longen piepten als ik ademhaalde en mijn ogen brandden alsof ik er met chili in had gewreven.

Ik had gelukkig weer water, dus kon ik een verkoelende douche nemen, waardoor ik me iets beter voelde. Ik sloeg een badhanddoek om mijn middel en dacht erover na hoe ik de acute woningcrisis moest aanpakken. Yogi was plotseling weer naar Madras gevlogen om nog een partij spreien te kopen, die volgens hem prachtig waren en waar een oneindige hoeveelheid van leek te zijn, dus van een tijdelijke terugkeer naar Sundar Nagar kon geen sprake zijn. Ik was met andere woorden overgeleverd aan mezelf en dat voelde niet helemaal veilig.

De stank van de verf zou misschien verdwijnen als ik de rest van de dag de ventilatoren aan en de ramen open liet, maar het uitzicht in de schemering op de poepende kinderen kon ik niet wegtoveren, de airco was morsdood en vanavond zou Preeti op bezoek komen in mijn flat met flinterdunne muren.

Ik hoorde hoe de man in de flat naast me een halve kilo ochtendslijm ophoestte en hoe zijn vrouw meeneuriede met een Indiase schlager (Shah Rukh Khans *Om Shanti Om!*) en daarna hoe hun kinderen thee dronken (ik dacht dat ik aan het verschil in de intensiteit van hun geslurp kon horen wie de jongen en wie het meisje was). Ik was met andere woorden niet terechtgekomen in een liefdesnestje dat optimaal geschikt was voor wild en ongeremd genot.

Ik trok een dunne katoenen broek en dito overhemd aan en ging naar buiten om mijn hersenen zuurstof te geven en tegelijkertijd de sloppenwijk van dichtbij te bekijken. Ik wilde meten hoe dicht die bij mijn flat lag, maar ik was ook nieuwsgierig. Als ik hier zou blijven was het niet verkeerd om te kijken wat voor buren ik had.

Ik liep door het bewaakte hek en sloeg de hoek om. Toen ik ter hoogte van mijn flat was, maar dan aan de andere kant van het hek, begon ik voetstappen te tellen. Het waren er negentig voordat de sloppenwijk begon.

Smalle rookkolommen stegen op boven plaatijzeren daken, dekkleden en gehavende bakstenen muren. Koppig hondengeblaf vermengd met het geroezemoes van stemmen drong door tot de plek waar ik stond, en ik aarzelde of ik de wijk in zou gaan of zou blijven staan. Het klonk alsof de buurt langzaam maar zeker tot leven kwam.

Uiteindelijk nam ik een besluit en liep ik aarzelend een smalle, donkere passage in. Na een meter of tien vertakte de sloppenwijk zich tot een netwerk van stegen en gangen die in alle richtingen liepen. Kleurige waslijnen hingen als decoratieve guirlandes boven de smalle straatjes en in telefoonpalen hingen enorme vogelnesten van elektriciteitsdraden, die daarvandaan kriskras door de armzalige bebouwing liepen. Voor blauwgeschilderde hutten met donkere ruimtes zaten mensen op touwbedden thee te drinken of te ontbijten terwijl kippen de kruimels en rijstkorrels die op de grond waren gevallen oppikten. In andere stegen was het dagelijkse werk al op gang gekomen, en zoals zo vaak werkten de vrouwen het hardst. Jonge meisjes naaiden energiek op hun handmatig aangedreven naaimachines, een gerimpelde oude vrouw bij een stookplaats frituurde een stapel *pakora's* in een grote pan met sissende olie en bij de waterpomp kronkelde een lange rij vrouwen die emmers en kuipen op hun hoofd in evenwicht hielden. In alle steegjes begroetten kinderen in schooluniform, die op weg waren naar school, me met een glimlach en eenvoudige Engelse zinnen. Toen ik gewend was aan het gedrang en lawaai werd ik getroffen door de aanstekelijke blijdschap die de bewoners uitstraalden, en hoe schoon en netjes gekleed de meesten waren. De bewoners van de sloppenwijk bezaten een trots die uitsteeg boven de tekortkomingen van de wijk.

Nadat ik een tijdje had rondgewandeld in wat in eerste instantie een toevallige verzameling krotten leek, besefte ik dat er een duidelijke structuur was in de bebouwing van het terrein. In het centrum en langs de weg lagen de betere woningen, met bakstenen muren, eigen latrines en soms kleine dieselgeneratoren die voor de stroomvoorziening zorgden, net als in alle andere wijken in Delhi. Ik zag zelfs televisieantennes en schotels op meerdere daken. Daartussen en op het achterste deel van het terrein leunden gammele, plaatijzeren hutten tegen krotten die bestonden uit ongelijke houten platen. De slechtste woonruimtes, van karton en zeildoek, stonden langs een stinkende waterloop die als vuilstortplaats fungeerde. Weldoorvoede varkens wroetten in het modderige afval en een paar jongens met grote zakken op hun rug zochten plastic flessen en andere spullen die hergebruikt konden worden. Het was duidelijk dat er ook in de sloppenwijk een hiërarchie heerste.

Een jonge, tengere vrouw bleef voor me staan. Met één hand hield ze haar sjaal voor haar gezicht zodat alleen haar ogen zichtbaar waren.

'Hebt u tien roepie voor chapati, sir?' vroeg ze terwijl ze haar andere hand naar me uitstak.

Er lag een zweem van schaamte in de zachte, nasale stem en iets verontschuldigends in haar ogen, waardoor ik in verwarring werd gebracht.

Ik zocht in mijn zakken, maar ze waren leeg.

'Het spijt me, maar ik heb geen geld bij me.'

'Waar komt u vandaan?' vroeg ze.

'Uit Zweden.'

'Dat ligt toch in Noord-Europa?'

'Dat klopt. Je bent goed in geografie en praat uitstekend Engels.'

'Woont u in India, sir?'

'Ja, hier vlakbij,' zei ik en ik wees naar RK Puram.

'Hebt u een hulp in de huishouding nodig?'

'Ik weet het niet,' antwoordde ik aarzelend.

'Ik kan schoonmaken en eten koken, sir. Heel goedkoop! Ik ben een heel goede hulp in de huishouding!'

Bij het vooruitzicht van een baan werd de jonge vrouw zo enthousiast dat ze de sjaal een stukje liet zakken, waardoor ik een glimp van haar mond en neus zag. Ze waren aan elkaar gegroeid tot een ernstige hazenlip. Ik deinsde instinctief een stukje achteruit en dat was voldoende voor het meisje om de sjaal beschaamd weer voor haar misvormde gezicht te houden. Er viel een pijnlijke stilte, die ik uiteindelijk verbrak door te vragen hoe ze heette.

'Shania, sir. Hebt u een werkster nodig?'

'Ik geloof het niet.'

'Maar u hoeft niet meteen te beslissen, sir! Ik kan met u mee naar huis gaan en laten zien hoe goed ik kan werken zonder dat het u iets kost,' zei de jonge vrouw terwijl ze onrustig om zich heen keek.

'Een andere keer misschien,' zei ik met een geforceerde glimlach, waarna ik langzaam weg begon te lopen.

'Ik kan u helpen, sir!' riep ze me na. 'Ik ben een heel goede huishoudster! Alstublieft!'

Ik keek nog een keer over mijn schouder en dacht dat ik een hand zag die het meisje in een steeg trok. Eén moment overwoog ik om terug te gaan, maar ik besloot om het niet te doen en liep de sloppenwijk uit met een zeurend gevoel van onbehagen in mijn maag.

Toen ik in mijn flat op bed ging liggen en mijn ogen dichtdeed verschenen de beelden onmiddellijk. Het grote, vlezige gat onder de gespleten neus en lip dat de scheve tanden blootlegde, staarde indringend naar me. De wanhoop in de nasale stem klonk koppig in mijn oren.

Ze had een zenuw in me geraakt waarvan ik het bestaan niet kende, wat een gevoel veroorzaakte dat veel sterker was dan het snel voorbijgaande medelijden dat ik in India had gevoeld voor mensen in nood die toevallig mijn pad hadden gekruist. Het meisje met het mismaakte gezicht en de ernstige, mooie ogen liet me niet met rust.

39

Het lukte me om voldoende energie en concentratie te verzamelen om de meest acute tekortkomingen in de flat aan te pakken. Op de elektronische markt die aan de andere kant van de sloppenwijk lag vond ik een kleine koelkast. Ik kocht ook een cd-speler op batterijen en twee Indiase cd's met Shah Rukh Khan bij wijze van geluidscamouflage voor de buurflat. Nadat ik in diverse winkels had geïnformeerd, vond ik uiteindelijk een elektricien die met me mee naar huis ging en de airco repareerde. Hij schroefde bovendien een lange, houten lat boven het raam met het onsmakelijke uitzicht, waaraan ik een doek bevestigde die als provisorisch gordijn dienstdeed. Met behulp van voortdurend luchten en wierook lukte het me de verflucht tot een minimum te beperken.

Omdat de stroom kwam en ging vulde ik de koelkast alleen met bier, mineraalwater en fruit. Een kleed op tafel, een vaas met een rode roos en een brandende kaars gaven de flat een zweem van romantiek. Oppervlakkig gezien zag het er prima uit toen er precies om zeven uur op de deur werd geklopt.

Ze is op tijd, dacht ik en ik haalde diep adem voordat ik de deur opendeed. In plaats van Preeti stonden er drie lange vrouwen in het trappenhuis en voordat ik het besefte waren ze mijn flat binnengedrongen en deden ze de deur achter zich dicht.

Een van de vrouwen had biljetten van honderd roepie tussen haar vingers gestoken en zwaaide ermee voor mijn gezicht alsof het een waaier was, terwijl ze tegelijkertijd iets in het Hindi riep. Haar kromme neus en scherpe blik deden me denken aan een roofvogel. De stem was niet alleen agressief, maar ook heel laag, en ik verdacht haar ervan dat ze eigenlijk een man was. Dat gold bij nader inzien ook voor de andere twee, die grove gelaatstrekken en sporen van baardgroei op hun zwaar geschminkte gezichten hadden.

Toen de indringers al zingend in een cirkel om me heen begonnen te dansen terwijl ze hard en dreigend in hun handen klapten werd ik echt bang.

'Wat willen jullie?' piepte ik geschrokken terwijl ik een snelle blik uit het raam wierp. Ik constateerde geschrokken dat de bewaker was verdwenen en dat er nog twee mannelijke, in sari geklede gestalten door het hek naar binnen gingen. Een minuut later stonden zij ook om me heen. Daar stond ik in mijn nieuwe spartaanse huis, in gijzeling gehouden door vijf op het oog krankzinnige Indiase travestieten terwijl ik er geen flauw idee van had wat ze wilden (hoewel ik daar ook nauwelijks over na durfde te denken).

Zodra ik een poging deed om uit de wild dansende kring te breken, kreeg ik een duw en werd de hand met de uitgespreide bankbiljetten weer in mijn gezicht geduwd.

Het gaat waarschijnlijk om geld, dacht ik, waarna ik een armzalig 'Money?' stamelde.

Yogi had me geleerd dat India het land van de heilige goden was, maar ik had uit eigen ervaring geleerd dat India net zo goed het land van de heilige roepies was. De travestieten stopten meteen met hun op een ritueel lijkende dans en de roofvogel herhaalde 'money', gevolgd door een lange zin die ik niet verstond. Met trillende handen haalde ik mijn portemonnee uit mijn zak en haalde er een biljet van honderd roepie uit. Zodra ik het had overhandigd, begonnen de ongenode gasten weer te krijsen en dreigend in hun handen te klappen. In de stroom vinnige woorden verstond ik er een dat telkens terugkwam: 'baksjisj'. Fooi, smeergeld, provisie, beloning. Een geliefd kind met veel namen. Midden in mijn angst ontvlamde een vonkje woede.

'Smeer 'm, anders bel ik de politie!' zei ik zo dreigend mogelijk terwijl ik mijn mobiel omhooghield.

Dat had ik niet moeten doen. De langste travestiet rukte de mobiel uit mijn hand en begon hatelijk te lachen, waarna ze haar roze, met pailletten versierde sari optilde zodat er een paar harige benen zichtbaar werden. Ik beschouwde het als een waarschuwing dat ze nog meer zou laten zien als ik niet met geld over de brug kwam. Ik pakte nog drie biljetten van honderd roepie en constateerde dat het mijn laatste geld was. Iets vertelde me dat het te weinig was, en ik wist ook zeker dat de travestieten geen pasjes accepteerden.

Een vertrouwde, boze stem klonk plotseling in de kamer. Ik schrok, maar dat deed de roze sari ook. Het werd doodstil en we keken allemaal naar de deur, waar Preeti met een boze blik in haar ogen naar ons staarde.

De travestieten gooiden er een paar zinnen uit die bits klonken, maar kregen meteen antwoord. Preeti's woede ging na een tijdje over in een indrukwekkende terechtwijzing. De agressiviteit van de ongenode gasten verminderde. Roze sari snoof geïrriteerd en gaf mijn mobiel aan Preeti, die op haar beurt een biljet van vijfhonderd roepie aan de roofvogel gaf voordat ze de hele groep wegstuurde.

Toen de laatste indringer de flat had verlaten, deed Preeti de deur dicht en keek naar me met een ernstige gezichtsuitdrukking, die hoogstens vijf seconden aanhield. Daarna barstte ze uit in een schaterlach waardoor ze naar adem snakte en haar buik vasthield. Ik liet me uitgeput en verbijsterd op een stoel vallen.

'Het spijt me,' zei ze terwijl ze de tranen uit haar ogen veegde. 'Maar het is gewoon zo waanzinnig grappig. Een arme buitenlander die wordt aangevallen door een groep *hijra's*. Dat gebeurt niet elke dag. Ze laten de toeristen meestal met rust, dus dit moet het definitieve bewijs zijn dat je nu een echte dilliwala bent.'

'Hijra's?'

'Mannen die zich als vrouwen verkleden. Veel van hen zijn bovendien gecastreerd. En ze worden gevreesd om hun heksenkunsten.'

'Is de bewaker daarom weggegaan?'

'Misschien. Of misschien was hij degene die voor een kleine baksjisj aan ze heeft verteld dat je nieuw in de buurt bent en ze daarna de ruimte heeft gegeven.'

Preeti gaf een snelle kus op mijn wang. Ik was nog steeds zo aangeslagen door de gebeurtenis met de sarimannen dat het niet in me opkwam die te beantwoorden.

'Als iemand naar een nieuwe woning verhuist of als er een jongen is geboren, komen ze op bezoek,' legde ze uit. 'Ze zingen en dansen en zegenen het huis of het kind, maar als ze niet betaald krijgen spreken ze een vloek uit. Ze worden "het derde geslacht" genoemd en stammen af van de eunuchen die de harems van de maharadja's en de mogols bewaakten. Ze behoren tot een eigen kaste en hebben zelfs een eigen godsdienst, een soort combinatie van het hindoeïsme en de islam.'

'En wat ben ik nu, vervloekt of gezegend?'

'Gezegend natuurlijk. Hoewel ze mopperden toen ze weggingen denk ik dat ze tevreden waren over het financiële resultaat,' zei Preeti.

'Hoeveel ben ik je verschuldigd?'

'Je krijgt het van me als dank voor de voorstelling.'

Ik schudde mijn hoofd en trok een mondhoek naar boven in een scheve glimlach.

'Mannen in vrouwenkleren die mensen de stuipen op het lijf jagen. Dit land blijft me verbazen.'

'We zijn goed in het vinden van fantasievolle oplossingen voor problemen,' zei Preeti.

'Wat bedoel je daarmee?'

'Het is van belang om vindingrijk te zijn als je in India een afwijkende seksuele geaardheid hebt. Met behulp van wat religie en mystiek hebben de hijra's een identiteit gecreëerd die wordt geaccepteerd, ook al is het met enige tegenzin. Onder die groep valt van alles, van echte travestieten tot gewone homoseksuele mannen die zich verkleden als vrouw om niet in de kast te hoeven blijven.'

'Maar waarom zijn ze zo agressief?'

'Het is hun manier van overleven. Als we niet bang zijn voor de hijra's en hun vervloekingen zouden we ze tenslotte geen geld geven.'

'Ik moet zeggen dat ik het nogal moeilijk vind om sympathie te voelen voor travestieten die naar geweld neigen.'

'Ach, je moet de gemene taal die ze uitslaan en hun dreigende houding niet al te serieus nemen. Het is voornamelijk theater, iets wat van ze wordt verwacht. En misschien is het ook een manier om te laten zien dat ze hun trots hebben en zich niet laten onderdrukken. Want hoewel veel mensen bang zijn voor de hijra's zijn er ook veel die op straat naar ze spugen. Ze krijgen geen gewone banen en daarom voorzien ze in hun onderhoud door te zingen en te dansen, in het beste geval. Heel veel prostitueren zich ook.'

'Ik begrijp het,' zei ik terwijl ik Preeti op mijn schoot trok.

Ze verstrengelde haar handen in mijn nek en keek in mijn ogen.

'Nu weet ik waarom ik het zo fijn vind bij jou,' zei ze. 'Er gebeurt altijd iets in jouw aanwezigheid. Je bent anders en nieuwsgierig. Niet zo fantasieloos als andere mannen van jouw leeftijd.'

Het was een van de mooiste complimenten die ik in lange tijd had gehad, maar tegelijkertijd moeilijk te bevatten omdat het frontaal botste met het oude vertrouwde beeld van mezelf als angstig gewoontemens.

'Ik ben alleen blij dat ik leef,' zei ik. 'Bedankt dat je mijn leven hebt gered en welkom in mijn nieuwe woning. Ik heb je gemist.'

'Ik heb iets voor je meegenomen,' zei ze. Ze wees naar een mand met mango's, die ze op tafel had gezet toen ze binnenkwam. 'De eerste van het seizoen. Houd je van mango?'

'Jazeker,' loog ik. 'Hartelijk bedankt.'

'Het is de gezondste vrucht ter wereld, bevat veel vitamines en lest de dorst beter dan wat ook.'

Preeti stond op en liep langzaam door de flat.

'Ik waarschuw je voor het uitzicht,' zei ik, waarna ze natuurlijk de doek optilde en naar buiten keek.

'Ja, wat doe je als je geen echt toilet hebt,' zei ze met een kleine, verontschuldigende, gegeneerde zucht, alsof ze zelf schuldig was aan de situatie van de kinderen. 'Maar ik vind je flat mooi. Hij is eenvoudig en knus.'

'Ik heb ook iets voor jou,' zei ik en ik pakte de gesigneerde foto van Shah Rukh Khan.

Ze pakte hem aan en begon te stralen.

'Voor mij!? Hoe was hij?'

'Heel aardig.'

'Je bent dus naar Bombay geweest?'

'Nee, we hebben elkaar in Delhi ontmoet omdat hij hier toch moest zijn.'

'Vertel meer!'

Na drie kleverige mango's en een enigszins aangepaste versie van mijn exclusieve ontmoeting met de Bollywoodster zette ik de cd-speler aan.

'Ik hou van je,' zei ik terwijl ik haar op het bed trok.

Het kraakte en Shah Rukh Khan begon voor ons te zingen.

'*Do dil mil rahe hain*' – twee harten die elkaar ontmoeten.

40

Mijn verhouding met Preeti werd gekenmerkt door korte, fantastische ontmoetingen, maar vooral door lange periodes van verlangend wachten. Wanneer we elkaar weer zouden zien, stond in de sterren geschreven. Onze afspraak dat zij degene was die de voorwaarden dicteerde gold nog steeds.

Om de leegte te vullen begon ik het zogenaamde interview met Shah Rukh Khan te schrijven. Ik had me al een hele tijd niet meer beziggehouden met het creatieve schrijfproces en in het begin was ik nog niet in vorm. Na een paar dagen kwam ik echter op dreef en toen het weekend werd, had ik een lang en volgens mij erg goed artikel over mijn ontmoeting met hem geschreven. Ik had de uit hun verband gerukte citaten in het artikel verweven zodat de Bollywoodster ze niet zou herkennen als hij het zag. 'We hebben allemaal onze problemen', wat eigenlijk een plagerige opmerking tegen mij was, was bijvoorbeeld het antwoord geworden op de vraag: 'Waarom ben je nog niet doorgebroken in Hollywood?' Maar de kunstgreep was deskundig uitgevoerd en de toon van het artikel was positief. Ik had de tekst aangevuld met informatie uit de tijdschriften die Lavanya me had gegeven en samen met een schilderachtige beschrijving van de mimiek en de houding van de filmster leek de tekst geschreven door iemand die goed op de hoogte was.

Omdat ik nog geen computer had schreef ik met de hand. Erik was echter op weg naar Delhi en had telefonisch beloofd dat hij mijn laptop zou afgeven bij het Star Hotel voordat hij maandagochtend vroeg zou vertrekken voor de laatste rondreis van het seizoen met Ongelofelijk India! Hij vertelde dat hij meteen na de busreis naar Rishikesh zou vertrekken om Josefin te bezoeken en stelde voor dat Yogi en ik mee zouden gaan. Alleen al de gedachte aan Eriks gereïncarneerde vriendin gaf me de rillingen, maar in een uiting van kameraadschap en een soort dankbaarheid stemde ik toe. Het was uiteindelijk Eriks verdienste dat ik in India was beland.

Op dinsdagochtend nam ik een taxi naar het Star Hotel. Het was een vreemd gevoel om de foyer in te lopen en de sjofele receptie terug te zien met de net zo sjofele receptionist, die me de laptop gaf na een uitgebreide gaap en een langgerekte boer. Hier was mijn Indiase reis zo angstaanjagend begonnen. Nu glimlachte ik bij de herinneringen aan de eerste nacht in Delhi onder de knipperende neonster.

Ik ging terug naar mijn flat in RK Puram, typte het interview op de laptop en stuurde het artikel, samen met foto's van Shah Rukh Khan en een uitnodiging om het geheel te kopen voor de spotprijs van zesduizend kronen, via de nogal onberekenbare internetverbinding van het gebouw naar twee Zweedse filmtijdschriften.

Daarna bekeek ik mijn mail. De inbox bevatte zevenhonderdveertien niet gelezen mails, waarvan ruim zeshonderd meteen de prullenbak in konden. Van de mails die over waren, waren er maar twee persoonlijk. Een was afkomstig van Richard Zetterström, die eerst vroeg hoe het met me ging en daarna vertelde dat het hem helaas nog niet was gelukt om mijn flat onder te verhuren, en de tweede was van mijn dochter Linda, die eerst vroeg hoe het met me ging en daarna informeerde of ze in mijn flat mocht wonen. Ze had haar reisplannen op de lange baan geschoven en was in plaats daarvan begonnen aan een nieuwe universitaire studie (nu was het inderdaad kunstwetenschappen), wat leidde tot groeiende kosten voor studiemateriaal, wat er op zijn beurt toe leidde dat ze geen geld meer had om haar studentenkamer in Lund te betalen.

En ik wil niet meer bij mama wonen, schreef mijn slimme dochter.

De twee mails hieven elkaar als het ware op en beroofden mij effectief van de broodnodige extra inkomsten waarop ik had gehoopt. Een vader die zichzelf in de spiegel wil kunnen aankijken, kan zijn studerende dochter geen dak boven het hoofd weigeren. Met tegenzin stemde ik toe in een vermanende mail, waaraan ik een lange lijst met regels toevoegde.

Daarna kon ik geen weerstand bieden aan de dwangmatige verleiding om naar de site van Himmelsriket te gaan, waar ik las dat Malmö FF de eredivisiewedstrijden van het jaar was begonnen met drie overwinningen op rij. Een paar maanden geleden zou deze informatie mijn anders zo saaie en verveelde leven hebben gevuld met een broodnodige energie-injectie. Nu was ik alleen, tja ... tevreden. Ik klikte naar het forum om de commentaren te lezen, maar had er al na een paar minuten genoeg van. Het was niet langer belangrijk om me te verdiepen in meniscusklachten, statistieken van uitwedstrijden, onenigheid tussen supportersgroepen of problemen met de doelverdediging. Na mijn periode van onthouding was ik definitief genezen van mijn lange verslaving aan surfen naar het voetbalblog. Het was een teken van gezondheid, dat me opluchtte maar me ook een beetje besluiteloos maakte omdat de dwangmatigheid me ondanks de destructiviteit ervan een veilig gevoel had gegeven. Het was een voortdurende bondgenoot geweest, waardoor ik niet na hoefde te denken over de echte problemen.

Ik heb veel van zulke bondgenoten in mijn leven gehad, van de klassieke kinderfobie om niet op de kieren tussen de trottoirtegels te stappen tot de waarschijnlijk meest zinloze vrijetijdsbesteding in de wereldgeschiedenis: het spotten van kentekenplaten.

Een ambtenaar van bouw- en woningtoezicht in Malmö die veel te weinig werk had, vertelde me over het fenomeen toen ik was ingehuurd om hun infomateriaal te moderniseren. De regels waren eenvoudig: het tellen en verzamelen van kentekenplaten op auto's. Begin met een kenteken dat eindigt op 001 en zoek ze daarna achter elkaar tot je de serie hebt voltooid met een bord dat eindigt op 999.

Het klonk zo absurd dat ik de verleiding niet kon weerstaan om het te proberen. Nadat ik de eerste dag al twee treffers had was ik verslaafd. Het ging zo ver dat ik na een tijdje tientallen kilometers extra reed om een witte Volvo 245 met eindcijfers 114 te vinden die ik had gezien op een parkeerterrein in Vellinge toen ik daar een maand eerder was, en die nu in mijn serie paste. Een andere keer bleef ik een extra rit in de bus zitten omdat ik voelde dat ik daarvoor beloond zou worden met de 200 waarnaar ik al twee weken vergeefs zocht. Er was ook een internetsite waarop je verslag kon doen van je resultaten en kon lezen over de echte sterren van het spel. Mensen die vijftien auto's op een dag hadden gezien of een drieluik op foto hadden gezet. Ik zat een groot deel van mijn werkdag op die site. Het was in de tijd dat Jerker mijn chef was, dus was het helemaal zonder risico.

Ik ben er uiteindelijk mee gestopt toen ik besefte dat ik vals begon te spelen. Het begon met een rode Renault Clio die eigenlijk eindigde op 278, maar dat ik 'toevallig verkeerd las' zodat het in plaats daarvan de 287 werd die ik op dat moment nodig had. Daarna ging het verder met een lichtgrijze Kia Sorento met een vieze kentekenplaat met een moeilijk te lezen nummer, dat ik interpreteerde als de felbegeerde 312. Ik probeerde te doen alsof alles volgens de regels van het spel ging, maar op een zonnige dag in september haalde mijn slechte geweten me in bij een rood verkeerslicht op de kruising Nobelvägen – Amiralsgatan. De auto voor me was dezelfde lichtgrijze Kia Sorento, met het verschil dat hij nu gewassen was. Het kenteken eindigde op 848. Ik had geen cijfer goed gehad.

Als een man van middelbare leeftijd zonder mensen om zich heen rood wordt omdat hij vals heeft gespeeld bij het kentekenplaten spotten heeft hij twee mogelijkheden:

1. Hij beseft dat hij een probleem heeft en zoekt professionele hulp.
2. Hij zoekt een nieuwe dwangmatige bezigheid.

Goed gegokt, ik koos de tweede mogelijkheid. Later die dag begon ik vrouwen te tellen. De regels waren van mezelf. Nog steeds eenvoudig maar met iets meer raffinement: kies de vrouw met wie je naar bed móét tussen de eerste vijfentwintig die je recht aankijken. (En je móét echt je best doen om de blik te zoeken van élke vrouw die je passeert, anders speel je opnieuw vals!)

Als ik meteen oogcontact had met een heel lekker ding was de keus eenvoudig en was het dwangmatige spel voor die dag klaar, maar dat gebeurde heel zelden. Meestal wachtte ik op de volgende om te zien of zij beter was, en de volgende, en de volgende ... Soms speelde ik op safe en nam ik een redelijke vrouw die me ergens tussen de nummers vijftien en twintig aankeek, maar vaak bleef ik doorgaan tot ik vierentwintig vrouwen had afgewezen en wist dat de vólgende die me aankeek onverbíddellijk degene was met wie ik naar bed móést.

Het speelde zich alleen in mijn hersenen af, maar ik kon toch in paniek raken en ademnood krijgen als nummer vijfentwintig een negentigjarige vrouw met een bochel en een rollator was.

Ik speelde het spel ongeveer een halfjaar, tot ik op een dag besefte dat ik tijdens hetzelfde halfjaar met geen enkele vrouw echt naar bed was geweest en ik zelf vermoedelijk zou belanden in de categorie 'volgende' als je het vanuit een vrouwelijk perspectief bekeek.

41

Ik was inmiddels niet alleen mijn oude dwanggedrag kwijt maar ook een van mijn drie demonen: de wonderbaarlijke Shah Rukh Khan, die ik inmiddels beschouwde als mijn op een na beste Indiase vriend, meteen na Yogi. Er waren dus twee demonen over: Kent, die ik nog steeds niet had kunnen antidemoniseren ondanks het enthousiaste uitdelen van zijn Noordwest-Skånse ü op mijn visitekaartje, alsmede superdemon Vivek Malhotra (die in mijn wereld veel gevaarlijker en griezeliger was dan Ravana die Sita van de hoogstgeëerde Rama had ontvoerd).

Het was tijd om eens goed te kijken naar dat monster nu ik mijn laptop en dus toegang tot internet had. Met zweetdruppels op mijn voorhoofd, die niet alleen door de warmte werden veroorzaakt, googelde ik zijn naam en had na een uur een omvangrijke hoeveelheid informatie verzameld over de machtige industriemagnaat.

Hij was nog belangrijker dan ik had gedacht. Vivek Malhotra bezat twee vijfsterrenhotels, een halve luchtvaartmaatschappij, uitgestrekte theeplantages met fabrieken in Darjeeling en Kerala, zinkmijnen in Rajasthan, een groot, populair binnenlands kledingmerk, een boetiekketen die exclusieve Indiase kunstnijverheid verkocht, een aanzienlijke hoeveelheid aandelen in de leidende bioscoopketen van het land, vier enorme callcenters, een witgoedbedrijf, een handvol toprestaurants in Delhi en Bombay en nog zeker twintig kleinere activiteiten. Wat hem kenmerkte als industriemagnaat was de volgende combinatie: hij had geen basisinkomen als fundament voor zijn imperium gehad en alles wat hij aanraakte leek in goud te veranderen.

Vivek Malhotra was twee jaar ouder dan ik. Het was niet duidelijk hoe lang hij getrouwd was met Preeti (ik had het haar nog niet durven vragen), maar de oudste informatie dat ze een paar waren dateerde van twintig jaar geleden. Het zoeken naar afbeeldingen resulteerde in meerdere hits voor Vivek Malhotra, maar ik vond maar één foto waarop hij samen met Preeti stond, tijdens een liefdadigheidsgala in het elegante Oberoi Hotel in Delhi twee jaar geleden. Preeti droeg voor de gelegenheid een prachtige sari en hij een elegante feestkurta. Ze vormden ontegenzeggelijk een ongewoon mooi paar, maar ze stonden tot mijn tevredenheid een beetje stijf en koel naast elkaar.

Dat was dan ook het enige waar ik blij mee kon zijn na mijn research. Al het andere met betrekking tot Malhotra sprak in zijn voordeel. Meerdere artikelen beschreven zijn naar verhouding eenvoudige achtergrond. Zijn vader was een kleine, weinig succesvolle ondernemer in de elektronicabranche geweest en de familie leidde een eenvoudig middenklasseleven zonder buitensporigheden in Ghaziabad buiten de hoofdstad. Pas toen de oudste zoon Vivek na zijn economische studie aan de universiteit van Delhi het bedrijf overnam begon het te bloeien. Hij had de geniale zet gedaan om zich te richten op koelkasten en wasmachines, waar steeds meer vraag naar kwam vanuit de groeiende Indiase middenklasse. Het bedrijf heette CAC, wat een afkorting was van Cold and Clean. Het logotype kwam me bekend voor ...

Ik liep naar mijn kleine kookhoek, waar de koelkast stond, en constateerde dat het merk inderdaad CAC was. Nu zou ik dus elke keer aan hem herinnerd worden als ik een koude Kingfisher pakte, wat regelmatig gebeurde in deze hitte. Eerst Kents ü en daarna mister Malhotra's koelkast. Mijn innerlijke demonen deden hun uiterste best om me op de proef te stellen.

Na zijn doorbraak als koelkastenkoning behaalde Vivek het ene na het andere succes. Juist door het feit dat hij zich op eigen houtje had opgewerkt, en niet als zoveel andere beroemde Indiase industriëlen in de hogere stand was geboren, verdiende hij heel veel respect. Het grootste deel van het artikel was geschreven op een bijna kruiperige toon.

Als je naar zijn cv keek was hij een hopeloos superieure rivaal. Aan de andere kant versterkte zijn succes paradoxaal genoeg mijn positie. Als Preeti namelijk bereid was om de rijkdom en sociale status die het gevolg waren van het feit dat ze was getrouwd met Vivek Malhotra op het spel te zetten voor onze geheime afspraakjes, dan moest ze meer dan een beetje verliefd op me zijn, redeneerde ik.

Pling! Het bekende geluid van een inkomend mailtje onderbrak mijn gedachten. Ik klikte erop en zag tot mijn verbazing dat het van *Cinema* was, een van de filmtijdschriften waar ik het artikel nog maar een paar uur geleden naartoe had gestuurd. Ze wilden het hebben zonder een kroon af te dingen!

We denken er al langere tijd over om een grote reportage over Bollywood te plaatsen, dus komt het artikel bijzonder gelegen. Het is heel goed geschreven en interessant. We zijn van plan het over een maand in het zomernummer te plaatsen. We zien je contactgegevens en een factuur voor het bedrag graag tegemoet. We horen het graag van je als je nog meer artikelen hebt waarvan je denkt dat ze interessant voor ons kunnen zijn.

Shah Rukh Khan – als dat geen getransformeerde demon was. Eerst opende hij de deur naar Preeti's hart, en nu opende hij de deur naar de arbeidsmarkt.

Het was heet en het zweet stroomde van mijn voorhoofd, maar ik was niet langer werkloos. Ik was Senior Correspondent en ik deed weer mee. Nu zou ik artikelen schrijven tot het toetsenbord gloeide!

Gesterkt door het succes begon ik meteen aan de Indiase parlementsverkiezingen. Een snelle blik op internet vertelde me dat de aanwezigheid van de Zweedse media belachelijk minimaal was nu de grootste democratie ter wereld op het punt stond haar volgende regering te kiezen. Voor zover ik het kon zien was alleen een verslaggever van *Svenska Dagbladet* in India.

Omdat de marathonverkiezing plaatsvond in vier rondes en een maand duurde was er voldoende tijd om actie te ondernemen. Ik begon met het doorlezen van een stapel Engelstalige Indiase kranten en schreef een analyse over de vijf belangrijkste verkiezingskwesties, die ik daarna op goed geluk naar de grootste kranten in Zweden stuurde, samen met de informatie dat ik was gestationeerd in Delhi en in de toekomst graag opdrachten aannam. De dag daarna reageerden *Upsala Nya Tidning* en *Göteborgs-Posten* positief. De vrouwelijke chef Buitenland van *GP* vroeg bovendien of ik een reportage kon maken dat het stereotiepe beeld van India zou doorbreken. *Graag met een jonge insteek en het liefst iets over vrouwen!*

'Het ouderdomsfascisme en de feministenlobby breiden zich uit,' mopperde ik tegen mezelf. Maar geld was geld en ik had de smaak te pakken gekregen. Ik bladerde door de visitekaartjes van het Holi-feest en koos een van McDonald's vrouwelijke en relatief jonge managers in Noord-India. Ik kon me herinneren dat ze van het feest was vertrokken voordat alles één grote waas was geworden, wat bleek te kloppen toen ik haar aan de telefoon kreeg. Ze bedankte me voor de interessante discussie die we hadden gehad over het Zweedse versus het Indiase fastfood (ik had enthousiast gepraat over mijn favoriet van Sibylla, 'een dikke gegrilde hamburger met aardappelpuree, *bostongurka* en een Pucko', en zij had McDonald's Indiase menu's geprezen, met bestsellers zoals de met masala gekruide vegaburger en een paneerwrap met chilisaus).

Ze stemde er enthousiast mee in dat ik haar de volgende dag zou interviewen, en beloofde bovendien dat ze een ontmoeting voor me zou regelen met drie jonge vrouwen die lager in de hiërarchie van de hamburgerketen werkten. De chef buitenland van *GP* was heel tevreden over mijn invalshoek: 'De opmars van vrouwen in India – nu begint de keuze voor hun toekomst'. Samen met twee goed gelukte foto's verkocht ik het stuk voor zesduizend kronen.

Een dag later kreeg ik een mail van *Sydsvenskan*. Ze wilden een inleidende analyse zoals ik al had verkocht aan de twee andere kranten, alsmede een persoonlijke column over een zelf te kiezen verkiezingsthema. Ik schreef een tekst die begon met de rotte-eierenstank van Delhi en verderging met de onmogelijke verkeerssituatie, om daarna te eindigen met een beschouwing waarin ik me afvroeg waarom de milieukwestie geen plek in het verkiezingsdebat kreeg.

De inspiratie vloeide en het ene idee volgde op het andere. De reis naar Rishikesh stond voor de deur en ik mailde naar een aantal reistijdschriften of ze interesse hadden in een uitvoerige reportage over de spirituele plaats aan de voet van de Himalaya, die rijk was aan natuurschoon en aan de heilige rivier de Ganges lag. Het tijdschrift *När & Fjärran* reageerde meteen veelbelovend. Ik kreeg geen garanties maar als de tekst goed geschreven was en de foto's gelukt waren, wilden ze twaalfduizend kronen voor de reportage betalen.

Laat die avond lag ik in mijn pas aangeschafte hangmat op het dakterras met een biertje in mijn hand te genieten van de avondbries en het resultaat van mijn werk. In vijf dagen had ik voor meer dan twintigduizend kronen artikelen geschreven en verkocht. Ook al legde de belasting beslag op de helft, toch was het vanuit zowel financieel als omslagmatig perspectief een fantastisch begin van mijn nieuwe carrière. Het enige wat ontbrak om mijn geluk compleet te maken was een nieuwe afspraak met Preeti. Ze had een sms gestuurd waarin ze vertelde dat onze volgende ontmoeting helaas nog minstens een week zou moeten wachten. Hoewel ik daar teleurgesteld over was, was de timing goed. Er was nu niets wat me tegenhield om Delhi tijdelijk de rug toe te keren.

42

De volgende dag was Yogi terug uit Madras. Hij had uitstekende zaken gedaan en toen hij hoorde over mijn journalistieke successen, met de verkoop van het interview met Shah Rukh Khan als vanzelfsprekende juweel in de kroon, was hij dolenthousiast.

Mijn vriend wilde maar wat graag mee naar Rishikesh om Erik te zien en te baden in de Ganges. Ik bestelde treintickets bij een reisbureau en de volgende ochtend vroeg werden we naar het centraal station van Delhi gereden door chauffeur en opperroddelaar Harjinder Singh, wie we deze keer niets gaven om door te vertellen omdat we gewoon onze mond hielden.

Nadat Yogi ons door de kleurige lappendeken van mensen die in de vertrekhal op de vloer lagen te slapen had gelaveerd, de aanbiedingen van de vasthoudende kruiers om onze bagage te dragen had afgeslagen en me ervan had overtuigd dat de dikke ratten die langs de rails renden niet via de toiletgaten in de trein klommen, betraden we de Dehradun Shatabdi Express.

Het was de eerste keer dat ik met de trein door India reisde, en ik had het ijskoud tijdens de rit naar Haridwar. Uit angst om op een smalle brits in de drukkende warmte of zelfs op het dak van een treinwagon terecht te komen, had ik eersteklaskaartjes voor een aircocoupé gekocht. Je kon rustig stellen dat we waar voor ons geld kregen. Ik voelde me als een ijskoude Kingfisher in een van mister Malhotra's voortreffelijke koelkasten toen we na zes uur eindelijk in Haridwar arriveerden. Daar kostte het me twee minuten om te ontdooien in de warmte van vierenveertig graden en nog twee minuten voordat ik het bloedheet had.

'Kalm maar, mister Gora. Je zult al snel de beste balans van alle temperaturen ter wereld vinden. Eindelijk zul je mogen baden in Moeder Ganga! Het zal de start van je nieuwe leven worden!'

Er leek een zekere inflatie te sluipen in mijn door Yogi aangekondigde wedergeboortes, maar uit blijdschap dat ik de religieuze textielexporteur weer in mijn buurt had, negeerde ik zijn religieuze overdrijvingen. We namen een taxi van Haridwar naar Rishikesh en een uur later checkten we in bij het kleine pension waar Erik ook logeerde. Hij was er niet, maar ik kreeg hem te pakken op zijn mobiel en nadat Yogi en ik ons hadden geïnstalleerd in de kamer die we deelden vertrokken we naar het café waar Erik zich bevond, en dat we bereikten door via een bamboetrap in het centrum van het gezellige kleine stadje omhoog te lopen.

De plek zat vol jonge, westerse backpackers met rastavlechten en bandana's die in de *Lonely Planet* lazen en van alles rookten in de tocht die werd veroorzaakt door de plafondventilatoren. Het rook zoetig en lekker naar rook en ganja. Uit de geluidsboxen stroomde spirituele muziek, afgewisseld met The Doors en Janis Joplin. De nostalgiefactor was hoog. De nieuwe hippiegeneratie hield van dezelfde dingen als de oude generatie, constateerde ik.

Erik zat helemaal achter in het café op een kussen op de vloer. Hij dronk bier en rookte een Marlboro. Het eerste wat ik aan hem zag was een begin van donkere kringen onder zijn ogen. Nadat we elkaar hadden omhelsd en hard op elkaars rug hadden geslagen bestelden we een rondje Kingfisher, dat in de verstikkende hitte al snel werd gevolgd door nog een rondje.

'Niet te geloven dat je een Indiër bent geworden, Göran. Dat was het laatste wat ik van jou had verwacht, oud gewoontedier,' zei Erik in een poging om net zo onbezorgd plagerig te klinken als hij altijd deed.

Hij lachte gemaakt en stak zenuwachtig een nieuwe Marlboro op.

'Ben je begonnen met roken?' vroeg ik.

'Ach, het is vakantie. En vertel me nu over je leven in Delhi.'

Ik bracht verslag uit van de afgelopen tijd, maar liet alles wat met Preeti te maken had achterwege. Yogi vulde het aan met een levendige beschrijving van zijn laatste bezoek aan de textielleverancier in Tamil Nadu, waarna Erik zonder veel inlevingsvermogen vertelde dat het zijn laatste reis van het seizoen met Ongelofelijk India! was.

'Hoe gaat het met Josefin?' vroeg ik.

'Eh ... heel goed. Ze woont in een ashram net buiten Rishikesh. Op dit moment beleeft ze een intensieve periode vol meditatie en yoga dus hebben we elkaar maar heel even kunnen zien. Veel hocus pocus,' zei Erik en hij knipoogde voordat hij weer begon te lachen. Het klonk schril, op de grens van manisch. 'Maar vanavond zien we elkaar in de grote Shivatempel na Ganga Aarti, dat daar gehouden wordt.'

'Fantastisch, mister Erik!' riep Yogi. 'Ganga Aarti is de belangrijkste puja ter wereld. We gaan natuurlijk mee. Het zal een ware vreugde zijn om de vrouw te mogen ontmoeten die weet hoe ze onze goden moet respecteren.'

Vroeg in de avond gingen we met z'n drieën naar de Shivatempel, die aan de andere kant van een lange, zwaaiende hangbrug over de Ganges lag. Het was al heel druk toen we daar arriveerden. Ik begon meteen energiek foto's te maken in de hoop dat ik er een paar zou kunnen gebruiken voor mijn reisverslag.

Eriks blik zwierf rusteloos over de grote hoeveelheid mensen die in dichte rijen op de treden van de trap zaten die naar de heilige rivier afdaalde en bleef na een tijdje hangen bij een groep westerse vrouwen die helemaal in het wit waren gekleed. De meesten hadden zelfs witte sjaals als een tulband om hun hoofd gewikkeld. Hun handpalmen lagen tegen elkaar en hun ogen waren gesloten terwijl ze mediteerden. Het leek alsof ze in trance waren. In het midden van het gezelschap troonde een Indiër met lang haar en een lange baard met saffraankleurige kleding en een grote tilak op zijn voorhoofd. Terwijl hij praatte zwaaide hij langzaam een schaal met vuur en rook heen en weer. De vrouwen antwoordden, wat na een tijdje overging in melodieus gezang.

'Daar is ze,' fluisterde Erik met een smachtende stem terwijl hij naar een vrouw wees die vlak bij de goeroe zat.

Doordat ze haar lange haar onder de witte tulband had verborgen, duurde het even voordat ik Josefin herkende. Toen ze eindelijk haar ogen opendeed lukte het Erik haar blik te vangen en hij zwaaide enthousiast. Josefin glimlachte haastig naar hem voordat ze opnieuw haar ogen dichtdeed en terugkeerde naar haar tranceachtige toestand.

Ik zag aan de vroeger zo onverbeterlijke versierder hoe gefrustreerd hij over de situatie was en hoe moeilijk hij het vond om dat te verbergen achter zijn gepatenteerde nonchalance.

'Is er iets tussen jullie gebeurd?' vroeg ik.

'Waarom denk je dat?'

'Ze lijkt niet echt open te staan voor je pogingen om met haar in contact te komen.'

Erik zuchtte hartgrondig en woelde door zijn blonde haardos.

'Verdomme, is dat zo duidelijk te merken?'

'Wat is er gebeurd?'

'Die schijnheilige Indiase kabouter heeft haar rare ideeën aangepraat. Ze is volkomen veranderd! De eerste dag dat ik hier was, had ze niet eens tijd voor me en gisteren hebben we alleen een kop smerige thee gedronken voordat ze weg moest naar de een of andere stomme yogaoefening. Ze kletste er de hele tijd over dat ze dankzij de goeroe op weg is om haar ware innerlijk te ontdekken. Toen ik probeerde haar te kussen zei ze dat dat niet ging omdat ze in een zuiveringsperiode zit. Heb je ooit zoiets stoms gehoord? Ik durf er iets onder te verwedden dat die kabouter erachter zit! Het zou me niet verbazen als hij zijn volgelingen neukt als ze eenmaal gehersenspoeld en zuiver zijn. Wat een smerig spelletje! Hij is te lelijk om een vrouw te krijgen, maar dan komt hij op het idee om een sekte te beginnen en hup, het huis zit vol gewillige chicks!'

Ik had een beetje medelijden met Erik, maar voelde eerlijk gezegd voornamelijk leedvermaak voor de man die Mia van mij, zijn beste vriend, had afgepakt. Vrouwen hadden altijd uit zijn hand gegeten maar nu leek hij overtroefd te worden door een dweperige swami uit Rishikesh met lang, piekerig haar en een dikke buik onder een saffraankleurige lap stof.

'Heb je geen signalen gekregen voordat je hiernaartoe kwam?'

'Ze zei dat ze een nieuw tijdperk in haar vierde leven had betreden, of misschien was het haar vijfde, maar zo praatte ze wel vaker.'

'Misschien kun je Josefin beter uit je hoofd zetten.'

'Ik dacht het niet! Als ik haar een uur voor mezelf heb zorg ik ervoor dat ze gedeprogrammeerd is.'

'Heeft dat zin, Erik? Rishikesh puilt uit van de mooie, spiritueel inspirerende vrouwen. Je kunt toch iemand anders veroveren? Kijk die vrouw daar bijvoorbeeld, die ziet eruit alsof ze een man kan gebruiken om tegenaan te leunen,' zei ik terwijl ik wees naar een eenzame hippievrouw die de middelbare leeftijd bijna was gepasseerd en in haar eentje een net zo onbegrijpelijke als wankele dans uitvoerde. Ze was stoned of gek, en waarschijnlijk allebei.

Erik keek me aan met een vlijmscherpe blik.

'Wrijf het me maar in,' zei hij.

'Ik wist niet dat Josefin zoveel voor je betekende.'

'Dat was ook niet zo in het begin, toen was ze alleen een leuk tijdverdrijf. Maar nu heb ik bijna het gevoel dat ik verliefd op haar ben geworden. En dat is verdomd lastig.'

'Wat vervelend voor je,' mompelde ik zachtjes terwijl ik me omdraaide om mijn hatelijke glimlach te verbergen en tegelijkertijd Yogi te zoeken. Ik zag hem uiteindelijk een paar meter van de oever in de Ganges staan. Hij had zijn broekspijpen opgerold, het water kwam tot zijn knieën, zijn handen wezen naar de hemel en hij had zijn blik gevestigd op het indrukwekkende beeld van Shiva, dat werd verlicht met schijnwerpers. Ik richtte mijn camera en maakte een paar foto's in het effectvolle schemerlicht. De religieuze textielexporteur uit Delhi in een religieuze houding. Als het reistijdschrift de foto niet wilde hebben zou ik in elk geval een kopie maken voor Yogi zodat hij die aan de muur kon hangen bij zijn kleine altaar thuis in Sundar Nagar.

Een andere heilige man ontstak een groot vuur op een plateau vlak naast de rivier. Hij leek de oppergoeroe van de tempel te zijn. Jonge jongens in saffraankleurige kleding liepen tussen de tempelbezoekers rond en deelden schalen met vuur en rook uit. Yogi kwam snel uit de heilige rivier en kreeg een vuurschaal te pakken, die hij rond begon te draaien terwijl hij zijn gebeden mompelde. Toen Erik en ik bij hem waren gaf hij de schaal met een doodernstige gezichtsuitdrukking aan ons.

'Als jullie nu Ganga Aarti doen met een rein en open gemoed, dan zullen jullie zien dat al het goede dat jullie vanuit jullie hart en niet vanuit egoïstische motieven wensen, vervuld zal worden.'

Erik en ik pakten de vuurschaal samen vast en tilden hem naar de mooie avondhemel.

'Geloof jij hierin?' fluisterde ik tegen hem.

'Ik weet het niet. Het enige wat ik weet is dat ik bereid ben om alles te proberen,' zei hij. Ik vroeg me af of een wens over de eeuwige liefde van een vrouw onder 'uit het hart' of 'egoïstisch' viel.

'Nu gaan we echt baden in de Ganges,' verklaarde Yogi plechtig. Hij trok zijn kleren op zijn onderbroek na uit.

Erik volgde zijn voorbeeld, maar ik aarzelde nadat ik een teen in de rivier had gestoken. De Ganges was ijskoud door het smeltwater van de Himalaya.

'Kunnen we dit morgen doen als de zon schijnt?' vroeg ik.

'Je kunt altijd baden in de Ganges maar juist dit is een voortreffelijk moment zodat we rein zijn als we mister Eriks meest fantastische verloofde gaan ontmoeten,' antwoordde Yogi en hij trok Erik met zich mee de donkere rivier in. Toen ze huiverend en blauw van de kou uit het water kwamen besloot ik om mijn ontmoeting met Moeder Ganga uit te stellen. Mijn vrienden trokken hun kleren weer aan en we gingen op weg om Josefin te begroeten.

43

Alle ceremoniën waren inmiddels achter de rug, maar de goeroe met het piekerige haar vormde nog steeds het vanzelfsprekende middelpunt van de in het wit geklede westerse vrouwen. Ze stonden in een kring om hem heen en stelden zich aan als een stel kippen in de buurt van een haan.

Erik legde zijn hand voorzichtig op Josefins arm. Toen ze zich omdraaide en zag dat hij het was, verdween haar glimlach een paar seconden, waarna hij terugkeerde in een onechte vorm.

'Hoi, Erik. Wat ... wat ben je nat,' zei ze en ze deed een paar stappen bij de anderen van de witte groep vandaan.

'Ik heb net in de Ganges gebaad, dus nu zijn zowel mijn lichaam als mijn ziel rein. Ga je mee iets eten? Mijn vrienden zijn er,' zei Erik terwijl hij mij naar voren trok als bewijsmateriaal.

'Je kent Göran van de bustocht, mijn kameraad die ziek is geworden en in Jaipur moest blijven.'

'Het heeft je dus niet afgeschrikt en je bent alweer terug in India?' vroeg Josefin met de superieure gezichtsuitdrukking die ik herkende van de reis.

'Ik heb het land nooit verlaten. Ik woon nu in Delhi. Fantastische stad, fantastische mensen. Overal echte gevoelens. Geen valsheid.'

Ze trok verbaasd haar wenkbrauwen op terwijl ze tegelijkertijd haar neus rimpelde.

'En dit is Yogi, mijn Indiase vriend over wie ik heb verteld,' ging Erik verder.

'Ik heb zoveel gehoord over uw fantastische respect voor onze hindoese goden, mevrouw. Het is een schitterende eer voor me om de verloofde van mister Erik te mogen ontmoeten,' zei Yogi.

'"Verloofde"? We zijn echt niet verloofd,' zei Josefin en ze schudde haar hoofd zo beslist dat de tulband een beetje scheef kwam te zitten.

'Ga je mee eten?' vroeg Erik, die iets onstuimigs in zijn blik begon te krijgen.

Josefin deed nog een paar stappen bij haar geloofsgenoten vandaan en liet haar stem dalen.

'Dat gaat helaas niet. We moeten naar onze ashram terug. Swami Bababikandra leidt de meditatie vanavond en dat mag ik niet missen. Het spijt me, maar daarvoor ben ik tenslotte hier. Om dieper in mijn ziel door te dringen.'

Ik gluurde naar Erik. Zijn neusvleugels verwijdden zich en zijn borstkas ging op en neer. Als de uitdrukking 'tikkende tijdbom' kon worden gebruikt om een mens te beschrijven, dan was dit de juiste gelegenheid.

'Swami Barbapapa? Heet die dikzak zo?'

'Wat zeg je daar?'

'Barbapapa. Die vetzak in dat gele laken die eruitziet als de getekende deegklomp Barbapapa.'

'Ik geloof dat jij en ik elkaar niets meer te vertellen hebben,' zei Josefin met een ijskoude klank in haar stem, waarna ze zich omdraaide.

Erik pakte haar hand en hield die vast in een krampachtige greep.

'Josefin, zo kun je niet tegen me doen! Je kunt alles wat we samen hebben niet zomaar weggooien en ervandoor gaan met die slijmerige sekteleider.'

'Wij hebben samen niets en swami Bababikandra is geen sekteleider. Laat mijn hand los!'

'Het is waarschijnlijk het beste als je doet wat je verloofde zegt,' stelde Yogi met een autoritaire klank in zijn stem voor.

Erik was echter niet meer voor rede vatbaar. Toen swami Bababikandra zich ermee bemoeide en Eriks arm pakte, sloeg de laatste stop van zijn oververhitte systeem door. Met een woeste rechtse sloeg hij de goeroe tegen de grond en hij zou vermoedelijk verder zijn gegaan met een serie schoppen als Yogi en ik hem niet snel hadden weggetrokken. Een ongerust gekakel brak uit onder de in het wit geklede vrouwen, die zich op hun knieën lieten vallen rond hun gevelde haan terwijl de andere tempelbezoekers toestroomden om te zien wat er aan de hand was. De nieuwsgierigheid veranderde al snel in een dreigende sfeer die zich tegen ons richtte.

'We moeten weg! Nu!' riep Yogi terwijl hij Erik op weg naar de uitgang de trappen van de tempel op trok.

Ik bleef staan en aarzelde een paar seconden voordat ik hijgend achter ze aan rende met een groeiende schare boze mensen op mijn hielen.

Toen we in een marktstraat kwamen, hoorde ik vlak achter me hijgen, maar ik werd gered door een paar koeien die heel handig vanuit een zijstraat aan kwamen schommelen, waardoor ze mijn achtervolgers de weg versperden en mij tegelijkertijd een paar seconden aan het zicht onttrokken. Het was lang genoeg om ongezien dezelfde steeg als Erik en Yogi in te rennen.

We renden verder door een labyrint van steegjes en straatjes en beklommen een trap waardoor we op een dakterras belandden. Daar klommen we via een ladder aan de achterkant naar beneden en belandden op een cirkelvormige binnenplaats met een open poort die naar een iets grotere straat leidde.

Yogi deed de poort dicht en hield zijn wijsvinger tegen zijn mond als teken dat we doodstil moesten zijn. Zelf klonk hij als een kapotte accordeon als hij ademhaalde. We bleven ons op de binnenplaats schuilhouden zonder een woord tegen elkaar te zeggen, zenuwachtig luisterend naar de geluiden van de straat. Toen er vijf minuten voorbij waren gegaan zonder dat iemand door de poort naar binnen was gestormd, haalde Yogi diep adem en blies die daarna uit. Hij hief zijn hand en gaf Erik een klinkende oorvijg op zijn wang.

'Wat doe je verdomme?'

'Zwijg!' siste Yogi terwijl hij hem met zijn grote ogen strak aankeek. 'Als je ook maar het kleinste woordje als geluid geeft, dan krijg je nog een oorvijg. En daarna bid ik tot Shiva dat hij je voor eeuwige tijden verwoest zodat je nooit terug kunt keren op deze aarde of een andere plek in het hele universum. Heb je dat begrepen?'

Door de razende woede van de anders zo vriendelijke Yogi begreep zelfs Erik dat hij beter zijn mond kon houden.

'Je slaat nooit een heilige man in een tempel tegen de grond! Nooit! Je hebt onze religie te schande gemaakt en ons allemaal blootgesteld aan het grootste gevaar. Eigenlijk hadden we je moeten achterlaten bij het gepeupel, maar dan was je mister Erik niet meer geweest. Dan was je "mister Erik in zaliger gedachtenis" geweest!'

'Het spijt me,' jammerde Erik.

Yogi kneep zijn ogen tot spleetjes en keek om zich heen in het donker.

'Jullie blijven hier,' fluisterde hij. 'Verroer je niet voordat ik terug ben. Ik ga naar het hotel om te proberen of ik onze bagage mee kan krijgen en daarna regel ik vervoer zodat we hier weg kunnen.'

'Is het zo erg?' vroeg ik angstig.

'Ik ben bang van wel,' zei Yogi, waarna hij door de knarsende poort wegsloop.

44

De dag daarna leefden we nog steeds. En niet alleen dat, we zaten te lunchen op de veranda van een klein pension een uur rijden ten noorden van Rishikesh met uitzicht over de wild bruisende Ganges. Alles dankzij de religieuze textielexporteur uit Delhi en zijn diplomatieke vaardigheden.

Nadat het hem was gelukt ons uit te checken uit het hotel had Yogi onmiddellijk een taxi naar swami Bababikandra's ashram genomen en had uit naam van Erik zijn nederigste excuses aangeboden aan de goeroe, die afgezien van een blauw oog en een lichte hoofdpijn in goede gezondheid verkeerde. Met een donatie van twintigduizend roepie voor de beweging was het Yogi gelukt om de heilige man ervan te overtuigen om geen aangifte te doen van de mishandeling. (Onder voorwaarde dat Erik nooit meer een voet in Rishikesh zou zetten en voor altijd met zijn smerige vingers van Josefin af zou blijven.)

Wat de afspraak waarschijnlijk vergemakkelijkte en al snel een eind maakte aan de haastig opgebloeide woede van de tempelbezoekers was het feit dat de reputatie van swami Bababikandra al beschadigd was. Yogi had van de portier gehoord dat Erik niet de enige was die de verdenking koesterde dat zijn vrouwencollectief eigenlijk een bedekte harem was. Er was echter geen overtuigend bewijs en hij was hoe dan ook een heilige man en heilige mannen sla je niet ongestraft neer in een tempel.

Voordat Yogi de ashram had verlaten, had hij een paar woorden met Josefin gewisseld, die zei dat ze het Erik vergaf omdat hij 'de meest onvolwassen man was die ze ooit had ontmoet', wat ze uitdrukkelijk aan hem overgebracht wilde hebben. Daarna had Yogi ons met een taxi opgehaald bij de donkere binnenplaats, waar we inmiddels opgegeten werden door de muggen, waarna we verder reden naar het pension met de gepaste naam Himalaya Hideaway.

Het was echt een perfecte verstopplek, op gepaste afstand van

Rishikesh en in een klein bos dat tot aan de Ganges liep. Het uitzicht vanaf de veranda was overweldigend en de 'continentale lunch' – die bestond uit met tandoori gekruide groenten, dal, patat en noedels met zoetzure saus – smaakte uitstekend.

'Twintigduizend roepie. Dat is heel veel geld,' bromde Erik toen Yogi zijn uitgave terug wilde hebben.

'Hou op,' siste ik geïrriteerd. 'Dat is verdomme niet meer dan wat je in een paar uur bij die juwelier in Jaipur verdient. Of vind je dat Yogi moet betalen voor jouw stommiteiten?'

'Oké, oké,' zei Erik beschaamd terwijl hij al zijn geld uit zijn portemonnee haalde.

'Ik heb bijna tienduizend. De rest krijg je later.'

Yogi zwaaide afwerend met zijn hand.

'Ik heb een beter idee, mister Erik. Jij betaalt ons verblijf hier met je beste creditcard, en daarna staan we quitte.'

'Maar dat is meer dan twintigduizend roepie.'

'Precies. Het wordt beslist twee keer zoveel, omdat ik heb bedacht dat we kunnen gaan wildwatervaren in de heiligste van alle heilige rivieren, en ik kan je vertellen dat dat niet goedkoop is.'

Erik besefte dat zijn onderhandelingsruimte gelijkstond aan nul en knikte berustend. Ik leunde tevreden achterover op mijn stoel en bedacht dat een man als Yogi niet elk jaar geboren werd en dat ik me gelukkig mocht prijzen dat ik tot zijn intiemste vriendenkring behoorde.

We hadden een paar leuke dagen in de mooie omgeving. Erik was nog steeds verdrietig, maar besefte dat hij een ernstige fout had gemaakt en kwam flink over de brug om zijn eerdere gierigheid te compenseren. We gingen drie keer wildwatervaren onder leiding van een vriendelijke, Nepalese gids die ons meenam over watervallen met angstaanjagende namen als 'de muur' en 'de rattenval'. We vielen een paar keer uit de rubberboot, zodat ik tot Yogi's grenzeloze verrukking mijn ijskoude doop in de heilige rivier de Ganges kreeg. De laatste middag fotografeerde ik de anderen vanaf de rivierbedding, zodat ik wat foto's voor mijn reportage had.

Op de avond voordat we naar Delhi terug zouden gaan, zaten we op de veranda te luisteren naar de rivier en de krekels terwijl we Blenders Pride dronken, waarvan Yogi gewoontegetrouw een paar flessen had meegenomen.

'Ik geloof eerlijk gezegd dat Josefin de enige vrouw is op wie ik ooit echt verliefd ben geweest,' zuchtte Erik, waarna hij een krachtige trek van zijn Marlboro nam.

'Weet je zeker dat je verdriet met liefde te maken heeft?' vroeg ik.

'Wat zou het anders moeten zijn?'

'Gekwetste trots misschien. Het is waarschijnlijk de eerste keer dat een vrouw jou aan de kant heeft gezet. Probeer door te gaan. Daar ben je anders ook heel goed in.'

Eriks vermoeide ogen schoten vuur.

'Projecteer je gevoelens niet op mij, Göran! Je treurt nog steeds om Mia, hoewel ze je bijna tien jaar geleden heeft verlaten. Dan mag ik best een week om Josefin treuren zonder dat ik hoef te luisteren naar jouw quasipsychologische theorieën!'

'Als je geen goedbedoeld advies van een vriend kunt accepteren, heb je een probleem, Erik.'

'Laten we geen ruzie maken,' zei Yogi, die een beetje aangeschoten was van de whisky. 'Bovendien ben ik er tamelijk van overtuigd dat mister Gora niet meer zoveel aan zijn oude vrouw denkt. Hij heeft het veel te druk met zijn nieuwe, fantastische, Indiase liefde.'

Eriks mond viel open van verbazing.

'Heb je een vrouw ontmoet?'

'Misschien wel.'

'Een Indiase?'

'Ja.'

'Wie dan?'

'Je kent haar niet.'

'Vooruit, vertel!'

'Ik zal het uitleggen,' bemoeide Yogi zich ermee. 'Ze is een van de mooiste vrouwen die je je kunt voorstellen. En ze is heel slim en heel rijk.'

Ik keek Yogi geïrriteerd aan.

'Wat is het addertje onder het gras?' vroeg Erik.

'Er zijn bij deze kwestie over het algemeen geen addertjes die zich verstoppen,' antwoordde Yogi aarzelend.

'Hou op. Ik ben meer dan vijftig keer in India geweest. Ik weet dat ik me flink heb geblameerd in Rishikesh, maar dat betekent niet dat ik een beginneling ben op het gebied van de Indiase cultuur. Als Göran een knappe, slimme, rijke Indiase heeft ontmoet, dan moet er een addertje onder het gras zitten.'

'Waarom dat?'

'Omdat alle knappe, slimme, rijke Indiase vrouwen getrouwd zijn.'

De stilte die volgde was overweldigend.

'Jezus,' barstte Erik uit terwijl hij naar me keek met een combinatie van verbijstering en verrukking. 'En dan beweer jij dat ik een probleem heb?'

45

Erik had natuurlijk gelijk. Het was bijzonder riskant om een relatie te hebben met een Indiase vrouw die getrouwd was. En het was waarschijnlijk pure krankzinnigheid om een relatie te hebben met een Indiase vrouw die getrouwd was met een machtige industriemagnaat. Maar Ulf Lundell had met zijn whiskystem al *Verliefd en krankzinnig* gezongen, en hoe warmer de dagen werden, des te frequenter en riskanter werden mijn ontmoetingen met Preeti.

Ze nam steeds vaker vrij van haar werk. We zoenden midden op de dag in de luxueuze airconditioned bioscoop in het winkelcentrum, en als het avond werd en de buitentemperatuur naar een draaglijk niveau daalde, verplaatsten we onze activiteiten naar de parkbanken in Lodi Garden.

We gingen een paar keer naar Paharganj bij het station, verzamelplek van rugzaktoeristen, waar een westerse man de hand van een Indiase vrouw kon vasthouden zonder dat het opzien baarde.

De schoonheidssalon was nog steeds verboden terrein, maar na mijn trainingen in het Hyatt gebeurde het steeds vaker dat Preeti me een paar huizenblokken verder oppikte met haar auto en we daarna naar mijn huis reden voor een vluggertje, gecamoufleerd door de muziek van Shah Rukh Khan.

Erik was met zijn staart tussen zijn benen teruggevlogen naar Zweden en Yogi was op het moment ook in Europa, op een textielbeurs in Vilnius, waar hij de fantastische spreien uit Madras wilde verkopen. Hij was al zo vaak in de Zuid-Indiase metropool geweest dat hij er inmiddels enorme hoeveelheden van moest hebben.

Het beste van alles was echter dat ook Vivek Malhotra een lange buitenlandse reis maakte. Dat betekende dat Preeti en ik elkaar bijna elke dag konden zien. Inmiddels had ik geld om haar mee te nemen naar de betere restaurants in Delhi, wat een rechtstreeks gevolg was van de Indiase verkiezingen die een paar weken geleden waren afgesloten met twee overtuigende winnaars:

1. De congrespartij
2. Göran Borg

De machtige politieke partij versterkte haar regeringsmandaat en ik mijn financiën. Tijdens de verkiezingsperiode, die een maand had geduurd, had ik voor meer dan zestigduizend kronen aan artikelen verkocht, en daarnaast had ik een reputatie als betrouwbare journalist opgebouwd bij de redacteuren Buitenland van de grote Zweedse kranten. Bovendien had *När & Fjärran* mijn reportage van Rishikesh met de foto van Yogi als publiekstrekker gekocht.

'Ik voel me bij jou zo levenslustig,' fluisterde Preeti.

We zaten in de schemerige verlichting van een Italiaans restaurant in de wijk Vasant Vihar en dronken een espresso na een late avondmaaltijd. Ik stak mijn hand uit en pakte die van haar vast.

'Ben je gelukkig, Preeti?'

'Op dit moment wel. Heel gelukkig,' zei ze terwijl ze de druk van mijn hand beantwoordde.

'Maar verder? In je huwelijk?'

Het was de eerste keer dat ik haar rechtstreeks confronteerde met die gevoelige vraag. Preeti trok haar hand terug en ik was bang dat ik een van de dunne, subtiele grenzen was gepasseerd waarmee we onze verhouding intuïtief hadden omringd. Ze keek me echter nog steeds aan.

'Ooit was ik gelukkig met mijn man. Toen hij nog met mij getrouwd was.'

Ik was verbijsterd.

'Ik begrijp niet ...'

'Het spijt me. Ik bedoel dat hij tegenwoordig met zijn werk getrouwd is en alleen oog voor geld heeft.'

Ze duwde een haarlok die in haar gezicht was gevallen achter haar oor.

'Hoe lang zijn jullie getrouwd?' vroeg ik.

'Bijna drieëntwintig jaar. De tijd gaat snel.'

'Hoe hebben jullie elkaar ontmoet?'

'Is dat echt interessant?'

'Ik wil het graag weten.'

Preeti nam het laatste slokje espresso en keek me ernstig aan.

'Ik zal het vertellen als je belooft dat je het onderwerp daarna laat rusten,' zei ze.

Ik knikte. Preeti haalde adem door haar neus en nam een aanloop als voor een sprint.

'We hebben elkaar ontmoet tijdens een grote bruiloft van een van mijn nichten,' begon ze. 'We vonden elkaar leuk en daarna zagen we elkaar een paar keer in het geheim, maar het bloedde dood. Hij reisde veel en ik had een nieuwe baan als makelaar, die het grootste deel van mijn tijd in beslag nam. Maar op een dag bijna een jaar later belde Vivek en vroeg of ik met hem uit eten wilde. We gingen naar een chic restaurant en daarna bleef hij me bijna elke avond onthalen op bloemen en dinertjes. Een maand later vroeg hij of ik zijn vrouw wilde worden. Eerst wist ik niet wat ik moest zeggen, het was zo plotseling. Maar ik gaf echt om hem en het was het juiste tijdstip. Mijn ouders hadden erover gepraat dat het tijd voor me was om te trouwen, en omdat ik het risico niet wilde lopen dat ze me aan iemand anders zouden uithuwelijken zei ik ja tegen Vivek.'

Preeti's ogen begonnen te glanzen. Ik pakte haar hand weer en drukte hem. Een zwakke glimlach verspreidde zich over haar lippen.

'En je ouders vonden het goed?'

'We losten dat probleem op met behulp van een kennis van de familie die wist dat we elkaar zagen. Hij steunde ons en zei tegen mijn vader en moeder dat hij een geschikte man voor me had gevonden, een succesvolle zakenman. We hoorden weliswaar niet tot dezelfde kaste, maar toen mijn ouders hem hadden ontmoet en begrepen hoe rijk hij was geworden met zijn zaken waren ze ervan overtuigd dat we goed bij elkaar pasten. En dat was ook zo.'

'Is dat nog steeds zo?'

'Lijkt het daarop?'

'Heb je er weleens over gedacht om er iets aan te doen?'

'Zo is het genoeg, Goran. Zet me alsjeblieft niet onder druk.'

Ik had Preeti willen vragen of ze er weleens over had nagedacht om te gaan scheiden, maar deed het niet. Het was duidelijk dat we ons in een mijnenveld bevonden. Ze ging met me mee naar huis en bleef voor de eerste keer slapen. Toen ik de volgende ochtend vroeg wakker werd omdat de stroom was uitgevallen en de airco het niet deed, werd ik overvallen door angst om de vrouw die naast me in bed lag kwijt te raken.

46

E en paar dagen later, op weg naar huis in een taxi na een training, werd onze snelheid geremd bij een drukke kruising in de buurt van het Hyatt Hotel. Ondanks de verkeerslichten ontstond op deze plek altijd een enorme opstopping, ongeacht of de lichten op rood of op groen stonden. Dat maakte de plek bijzonder aantrekkelijk voor de bedelaars en straatverkopers die rond de voertuigen in de claxonnerende rij liepen.

Ik was gewend aan het tumult en verstopte me achter een krant als het bloemenmeisje met haar verwelkte rozen verscheen of de melaatse man met zijn verminkte hand een bedelaarsschaal uitstak. Deze keer kreeg ik echter een kleine schok te verwerken toen ik na een bescheiden klopje op het raam de *Hindustan Times* liet zakken en Shania's misvormde gezicht aan de andere kant van het raam zag. In tegenstelling tot de keer in de sloppenwijk deed ze nu geen poging om haar hazenlip te verbergen. Toen ze na een paar seconden echter ontdekte dat ik degene was die in de auto zat trok ze de sjaal snel voor haar gezicht. Ik draaide het raam naar beneden en vroeg hoe het met haar ging.

'Ik wil niet meer, sir. Ik wil hier weg,' fluisterde ze met nadrukkelijke angst in haar nasale stem.

'Wat is er gebeurd?'

'Laat me met u mee naar huis gaan om schoon te maken. Ik ben een heel goede huishoudster, ik kan alles. Alstublieft, neem me mee en ik zal laten zien hoe flink ik ben!'

Door de smeekbede in haar stem in combinatie met mijn slechte geweten, dat in mijn achterhoofd had geknaagd sinds we elkaar hadden ontmoet, handelde ik instinctief. Op het moment dat de taxi langzaam begon te rijden opende ik het portier en trok Shania op de achterbank. De chauffeur staarde boos naar ons, maar ik zei tegen hem dat het goed was en dat hij gewoon door moest rijden.

Er werd hard op het raam geslagen. Ik draaide mijn hoofd om en zag de boze blik van een jongen die eerst naar Shania wees en daarna een agressief gebaar met zijn hand maakte. De taxichauffeur remde en zag er besluiteloos uit.

'Rij door!' riep ik en ik gaf hem een duw in zijn rug. 'Je krijgt extra betaald! Rij gewoon door!'

De jongeman sloeg nu met zijn vuist tegen het raam en schopte woedend tegen het portier, terwijl hij in het Engels tegen me schreeuwde dat ik open moest doen.

De chauffeur aarzelde nog steeds een beetje, maar besloot uiteindelijk dat ik de goodguy was, of in elk geval degene met het meeste geld. Met een snelle draai aan het stuur creëerde hij handig een kleine opening in de verkeerschaos en zo kon hij van baan wisselen voordat de rij achter ons weer sloot.

Na nog een halve minuut loste de verkeersknoop eindelijk op. Ik keek achterom en constateerde opgelucht dat de jongen kleiner en kleiner werd. De angst in de ogen van het meisje verdween langzaam en er kwam een lege blik voor in de plaats.

'Ziezo, je zult zien dat alles snel goed komt,' zei ik. Ik klopte met een trillende hand onhandig op Shania's knie terwijl ik geen flauw idee had wat ik met het meisje aanmoest.

Toen de taxi voor mijn woning stopte had ik het gevoel alsof het lot van het meisje in mijn handen lag, alsof ik door haar hier mee naartoe te nemen persoonlijk verantwoordelijk voor haar was geworden.

De taxichauffeur stapte uit zijn oude Ambassador en keek met overdreven opgetrokken wenkbrauwen naar het achterportier. Dat zat vol butsen en krassen maar het was onmogelijk te zeggen welke eventueel waren veroorzaakt door de schoppende jongeman. Het maakte trouwens niets uit, omdat de auto een klassieke rammelkast was en het stadium dat het de moeite waard was om hem op te knappen allang was gepasseerd. Ik betaalde de chauffeur toch vijfhonderd roepie, zijn wenkbrauwen daalden onmiddellijk.

In de flat vroeg ik Shania te gaan zitten en ik gaf haar een glas water. Ze liet de sjaal voorzichtig zakken en dronk met haar ogen op de tafelrand gericht, waarna ze haar gezicht weer bedekte.

'Kun je uitleggen wat je op de kruising deed en wie de jongen is die tegen het portier schopte?' vroeg ik zo kalm mogelijk.

'Ik kan helpen met schoonmaken, sir.'

'Eén ding tegelijk. Eerst wil ik weten wie je bent en wat je probleem is.'

'Ik zal geen problemen veroorzaken, sir. Dat beloof ik.'

'Dat geloof ik meteen, maar ik wil graag weten wat je hebt mee-gemaakt. En je hoeft je mond niet te bedekken. Ik weet hoe je eruit-ziet en ik wil liever niet met een sluier praten. Ik wil met jou praten.'

Ze liet de sjaal langzaam zakken en begon te vertellen. Eerst stok-ten haar woorden, maar na een tijdje stroomden ze uit haar mond als een woeste voorjaarsrivier. Het was alsof ze dolblij was dat ze haar verhaal, dat ze al zo lang met zich meedroeg, eindelijk kon vertellen nu ze iemand had gevonden die niet alleen wilde luisteren maar die haar vroeg om het te vertellen.

Shania kwam uit Bangladesh, aan de grens met India. Haar vader stierf toen ze een jaar was en ze groeide op bij haar moeder, op het platteland bij haar moeders uitgebreide familie. Door haar uiterlijk werd ze voortdurend gepest door de andere kinderen, maar ze vond troost op school, waar ze de beste leerling met de hoogste cijfers voor alle vakken was.

Toen ze twaalf was, dwong een ernstige droogte de familie om weg te trekken van de verarmde landbouwgrond. De familieleden verspreidden zich in alle windrichtingen. Shania en haar moeder trokken illegaal de grens over naar India en belandden in Calcutta, waar ze in hun onderhoud voorzagen door schoon te maken bij families in de lagere middenklasse en bloemen bij rode verkeers-lichten te verkopen.

Nadat haar moeder op een kruising was aangereden door een automobilist die ervandoor ging en aan de gevolgen daarvan stierf, bleef Shania alleen achter. Een vrouw nam haar mee naar een slop-penwijk naast een vuilnisbelt, waar de bewoners afval van de grote luxehotels sorteerden dat daar werd gestort door vrachtwagens. Shania werkte keihard voor twintig roepie en twee waterige maal-tijden per dag, bestaand uit dal en rijst. Na een paar jaar vluchtte ze samen met twee andere meisjes. Het lukte hun om als verstekeling aan boord van een vrachtwagen te komen die op een trein stond die naar Delhi ging.

In de Indiase hoofdstad had ze zich jarenlang gered met het schoonmaken van toiletten en het verzamelen van afval, maar een paar maanden geleden had een man haar meegenomen in de laad-bak van een truck met de belofte dat zij en de anderen die al in de truck zaten een baan konden krijgen bij de aanleg van een weg.

'Hij bracht ons echter naar een grote sloppenwijk bij Delhi waar al heel veel bedelaars waren. Sindsdien loop ik rond de auto's en laat ik mijn gezicht aan de mensen zien zodat ze medelijden met me hebben en me geld geven,' zei Shania.

Er rolde een traan over haar wang.

'Wat gebeurt er met het geld dat je bij elkaar bedelt?'

'Van elke tien roepie mag ik er één houden. De rest gaat naar de baas.'

'En wie is de baas?'

'Dat weet ik niet, ik heb hem nooit gezien. Maar zijn assistenten zeggen dat ik de baas moet betalen omdat hij een woning voor me regelt, hoewel dat niet zo is. We worden door heel Delhi gereden en op verschillende plekken afgezet. 's Nachts moet ik aan de rand van een sloppenwijk of onder een brug slapen.'

'En wie was de jongen die op de ruit bonkte?'

'Een van de assistenten van de baas. Hij staat hij het verkeerslicht en zorgt ervoor dat we geen geld verstoppen en let erop dat we niet vluchten als we in de sloppenwijk zijn. Ik word bijna altijd bewaakt.'

'Heeft hij je de steeg in getrokken toen we de eerste keer hadden gepraat?'

Shania knikte en droogde haar ogen met een deel van de sjaal.

'Waarom ga je niet naar de politie?'

Ze sperde haar ogen open en haar handen omklemden haar sari.

'Breng me niet naar de politie, sir! Alstublieft, laat me hier blijven!'

'Kalm maar, kalm. Ik beloof je dat ik niet naar de politie ga, maar wat zou daar zo erg aan zijn?'

'De baas betaalt ze, zodat we mogen bedelen bij het verkeerslicht. Als de politie me te pakken krijgt, brengen ze me terug naar de bende.'

Ze keek naar me met glanzende, smekende ogen.

'Of ik kom in de gevangenis terecht en dan sturen ze me terug naar Bangladesh. Moslims die zonder toestemming in India verblijven worden beschouwd als potentiële terroristen.'

Shania's verhaal was zo hartverscheurend dat ik bereid was om haar alleen daarom al een baan als huishoudster te geven, maar er waren aspecten waar ik niet omheen kon. Ik was hier met een toeristenvisum, dat al snel verlengd moest worden, en dan was het niet bepaald slim om een illegale vluchteling in dienst te hebben. Bovendien kon het gevaarlijk voor me zijn als ik het bedelaarssyndicaat van een zekere inkomstenbron beroofde. Aan de andere kant was het onmogelijk om het meisje in de steek te laten, vooral nu ze me in vertrouwen had genomen.

'Als je hier werkt, waar moet je dan slapen?'

'Misschien is er hier een bediendewoning, sir? Dat is vaak zo in dit soort gebouwen. Ik hoef geen salaris te hebben, als ik maar in een kleine kamer mag slapen en bij u mag werken en niet terug hoef om te bedelen. Alstublieft, sir, laat me tonen hoe goed ik ben in schoonmaken!'

Voordat ik antwoord kon geven, stond ze op en liep naar de gootsteen om de vieze borden en glazen die daar stonden af te wassen. Een halfuur later was de flat blinkend schoon nadat ze had afgestoft, gezogen, het toilet had schoongemaakt en de vloer had gedweild. Hoewel ik de flat in een vrij hygiënische staat hield, was er geen twijfel aan dat Shania's schoonmaakkunsten die van mij met straatlengtes versloegen.

'Je hebt niet overdreven, je bent echt een fantastische schoonmaakster.'

'Ik kan ook koken, sir. Indiaas, continentaal, vegetarisch, kip en desserts. Alles wat u maar wilt!'

Mijn maag knorde van verwachting. Dat gaf de doorslag. Als Shania maar half zo goed was in koken als ze in schoonmaken was, kon ik heerlijke maaltijden tegemoetzien. En dat was iets wat ik echt had gemist sinds ik uit Yogi's huis was vertrokken.

Ik liep naar de bewaker en vroeg of er bediendekamers te huur waren. Die waren er niet bij mij, maar wel in een van de gebouwen in de buurt. Hij gaf me het telefoonnummer van de verhuurder en drie uur later was alles geregeld. Shania had een kamer. Het was een donkere ruimte met een piepklein raam, een gloeilamp aan het plafond, gebarsten muren en een smerig matras op de vloer. Ze deelde het toilet met de andere bedienden en water moest ze buiten bij een roestige kraan halen. Maar er was stroom en als ik een tafelventilator kocht zou het duizend keer prettiger en comfortabeler zijn dan een slaapplek in een van de sloppenwijkkrotten van karton en zeildoek bij de stinkende waterloop.

De huur was duizend roepie per maand. Daarnaast bood ik Shania drieduizend roepie als salaris als ze voor me schoonmaakte en kookte. Ze liet haar sjaal zakken en voor de eerste keer verspreidde een glimlach zich over haar gezicht.

47

Als er een speciale hel voor journalisten is, dan ligt een van de aardse filialen daarvan in de bureaucratenburcht Shastri Bhawan aan de Dr. Rajendra Prasad Road in New Delhi.

Ik was weliswaar gewaarschuwd, maar had er toch geen idee van wat me te wachten stond toen ik op een moordend hete dag in juli om elf uur 's ochtends de veiligheidscontrole van de pers- en informatieafdeling van het Ministry of External Affairs passeerde.

Ik was van plan om mijn aflopende toeristenvisum om te zetten in een journalistenvisum met een zo lang mogelijke geldigheidsduur. Dat was eigenlijk tegen de regels, maar volgens mijn vriend bij de Foreign Correspondents' Club, de aan alcohol verslaafde Franse oorlogsfotograaf Jean Bertrand, was het niet onmogelijk. Hij kende een Japanse freelancejournalist en een Noorse persfotograaf die de krachtproef hadden doorstaan. Het geheim was om je te wapenen met koppigheid, geduld en een documentenportefeuille die zo dik was dat de papieren en certificaten die eventueel ontbraken als het ware verdronken in de hoeveelheid.

Om die missie te laten slagen moest ik eerst naar kamer 137 gaan, omdat dat volgens de Fransman het epicentrum was waar alle soorten aan massamedia gerelateerde visa hun onwennige begin hadden. Het bleek een op zijn zachtst gezegd hachelijke onderneming.

Een barse politieagent met een bamboestok en een dreigend, open pistoolholster had absoluut geen zin om me uit te leggen waar ik deze kamer kon vinden. Met een kuchje gevolgd door een rode rochel duwde hij me als een koe met zijn bamboestok naar een overbevolkt hok vlak bij de ingang.

Dat was de plek waar het register lag.

Overal in India kom je deze beduimelde logboeken tegen, waarin je vervolgens je naam, adres, telefoonnummer, tijd van aankomst, aangelegenheid, handtekening en soms ook de naam van je vader (of hij toevallig dood is, is niet belangrijk in dit verband) moet noteren. In normale gevallen duurde het hoogstens een paar minuten. Dit was geen normaal geval.

De man die de scepter zwaaide over dit register was gekleed in een witte kurta en pajama en een grijs vest, dat hij ondanks de drukkende hitte helemaal tot zijn hals had dichtgeknoopt. Op zijn neusrug rustte een bril met ronde glazen en als klap op de vuurpijl was zijn kale hoofd bedekt met een klassiek, wit Nehru-mutsje met een donkere zweetrand. Een piepende plafondventilator verplaatste de benauwde lucht in de ruimte. Ik had het gevoel alsof ik met mijn kleren aan in een stoomsauna stond.

Na een halfuur wachten met andere hevig transpirerende bezoekers was ik eindelijk tot het bureau opgeschoven. Ik vertelde waar ik voor kwam, waarna de man met het Nehru-mutsje zijn wijsvinger langzaam langs niet minder dan tien rijen in het logboek liet glijden die ik allemaal moest invullen. Terwijl ik dat deed leunde hij naar achteren op zijn krakende stoel en las verstrooid in de *Dainik Jagran*, niet in het minst beïnvloed door alle smekende stemmen die probeerden zijn aandacht te trekken. Toen ik klaar was legde hij zijn krant met een zucht weg, waarna hij in slow motion de telefoonhoorn pakte en een nummer intoetste. Na een halve minuut wachten zonder dat er werd opgenomen legde hij de hoorn weer neer en keek me met uitdrukkingsloze ogen aan.

'De uitvoerende hoofdambtenaar voor Pers en overige media is op dit moment niet aanwezig. U zult na de lunch terug moeten komen.'

'Maar, sir, is er niemand anders die ik in plaats van hem kan spreken?' smeekte ik.

'Nee.'

'Kan ik niet wachten tot u hem over een paar minuten opnieuw probeert te bellen?'

'Kom na de lunch terug,' antwoordde het Nehru-mutsje met een verveelde maar compromisloze toon in zijn stem.

Voordat ik had kunnen vragen wat hij bedoelde met 'na de lunch', had de volgende man in de rij zich tot voor het bureau gedrongen terwijl hij mij met behulp van de anderen in de rij tegelijkertijd naar achteren duwde. Zonder dat ik goed begreep hoe het was gebeurd, stond ik plotseling buiten de ruimte, alsof de natte mensenmassa een darmstelsel was en ik een kleine drol die naar buiten was geperst.

's Middags om twee uur was ik terug. Ik constateerde dat de deur naar het register en de onwillige administrateur niet alleen dicht was, maar ook op slot.

'Kom na de lunch terug,' zei de politieagent met de bamboestok.

'Het is na de lunch.'

'Niet voor iedereen. Sommigen hebben nog steeds lunchpauze.'

'Maar ik heb me vanochtend al ingeschreven. Kunt u me niet gewoon vertellen waar ik kamer 137 kan vinden?'

'Waar hebt u het reçu?'

'Welk reçu?'

'Datgene dat bewijst dat u al ingeschreven bent.'

'Zo'n reçu heb ik helemaal niet gekregen!'

'Niemand wordt binnengelaten zonder reçu. Kom over een uur terug en schrijf u in het register in, dan krijgt u een reçu,' zei hij met een autoritaire stem terwijl hij een hoge borst opzette.

Om kwart voor vier was het me eindelijk gelukt om het paarse papiertje te bemachtigen, met een handtekening van de man met het Nehru-mutsje, dat nodig was om de eerste hindernis te passeren. Het volgende punt op het programma was kamer 137 vinden. Ik liep een halfuur lang in verwarring door de sjofele, labyrintachtige gangen op de eerste verdieping, omringd door Indiase bureaucraten die helemaal in beslag werden genomen door het sjouwen van mappen. Een paar van hen waren echter zo vriendelijk om te stoppen en een poging te doen me uit te leggen waar ik kamer 137 kon vinden. Omdat de nummering zoals gebruikelijk in een bureaucratenburcht alle vormen van logica miste, duurde het nog een kwartier voordat ik de juiste kamer had gevonden. Daar stuitte ik op het volgende probleem: de deur was op slot.

Uit pure wanhoop opende ik in plaats daarvan een deur in de gang waar PRESS ROOM op stond. In de kamer zat een man achter een kleine tafel. Met een register.

'Spreekt u Engels?' vroeg ik.

'Yes,' glimlachte hij.

'Weet u waar ik de uitvoerende hoofdambtenaar voor Pers en overige media kan vinden?'

'Yes!' herhaalde hij met zoveel enthousiasme dat ik er hoop van kreeg.

'Waar dan?'

'Yes! Yes!'

In tegenstelling tot de zuurpruim met het Nehru-mutsje op de parterre was de man die de scepter over dit register zwaaide een opgewekt heerschap, uitgerust met een oogverblindend witte glimlach en een vurige behoefte om te helpen. Omdat zijn Engelse woordenschat maar één woord bevatte en omdat hij de enige was die zich in de persruimte ophield en het bijna sluitingstijd was, kwam ik niet verder. Mijn eerste dag in Shastri Bhawan in de Dr Rajendra Prasad Road in New Delhi was ten einde. Er zouden er meer volgen.

Nog vier, om precies te zijn.

Er waren momenten tijdens mijn omzwervingen door de gangen dat ik me afvroeg wie ik was, waar ik naartoe ging en vooral waarom. Maar op de vijfde dag, na een administratieve rompslomp die alles wat ik eerder had beleefd overtrof, en twee lange, uitputtende gesprekken met de uitvoerende hoofdambtenaar voor Pers en overige media in kamer 137, gebeurde het wonder. Een aanbevelingsbrief van de redacteur Buitenland van *Göteborgs-Posten* en de positieve reportage over Rishikesh, met een bijgevoegde Engelse vertaling, liet de beslissing uiteindelijk in mijn voordeel uitvallen. Na hard en ijverig werken was ik de gelukkige eigenaar van een document met een stempel en een handtekening van de uitvoerende hoofdambtenaar voor Pers en overige media bij het Ministry of External Affairs, waarin hij de uitvoerende hoofdambtenaar bij het FRRO, het Foreign Regional Registration Office, nederig verzocht om een journalistenvisum met een looptijd van een jaar te verstrekken aan Mr Güran Borg (hij schreef het rechtstreeks over van mijn visitekaartje, hoewel hij heel veel documenten inclusief kopieën van mijn paspoort had gekregen waar mijn naam goed op was gespeld. Het was heel duidelijk dat de demon Kent weigerde me los te laten).

Dat het daarna nog twee dagen duurde om de uitvoerende hoofdambtenaar bij het FRRO (nog een aards filiaal van de hel) ertoe te bewegen het visum met de vereiste stempels en handtekeningen in zowel paspoort als verblijfsvergunning te verstrekken, was een kwelling die ik gelijkmoedig onderging. Zo'n echte journalist was ik nog nooit geweest.

'Nu kun je mee als ik de volgende keer naar Afghanistan moet,' zei Jean Bertrand toen ik hem diezelfde avond ontmoette in de bar van de Foreign Correspondents' Club om mijn legitieme toetreding tot de groep buitenlandse correspondenten te vieren.

De arrogante Gans van Londen zat aan de tafel naast ons en was opvallend humeurig over mijn kwalificatie als volwaardig lid van zijn chique club. Jean Bertrand ving zijn afgemeten blik op en hief zijn Kingfisher.

'Wat heerlijk om nieuw bloed in de vereniging te hebben, nietwaar, Jay? *Salut Monsieur President!*'

De Gans was zo overrompeld dat hij niet anders kon dan de toost met een geforceerde glimlach beantwoorden.

'Nou, ga je mee naar Afghanistan? Ik vlieg volgende week terug naar Kabul.'

'Als ik heel eerlijk ben, Jean, dan is oorlogsjournalistiek mijn ding niet.'

'Er is geen oorlog in Afghanistan, er zijn alleen kleine schermutselingen.'

'Maar ik ben zelfs voor kleine schermutselingen te laf.'

'Waar wil je dan over schrijven?'

'Ik heb een aantal ideeën in mijn hoofd. En ik heb een verzoek gekregen van een Zweedse krant die een groot artikel wil over kinderarbeid in India. Heb jij tips waar ik kan beginnen?'

'Daar hoef je niet ver voor te reizen. Ga gewoon naar Shahpur Jat in Zuid-Delhi. Dat is een buurt met veel kleding- en designerboetieks tussen de oude, sjofele winkels. Daar zijn ook veel kleine haveloze lokalen in achterafstraatjes vol kinderen die zitten te borduren, min of meer als kindslaven. Meestal zijn het kleine jongens. Meisjes worden als dienstmeisjes verkocht. Een paar jaar geleden werd er veel over Shahpur Jat geschreven toen van het Amerikaanse kledingbedrijf Gap bekend werd dat ze onderleveranciers hadden die kindslaven in het productieproces gebruikten. Daarna werden er wat razzia's gehouden, maar ik heb gehoord dat alles nu weer bij het oude is.'

'Hoe pak je zo'n opdracht aan?'

'Dat is waarschijnlijk het probleem. De louche fabrikanten zijn voorzichtig geworden na het schandaal met Gap. Je kunt niet langer naar binnen lopen met een fototoestel om je nek en foto's maken van kinderen zoals vroeger werd gedaan, en daarna gaan praten met een vrijwilligersorganisatie die een ingang bij de politie heeft. Je moet op de een of andere manier infiltreren.'

'Dat klinkt gevaarlijk.'

'Zo gevaarlijk is het niet. De onderleveranciers zijn sjacheraars die een buitenlander niet zullen vermoorden. Het ergste wat er kan gebeuren is dat je een flink pak slaag krijgt.'

'Het klinkt toch gevaarlijk. Ik denk dat ik het op de lange baan schuif.'

Jean Bertrand dronk zijn Kingfisher leeg en bestelde meteen een nieuwe.

'Ik snap niet hoe iemand zonder gevaar kan leven,' zei hij. 'Het enige wat me echt bang maakt is dat ik op een dag wakker word zonder iets gevaarlijks om naartoe te gaan. Op die dag begin ik te drinken.'

'Sorry, maar waar ben je nu dan mee bezig?'

'Ik bedoel serieus drinken. De rotzooi uit me drinken. Alle hersencellen in mijn schedel dooddrinken en het nirwana betreden.'

'Dat klinkt gevaarlijk,' zei ik.

48

Ik dacht dat ik wakker werd van het ruisende geluid van de airco. Dat klinkt ongeveer als regen die over de bladeren van een boom stroomt. Omdat het echter ondraaglijk warm was in de kamer en bovendien pikdonker, hoe vaak ik ook op het lichtknopje drukte, begreep ik dat de stroom inderdaad was uitgevallen en het geluid van regen echt was.

Ik deed een zaklamp aan, ging op de rand van het bed zitten en voelde tot mijn ontzetting dat mijn voeten kletsnat werden. Toen ik voorzichtig ging staan en de slaapkamer verlichtte, ontdekte ik dat ik in een klein meer stond. De hele vloer stond onder water.

Met de lichtkegel van de zaklamp zocht ik langs de muren en vond een scheur in het plafond waardoor de regen naar binnen stroomde. Ik waadde naar de hal, deed de buitendeur open en liep de trap op naar het terras. De regen stortte neer uit de zwarte hemel en terwijl ik daar stond met het water tot mijn enkels besefte ik dat het onmogelijk was om tijdens deze wolkbreuk te proberen het lek te lokaliseren en te dichten.

De afgelopen weken had ik net als alle anderen verlangd naar de moesson, die verkoeling zou schenken van de verstikkende zomerhitte. Maar nu het eindelijk zover was, voelde ik me een eenzame schipbreukeling op de grote zee: klein, verlaten en aan alle kanten omringd door water.

Ik rende de flat weer in om mijn eigendommen te redden. De laptop lag veilig op een tafel midden in de zitkamer en de muziekinstallatie had het ook gered. Mister Malhotra's voortreffelijke koelkast in de kookhoek hield stand tegen de watermassa en al mijn persoonlijke, waardevolle documenten lagen achter slot en grendel in de bovenste la van het bureau. Het enige wat acuut gevaar liep was mijn net gekochte printer. Ik gooide hem op het bed voordat ik de trappen af rende om de bewaker om hulp te vragen.

Toen ik op straat kwam krioelde het van de mensen, hoewel het midden in de nacht was. Niemand leek mijn ongerustheid echter te delen. In plaats daarvan lachten ze en praatten vrolijk met elkaar of keken met kinderlijk enthousiasme glimlachend naar de donkere hemel terwijl de regen over hun gezicht stroomde. Een hevige donderslag explodeerde vlak boven ons en het lukte de enorme wolkbreuk op de een of andere ondoorgrondelijke manier om nog in kracht toe te nemen. Ik had nog nooit zo'n hevige regenbui meegemaakt. Een paar kinderen gilden van verrukking en lieten zich vallen in de bruisende beek waarin de straat was veranderd.

Ik kreeg de brede rug van mijn buurman in het oog en pakte zijn doornatte overhemdsmouw vast. Toen hij zich omdraaide en zag dat ik het was begon hij nog breder te lachen.

'Eindelijk! Is het niet fantastisch!' riep hij terwijl het water over zijn knipperende ogen stroomde.

'Het lekt in mijn flat!' riep ik zo hard mogelijk om de regen te overstemmen.

'In de onze ook!' brulde de buurman. Hij sloeg opbeurend op mijn rug alsof we een groot privilege deelden.

Na twintig minuten was de wolkbreuk voorbij. Toen de zon een paar uur later opging boven Delhi vreesde ik dat het daglicht de volledige verwoesting van mijn flat zou onthullen. Tot mijn grote verbazing was het echter helemaal niet zo erg. De muur waardoor het water naar binnen was gestroomd, was weliswaar nog steeds nat, maar niet doordrenkt. Indiase huizen lekken misschien als een zeef, maar ze drogen ook in een recordtempo, constateerde ik opgelucht. Ik praatte met de buurman over de scheur in het terras en hij beloofde dat hij iemand zou regelen om hem te dichten.

Shania kwam zoals gewoonlijk om negen uur en ging meteen aan de slag met een emmer, zwabber en dweil. Ze veegde de vieze randen die de regen op de muren had achtergelaten weg en desinfecteerde het overgelopen toilet met chloor.

Het meisje was inmiddels bijna een maand bij me en voelde zich zo thuis en op haar gemak in mijn gezelschap dat ze haar gezicht niet langer bedekte als ze met me praatte. Ze kwam 's ochtends om mijn bed op te maken, schoon te maken en een eenvoudige lunch te bereiden, waarna ik haar geld gaf zodat ze naar de markt kon om verse levensmiddelen voor het avondeten te kopen.

We zeiden niet veel tegen elkaar als ze er was. Ik zat meestal te schrijven en zij kookte. Maar het was een goed gevoel om haar in de flat te hebben, en de maaltijden waren van een heel ander niveau dan wanneer ik zelf probeerde iets in elkaar te draaien.

Een ander groot voordeel van Shania was haar absolute discretie: als Preeti kwam verdween ze zonder dat ik het zelfs maar merkte.

Als iemand een jaar geleden had voorgesteld dat ik een fulltime hulp in de huishouding zou aannemen zodat ik meer tijd zou hebben om mezelf te ontplooien en te werken, had ik dat afgedaan als een belachelijke en gênante bijdrage aan het bediendedebat. Nu leek het de meest natuurlijke zaak van de wereld, en ik hoefde geen slecht geweten te hebben. Ik was blij met Shania's hulp en zij was blij met haar baan. Het was de perfecte win-winsituatie, om een van Eriks meest afgezaagde uitdrukkingen te gebruiken.

Shania bracht haar vrije uren gewoonlijk door in de bediendewoning, waar ze onder de gloeilamp zat te lezen in de tweedehands Engelse pocketboeken die ik voor haar kocht bij een klein antiquariaat. Ze maakte ook elke dag een wandeling, maar ze verliet de omheinde wijk nooit, uit angst dat ze werd gezien door een kwelgeest uit haar vroegere leven. Toen ik haar vroeg of ze zich soms niet eenzaam voelde, keek ze me aan met haar mooie, sprekende ogen.

'Ik zie u, sir. Dat is voldoende. En ik heb het gezelschap van de boeken. Als je nooit alleen bent geweest en altijd door anderen bent gedwongen om dingen te doen is eenzaamheid heel waardevol. Als een toegeeflijke vriend die zwijgend naast je zit en nooit klaagt of schreeuwt of slaat. Een die er gewoon is.'

Preeti kwam 's middags langs. Ze had een mand mango's bij zich, de allerlaatste van het seizoen. Ze schilde en sneed er drie in kleine, smakelijke stukken, die ze in een schaal op tafel zette.

'Het brengt geluk als de moesson naar Delhi komt voordat het mangoseizoen voorbij is,' zei ze terwijl ze een stuk in mijn mond stopte.

Ik glimlachte maar voelde voornamelijk weemoed, zoals wanneer je in Zweden de laatste aardbeien van de zomer at en wist dat het bijna een heel jaar zou duren voordat je er weer van kon genieten. Toen ik naar India kwam hield ik helemaal niet van mango's, maar Preeti had me geleerd om de vrucht met de zachte consistentie en de enigszins kleverige zoetheid lekker te vinden. Hij hoorde als het ware bij haar, vanaf de eerste keer dat ze naar mijn flat kwam met een mand mango's als inwijdingscadeau.

Er hing ook een weemoedige sfeer over onze ontmoeting. Preeti zou de volgende dag naar haar zoon Sudir in Edinburgh vliegen en zou zes hele weken bij hem blijven voordat ze samen naar Londen reisden voor een afsluitend weekend met Vivek Malhotra.

'Eén weekend per jaar. Dat is ongeveer wat mijn man aan zijn familie besteedt,' zei ze met een zweem van verbittering in haar stem.

'Ik dacht dat familie belangrijk was in India.'

'Familie is álles in India, maar dat geldt niet voor onze familie. Ik weet niet goed hoe ik het moet uitleggen.'

Ze keek door het raam naar buiten maar bleef tegelijkertijd in zichzelf gekeerd, alsof ze naar iets in haar herinnering zocht. Vlak daarna raakte ze de draad echter kwijt en ze glimlachte naar me. Ik miste die glimlach met het kuiltje in haar wang nu al zo erg dat het pijn deed in mijn borstkas. Zes weken met haar volwassen zoon, was dat echt nodig? Ik dacht vluchtig aan mijn eigen kinderen. Ik had tegen Mia gezegd dat ze me in India konden opzoeken, maar dat leek plotseling heel onlogisch. Met Linda had ik sporadisch contact via mail en telefoon, maar John had ik slechts één keer gesproken sinds ik had besloten om in Delhi te blijven.

Preeti en ik vrijden lang en aandachtig en daarna sliep ze in mijn armen in de behaaglijke wind van de plafondventilator. Na een halfuur werd ze met een schok wakker, stond op en kleedde zich aan. Toen ik haar hand pakte en probeerde haar weer in bed te trekken, wurmde ze zich uit mijn greep en glimlachte gespannen.

'Ik wil dolgraag blijven, maar ik moet naar de salon om de laatste dingen te regelen voordat ik vertrek.'

'Zes weken is een hele tijd.'

'Ik weet het. En ik weet niet hoe ik het zo lang zonder jou moet redden,' zei ze. Ze gaf me een kus op mijn wang waarna ze het laatste stukje mango van de schaal pakte en dat in mijn mond stopte.

'Iets heerlijks voor een heerlijke man.'

Ik liet de vrucht op mijn tong smelten om de smaak zo lang mogelijk vast te houden terwijl ik tegelijkertijd luisterde naar haar voetstappen die de trap af liepen.

49

Na de eerste enorme wolkbreuk was het alsof de moesson al zijn kracht kwijt was. De blijdschap die de eerste bui had opgeroepen bij de bewoners van Delhi veranderde in teleurstelling, omdat er de rest van de maand juli en begin augustus niet meer dan een handvol kleinere buien viel. De warme lucht was nu echter zo verzadigd van het tropische vocht dat vanaf het zuiden aangevoerd werd dat je na een paar minuten in de buitenlucht toch nat van het zweet en de condensatie was.

Iemand die het plakkerige weer waardeerde was Yogi's moeder, omdat het haar reumatische pijnen verzachtte. Ze had haar versleten fauteuil in de zitkamer verwisseld voor een piepende schommelstoel met kussens in haar rug op de veranda. Ook deze plek was strategisch gekozen, net buiten de open glazen deur van het huis, zodat ze Lavanya's belletjesgerinkel kon horen en tegelijkertijd uitzicht over de straat had via een gat in de haag, zodat ze met haar cyclopenoog de bewakers en de verveelde chauffeur Harjinder Singh kon controleren als ze een pagina van de *Dainik Jagran* omsloeg.

Ik was bij Yogi uitgenodigd voor het avondeten, en voordat mrs Thakur haar plek aan tafel had ingenomen, maakte ik van de gelegenheid gebruik om hem te vragen naar de textielwijk in Zuid-Delhi waar Jean Bertrand over had verteld. Ik had een aansporing van de redacteur Buitenland van *Göteborgs-Posten* gekregen en wilde haar niet teleurstellen. Tenslotte had haar aanbevelingsbrief enorm geholpen bij het verkrijgen van mijn journalistenvisum, en *GP* was bovendien mijn betrouwbaarste inkomstenbron. Daarbij zou een grote opdracht die zowel tijd als inspanning kostte mijn gedachten aan Preeti verdrijven. Het duurde nog drie weken voordat ze terugkwam en ik verging van verlangen.

Hoewel ik nog steeds geloofde dat Jean Bertrands verhaal gevaarlijk had geklonken, kwam het me eigenlijk goed uit. Met een Indiase textielexporteur als beste vriend kon ik immers informatie van een ingewijde krijgen over hoe het gesteld was met kinderarbeid binnen die branche.

'Je Franse vriend heeft voor tweehonderdvijfenvijftig procent gelijk!' riep Yogi verontwaardigd terwijl hij zijn derde bidi op rij opstak. 'In Shahpur Jat wemelt het van de criminele vrekken die arme ouders uit Bihar en Uttar Pradesh overhalen om hun kinderen als kindslaven te verkopen. En de vrekken die zich hoger in de piramide bevinden kopen alle goedkope stoffen en kleren met de mooiste borduursels erop zonder de kleinste vraag te stellen over wie het heeft gemaakt, hoewel iedereen weet dat het kinderen zijn. Mister Gora, als je daar het meest onthullende artikel over schrijft, dan verzamel je zoveel goed karma dat je volgende leven één lange geluksroes wordt!'

Yogi haastte zich naar zijn kamer en kwam terug met een kleurrijke folder met foto's van jonge vrouwen die achter weeftoestellen werkten, maar die ook in schoolbanken zaten en in lesboeken verdiept waren.

'Je hoeft je handen niet vies te maken met stoffen van kindslaven. Deze is van de fabriek in Madras waar ik altijd naartoe ga ...' zei hij enthousiast terwijl hij de brochure omhooghield. 'De fabrikant is begonnen met het beste programma, dat ervoor zorgt dat de meisjes die bij hem werken niet alleen geld voor chapati's verdienen, maar ook les krijgen van de slimste leraren. Ik moet daardoor een paar roepie meer betalen voor mijn stoffen, maar ik slaap 's nachts tenminste goed. En de prijzen zijn nog steeds zo voordelig dat ik de mooiste winst maak als ik de stoffen in Europa verkoop.'

'Hoe kom je in de ateliers waar kinderen werken?' vroeg ik. 'Ik heb gehoord dat het tegenwoordig veel moeilijker is dan vroeger.'

We konden niet verder met onze discussie omdat mrs Thakur op dat moment ondersteund door Lavanya de kamer binnenkwam. Het dienstmeisje zette de oude vrouw zo voorzichtig op de stoel aan de korte kant van de tafel dat het leek alsof ze van porselein was.

'Bah, wat stinkt het hier naar je afschuwelijke bidi's,' mopperde mrs Thakur met een scherpe blik op haar zoon, waarna ze met een milde glimlach naar mij keek.

'Mister Borg, het is een hele tijd geleden dat we elkaar gezien hebben. Wat hebt u de afgelopen tijd allemaal gedaan?'

'Bedankt voor de belangstelling, mevrouw. Ik heb meerdere artikelen voor verschillende Zweedse kranten geschreven.'

'Ik hoop dat ze betrouwbaarder zijn dan de rommel waarmee ze de *Dainik Jagran* vullen.'

Omdat Yogi's moeder ongeveer de helft van haar tijd besteedde aan het lezen van voornoemde krant (de andere helft besteedde ze aan oude Bollywoodfilms) leek het verleidelijk om haar te vragen waarom ze dan geen andere krant las. Door ervaring wijs geworden zag ik daar echter van af. Mrs Thakur was het best te verdragen als ze een beetje kon mopperen zonder dat iemand tegen haar in ging. Zolang haar sarcasme en ironie niet werden ondersteund door de zachte, maar verwachtingsvolle, twistzieke toon in haar stem had je niets van haar te vrezen.

'Lieve amma,' zei Yogi terwijl hij zijn moeder liefdevol op haar hand klopte. 'Mister Gora is niet zomaar een journalist. Hij heeft Shah Rukh Khan zelfs geïnterviewd!'

'Die parvenu,' mopperde de oude vrouw. 'Was het niet beter geweest om Big B te interviewen? Dat is tenminste een acteur met karakter.'

'Wat een schitterend idee!' riep Yogi.

'Absoluut! Een ontmoeting met Amitabh Bachchan, dat moet mijn volgende grote project worden,' zei ik om mrs Thakur de mond te snoeren, maar ik had er meteen spijt van. Ik had geen zin om opnieuw vast te zitten aan een exclusief interview met een moeilijk te benaderen Bollywoodster.

Ik werd gered door de kok Shanker, die binnenkwam met een pruttelende curry, die hij op tafel zette.

'Mmm, dat ruikt goddelijk! Niemand kan een echte *navratan korma* koken zoals jij, Shanker!' prees Yogi hem lyrisch.

'Wat voor noten heb je gebruikt?' vroeg zijn moeder argwanend.

'Gepelde amandelen en cashewnoten, mevrouw. Precies zoals u wilt,' zei de kok terwijl hij een halve pollepel op haar bord schepte.

De kruidige groentestoofschotel met paneer smaakte voortreffelijk, net als de aardappelcurry uit Gujarat en de *palak dal*, een aanzienlijk mildere linzenschotel met spinazie. Samen met de luchtige rijst en het versgebakken naanbrood was het een perfect samengestelde maaltijd. Ik at veel en met een zuiver geweten, omdat ik eerder op de dag anderhalve kilometer op de loopband van het Hyatt had gerend.

Voor het dessert serveerde Shanker zijn eigengemaakte *kulfi*, het zoete Indiase ijs met de smaak van kardemom.

'Ik snap niet waarom het hier zo koud moet zijn,' klaagde mrs Thakur. Ze riep Lavanya, die meteen verscheen.

'Zet de airco af. We worden van twee kanten aangevallen door de kou en staan op het punt dood te vriezen.'

Yogi en ik deelden de mening van de oude vrouw over de temperatuur niet, maar hielden onze mond ter wille van de lieve vrede. Na het eten ging mrs Thakur in de fauteuil voor de televisie zitten terwijl Yogi me meetrok naar de tuin, zogenaamd omdat hij wilde roken. Dat klopte weliswaar, maar het was voornamelijk een smoes om het scherpe gehoor van zijn moeder te omzeilen.

'Ik heb bedacht wat je moet doen om die fabrieken binnen te komen,' fluisterde hij, hoewel we buiten gehoorafstand van zijn moeder waren. 'Je moet doen alsof je een textielimporteur uit Europa bent die zaken wil doen.'

'En hoe moet ik dat dan doen?'

'Heel gemakkelijk. We laten een nieuw, mooi visitekaartje drukken met de meest valse naam erop, waarop staat dat je textielhandelaar bent. Dan kun je leveranciers in de wijk zoeken en vragen stellen over de productie en zeggen dat je wilt zien hoe het proces verloopt.'

'Maar ik weet niets over textiel. Ik val meteen door de mand met mijn onwetendheid.'

'Daar heb je gelijk in,' zei Yogi terwijl hij in zijn dubbele kin kneep op de voor hem zo karakteristieke manier. Ineens begon hij triomfantelijk te lachen.

'Maar ík weet alles over textiel en borduursels! Ik kan met je meegaan als je Indiase zakenpartner. Dan wordt het nog geloofwaardiger en dan kun jij stiekem foto's van die arme kinderen maken.'

'Meen je dat serieus?'

'Natuurlijk! Ik heb er altijd van gedroomd om die afschuwelijke uitzuigers in de val te kunnen lokken en dit is eindelijk de juiste gelegenheid. Laten we meteen aan het werk gaan!'

50

Zo gezegd, zo gedaan. De volgende dag bestelden we nieuwe visitekaartjes voor Yogi en mij in een kleine drukkerij bij Khan Market, die in tegenstelling tot die in Old Delhi maar een dag nodig had om ze af te hebben. Geen goud en artistieke logo's deze keer, alleen een valse naam, een valse firmanaam en de telefoonnummers van twee net gekochte telefoonkaarten. Ik heette Jan Lundgren en was directeur van Lundgren Import, terwijl Yogi Sanjay Chauhan heette en Hanuman Garment Export leidde.

Nog twee dagen later waren we er klaar voor, nadat Yogi me een minicursus over het abc van de textielhandel had gegeven en een plan had bedacht voor onze geheime actie. Gekleed in koele linnen kostuums van een uitstekende kwaliteit, gemaakt door een chique kleermaker bij Connaught Place, en uitgerust met aktetassen persten we ons om tien uur 's ochtends al in de Tata om de ergste hitte te ontlopen. Ik vond dat we er grappig uitzagen met onze bijna identieke kleding, maar in de auto op weg naar Shahpur Jat hield Yogi vol dat ons tenue een buitengewoon slimme zet was.

'Het toont dat we een team zijn,' zei hij. 'Bovendien laten de kostuums zien dat we eerder de allerbeste zaken hebben gedaan. Textiel van deze kwaliteit vind je niet op een plaatselijke markt. Dit is het beste en duurste linnen uit Egypte,' pochte hij terwijl hij de mouw van zijn colbert tevreden tussen zijn vingers wreef.

Yogi parkeerde in de schaduw van een groepje bomen aan de rand van de wijk en we liepen de donkere, koele steegjes in. Het zoete aroma van versgezette masala chai vermengde zich met de geuren van gebakken ui en lekkende rioolbuis in de combinatie van doordringende geuren en dampen die zo kenmerkend was voor de omgeving van Indiase markten.

Het geratel van de ijzeren rolluiken echode tussen de gebouwen en in de al geopende kapperszaken zaten mannen met schuim op hun kin op een rij voor hun ochtendscheerbeurt.

We liepen langs meerdere donkere gaten in de gevels waar hurkende mannen en vrouwen bezig waren met van alles, van het schillen van aardappels tot het sorteren van overgebleven restjes van de kleermakerijen. Na een tijdje kwamen we in een deel van Shahpur Jat dat werd gedomineerd door kledingwinkels. Nadat Yogi een aantal boetieks had afgekeurd bleef hij staan onder een bord waarop met sierlijke letters BEST FASHION stond.

'Dit is als ik me niet vergis een vrij groot bedrijf. Laten we hier beginnen,' stelde hij voor, waarna hij de deur openduwde.

De verfrissende wind van de airco in de ruime zaak zocht zich een weg door mijn overhemdkraag en stuurde een behaaglijke rilling langs mijn ruggengraat. We werden meteen omringd door drie jonge verkopers die uitnodigend glimlachten en vroegen waarmee ze ons van dienst konden zijn.

Yogi maakte een afwerend gebaar met zijn hand en trok een gewichtig gezicht, waardoor een oudere heer, gekleed in een elegant kostuum en met een grijze rand langs de middenscheiding in zijn verder ravenzwarte haar, achter de balie vandaan kwam en naar ons toe liep.

'Wat kan ik voor u doen, heren?' vroeg hij beleefd.

'We willen praten met de baas van dit bedrijf,' antwoordde Yogi.

'Mag ik vragen waarover het gaat?'

'Dat mag. We zijn hier om de mogelijkheden van een samenwerkingsverband te onderzoeken,' zei Yogi, waarna hij zijn valse visitekaartje met een hooghartig lachje overhandigde.

De man pakte het kaartje aan en wierp er een snelle blik op.

'Dan bent u aan het juiste adres, mister Chauhan,' zei hij terwijl hij zijn rechterhand op zijn borst legde in een respectvol gebaar naar Yogi, waarna hij mij begroette met een slappe handdruk. Het voelde alsof ik vijf koude wienerworstjes vasthad.

'Ik ben de eigenaar van Best Fashion. We weven, naaien en borduren alles wat de klanten wensen. Ik ben Varun Khanna. Aangenaam kennis te maken.'

'En ik ben Jan Lundgren,' zei ik. 'Kledingimporteur uit Zweden.'

'Uit Zweden? Wat buitengewoon interessant, mister Lundgren. Ik droom ervan om een keer naar uw land te reizen en de hoge alpentoppen te zien. Ik kijk graag naar Bollywoodfilms die zijn opgenomen in Zweden! En ik hou heel veel van de kaas met grote gaten die jullie fabriceren. Die heb ik gegeten in een chic restaurant in Delhi.

Heel bijzonder van smaak, maar ook heel lekker.'

'U bedoelt Zwitserland.'

'Ja, uw land is echt heel mooi.'

'Maar ik kom niet uit Zwitserland. Ik kom uit Zweden. Dat is een heel ander land dat in Noord-Europa ligt. Onze bergen zijn niet zo hoog als in Zwitserland en onze kazen hebben minder grote gaten, maar we hebben de hoogste belasting ter wereld,' zei ik. Ik keek met half dichtgeknepen ogen naar hem in een poging een ongedwongen sfeer te creëren.

De man zag er een moment hulpeloos uit voordat hij zich herstelde.

'Tja, er zijn ook zoveel opwindende landen in Europa. Ik hou echt van uw fantastische continent!'

'Uitstekend. Dan kunt u misschien ook heel goede prijzen bieden aan mijn Europese vriend,' mengde Yogi zich in het gesprek.

'Natuurlijk! Maar laten we hier niet blijven praten. Laten we naar achteren gaan, dan zorg ik voor iets verfrissends te drinken,' zei hij en hij leidde ons met een beleefd gebaar naar een kamer achter de balie.

51

We gingen op een bank zitten en kregen koekjes met nimbu pani van een tengere vrouw in een sari, die een duidelijke geur van rozenwater achterliet. Na nog een paar eerbetuigingen aan Europa in het algemeen (omdat Varun Khanna niets wist over Zweden) ging ons gesprek over op zaken. Ik legde uit dat ik vooral op zoek was naar goed genaaide dameskleding van exclusieve materialen.

'Het moet echte, met de hand geborduurde natuurzijde zijn. Mijn klanten in Scandinavië zijn heel kieskeurig,' benadrukte ik.

'Natuurlijk. We hebben de mogelijkheid om de productie helemaal volgens uw wensen te maken.'

Ik nam een slok citroenlimonade en vertrok mijn gezicht door de zure smaak.

'U moet het me niet kwalijk nemen, maar ik heb helaas slechte ervaringen met Indiase leveranciers die hebben geknoeid met de kwaliteit. Daarom zou ik het prettig vinden als ik het productieproces kan bekijken voordat we verdergaan,' zei ik.

'Natuurlijk, mister Lundgren. We kunnen een van onze productieafdelingen bezoeken. Misschien morgen al?'

De glimlach van de textielhandelaar was nu zo breed dat de gouden vullingen in zijn kiezen zichtbaar werden.

'Als we zaken gaan doen, wil ik het vandaag zien. Ik ben niet geïnteresseerd in voorbereide bezoeken,' wierp ik tegen. 'En vooral het borduurwerk wil ik nader bekijken. Ik moet heel zeker weten dat het honderd procent natuurzijde is en dat het echt met de hand gemaakt is en niet machinaal gefabriceerd.'

'Dat kan ik garanderen, mister Lundgren! Dit ingewikkelde borduurwerk bijvoorbeeld kan niet met een machine gemaakt worden,' zei hij terwijl hij een saristof met een fijn patroon van bloemen en vogels pakte.

Yogi trok een bundel dunne zijdedraden uit de stof en stak vier ervan aan met zijn aansteker. Ze veranderden meteen in grijszwarte as zonder eerst te branden of te smelten, zoals gebeurd zou zijn als het materiaal polyester zou bevatten.

'Nu ziet u het zelf! Het is voor honderd procent echt,' zei de textielhandelaar, zichtbaar tevreden over de uitslag van Yogi's kleine experiment.

'Dat klopt, maar ik wil het borduurwerk ook zien,' zei ik vastbesloten. 'En ik wil het nu zien.'

Mr Khanna wreef zijn handpalmen tegen elkaar en keek op zijn horloge.

'Het is nog heel vroeg en ik weet niet zeker of het werk al gestart is. Als u een paar uur kunt wachten zodat ...'

'Ik zal het zonder omwegen zeggen, zodat we geen toneel tegenover elkaar hoeven te spelen. Ik ben niet in India om aan liefdadigheid te doen. Ik ben hier om zaken te doen en het enige wat ik belangrijk vind is de kwaliteit en de prijs. Hoe het eruitziet in de ateliers, hoeveel salaris jullie betalen en wie het werk uitvoert kan me niet schelen. Ik vind het trouwens huichelarij als westerlingen die hiernaartoe komen om geld te verdienen over het werkklimaat klagen. Tenslotte zijn jullie als fabrikanten degenen die banen voor de armen creëren. En kinderen gaan er niet dood aan als ze een beetje werken om bij te dragen aan het levensonderhoud van de familie. Integendeel.'

Nadat ik het lokaas had uitgegooid duurde het niet lang voordat mr Khanna toehapte.

'Hoe groot is de order waarover we praten?' vroeg hij.

'U moet begrijpen dat ik geen cijfers kan noemen voordat ik heb gezien wat u hebt en hoe dat geproduceerd wordt. Wat ik wel kan zeggen is dat het om aanzienlijke hoeveelheden gaat, natuurlijk onder voorwaarde dat gegarandeerd wordt dat het handwerk is.'

'En u hebt geen gedragscode zoals veel andere Europese bedrijven?'

'Mijn enige gedragscode is die tussen u en mij. Wij moeten elkaar kunnen vertrouwen.'

Ik luisterde naar mijn woorden en verbaasde me erover hoe geloofwaardig ik klonk. Mijn laatste ervaring met toneelspelen, als je het hele leven tenminste niet als een langgerekt drama beschouwde, was bijna veertig jaar geleden. Ik had, als favoriete leerling van de muzieklerares, de rol van Mr Higgins gekregen in de schooluitvoering van *My Fair Lady*. Die rol werd na slechts drie repetities weer van me afgenomen omdat ik moeite had met 'de kat krabt de krullen van de trap', en in een uiting van het tourettesyndroom telkens 'lullen' in plaats van 'krullen' zei. Ik werd pioenrood terwijl de andere kinderen in een eenstemmige, bulderende lach uitbarstten. De vriendelijke muzieklerares probeerde me echt te helpen, maar gaf het uiteindelijk op. De rol ging in plaats daarvan naar Janne, een zelfverzekerde maar half toondove jongen uit mijn klas, die tot overmaat van ramp verkering kreeg met de bloedmooie Louise Andersson, die het bloemenmeisje Eliza speelde en op wie ik zelf een oogje had. Vanaf dat moment leed ik aan een lichte podiumangst.

Deze keer was mijn tekst echter loepzuiver. Misschien was ik in een vroeger leven een textielimporteur met een twijfelachtige moraal geweest? Misschien had ik mijn innerlijke kracht gevonden? Mijn innerlijke god zelfs? In elk geval klonk ik overtuigend genoeg om mr Khanna te misleiden.

'Goed, mister Lundgren, dan weten we wat we aan elkaar hebben. Ik waardeer uw eerlijkheid en deel uw mening volkomen. Als u heel even geduld hebt, dan kunt u het arbeidsproces zo meteen bekijken.'

Hij voerde een telefoongesprek en tien minuten later bevonden we ons in een lokaal zonder ramen, dat werd verlicht door middel van felle tl-buizen, slechts een paar honderd meter bij de boetiek vandaan. Op de kale vloer zaten een stuk of twintig kleine jongens, die eruitzagen alsof ze tussen de zes en twaalf jaar waren. Ze borduurden zijden stof die over grote houten raamwerken was gespannen. Met nauwkeurige en snelle, maar monotone bewegingen werden de dunne naalden volgens een opgedrukt patroon naar boven en naar beneden door de stof gestoken. Een paar jongens naaiden pailletten en kleine parels op de stof. Een man in een smerig hemd en met een strenge gezichtsuitdrukking bewaakte het werk vanuit een windsorstoel. De lucht stond stil en het rook scherp naar opgedroogd zweet, als in een oude gymnastiekzaal. Ik zocht vergeefs naar een ventilator. Het moest ruim boven de dertig graden in het lokaal zijn.

Wat me echter het meest beklemde was de absolute stilte in combinatie met de apathische blikken van de jongens. Er lag geen angst of verdriet in hun ogen, alleen een bodemloze leegte, alsof iemand hen van hun zielen had beroofd. Een hele zaal vol kinderen zonder een zweem van gegiechel, een glimlach of in elk geval een ondeugende gezichtsuitdrukking. Ik kon me niet herinneren dat ik ooit iets had meegemaakt wat hierbij in de buurt kwam.

'Op dit moment versieren de jongens sari's en Indiase trouwkleding, maar ze hebben ook ervaring met het borduren van damesblouses met een westerse pasvorm,' verzekerde Varun Khanna me terwijl hij door de haren van een van de jongste kindarbeiders woelde.

De jongen schrok van de plotselinge aanraking en verstijfde helemaal, alsof zijn kleine lichaam zich voorbereidde op een klap. Zijn ogen bleven echter leeg en uitdrukkingsloos.

Yogi had de camera tevoorschijn gehaald en begon foto's van het borduurwerk te maken zonder de fabrikant eerst om toestemming te vragen. Hij deed het met de vanzelfsprekendheid van een koper die zich bewust is van kwaliteit, en het leek zo natuurlijk dat je flink paranoïde moest zijn om een vermoeden te krijgen van ons eigenlijke doel. Ik was ervan overtuigd dat ik de enige was die zag dat mijn vriend de camera soms iets draaide zodat hij de jongens ook op de foto kreeg.

Na de demonstratie keerden we terug naar de winkelruimte, waar we werden uitgenodigd voor thee en samosa's, met de rode chilisaus waar Yogi zo gek op was. Ik pakte mijn notitieblok en een pen uit mijn aktetas en begon vragen te stellen over kosten en capaciteit.

'De prijs zal u niet afschrikken. We liggen op een heel redelijk niveau. En wat de capaciteit betreft zijn onze mogelijkheden in principe onbeperkt. We hebben heel veel productie-eenheden die op korte termijn aan de slag kunnen,' legde mr Khanna uit. 'Alleen al in Shahpur hebben we twaalf lokalen zoals u daarnet hebt gezien.'

'Hoe gegarandeerd zijn jullie leveringen eigenlijk?' vroeg Yogi met gespeelde scepsis terwijl hij zijn vettige vingers aflikte.

'Heel gegarandeerd.'

'Dat zeggen jullie allemaal. Vergeef me mijn meest opdringerige vraag, maar hoe moeten we weten dat het in dit geval wel klopt? Het gaat zoals gezegd om de grootste hoeveelheden en mister Lundgren moet erop kunnen vertrouwen dat het tijdschema wordt aangehouden als de productie eenmaal op gang is gekomen. En vooral ík moet daarop kunnen vertrouwen. Als Indiase partner van een grote Europese inkoper leef ik een buitengewoon gevaarlijk leven. Als er iets misgaat, is het mijn knappe hoofd dat rolt, niet dat van u,' zei Yogi terwijl hij een snijdend gebaar over zijn hals maakte, waarna hij begon te lachen.

Ik glimlachte instemmend. Mr Khanna verstrengelde zijn handen en schraapte zijn keel.

'Dan moet ik de omvang van de order weten,' zei hij. 'Over welke getallen hebben we het, heren?'

'Als we overeenstemming bereiken over de prijs gaat het om een eerste order van honderdvijftigduizend blouses, die geleverd moeten worden binnen een periode van drie maanden,' gooide ik eruit.

'Dat zal geen probleem zijn,' zei mr Khanna terwijl hij zenuwachtig zijn lippen met zijn tong bevochtigde.

'Met alle respect, maar ik denk dat mister Lundgren een duidelijker bewijs van uw fenomenale leveringsgarantie nodig heeft om zich op de allerbeste manier rustig te voelen. Of niet soms?' zei Yogi terwijl hij zich naar mij toe draaide.

'Absoluut. Het zou prettig zijn als u een paar andere klanten kunt noemen die grote hoeveelheden van u hebben gekocht.'

'Ik ben natuurlijk deels gebonden aan geheimhouding,' zei mr Khanna, waarna hij zijn stem liet zakken tot een fluistering. 'Maar onder ons gezegd kan ik zowel een groot bedrijf in Dubai als drie gerenommeerde Indiase kledingfirma's noemen die we tot onze regelmatige klanten rekenen.'

'Geen Europese of Amerikaanse bedrijven?'

'Op dit moment niet.'

Dat er helemaal geen westerse klanten waren, was een teleurstelling die ervoor zorgde dat de lucht een beetje uit me stroomde. Het was cynisch, maar een onthulling over kindslaven zou minder waard zijn met alleen Aziatische klanten.

'Dan wil mister Lundgren het een of andere document van de respectabele soort zien als bewijs dat dergelijke transacties met bekende bedrijven hebben plaatsgevonden,' zei Yogi, die nog steeds in een goed humeur was.

'Ik weet niet ...'

'In dat geval moeten we u allernederigst bedanken en op zoek gaan naar een andere leverancier,' ging mijn vriend verder terwijl hij opstond van de bank.

'Wacht even, heren! Zo'n klein detail mag onze samenwerking

toch niet in de weg staan. Natuurlijk mag u zien wat u wilt, maar dan ga ik ervan uit dat het onder ons blijft.'

'Uiteraard,' zei ik.

De textielhandelaar knikte kort en haalde daarna een versleten orderblok uit een bureaula. Hij bladerde er een tijdje in voordat hij ons liet kijken.

'Hier is een order uit Dubai,' zei hij, waarna hij de pagina snel omsloeg naar een nieuwe opdracht.

Hij bleef ons bestellingen tonen van klanten en ratelde namen op van kleine Indiase firma's en prominente privépersonen die me niets zeiden. Yogi gaapte hartgrondig, haalde zijn mobiel uit de zak van zijn colbert en beantwoordde een telefoontje van zijn moeder. De vriendelijke toon waarmee hij 'lieve amma' zei, zorgde ervoor dat mr Khanna veelbetekenend naar me glimlachte. Ik voelde me teleurgesteld en verveeld toen hij aan het eind van het orderblok was beland.

'Ik heb de beste voor het laatst bewaard. Deze bestelling van geborduurde saristof heeft ongeveer dezelfde omvang als uw beoogde order, zowel wat betreft volume als inzet. De hele partij is voor Indian Image, een heel bekend en gerenommeerd Indiaas merk binnen het kledingdesign.'

De naam klonk bekend maar ik kon hem niet plaatsen.

Ik keek snel naar Yogi, die terugkeek met een levendige glans in zijn ogen terwijl hij zijn moeder tegelijkertijd beloofde dat hij over een uur thuis zou zijn.

Plotseling viel het kwartje. Mijn hartslag versnelde en mijn mond werd kurkdroog.

Indian Image.

Als ik het me goed herinnerde van mijn eerdere research behoorde het bedrijf tot een groot zakenimperium.

En dat zakenimperium was in het bezit van een zekere industriemagnaat.

52

'Dat is het duidelijkste teken tot nu toe, mister Gora! Een teken dat zo buitengewoon duidelijk is dat alleen iemand die volkomen blind is aan allebei zijn mooiste ogen het niet ziet!'

Yogi was zo opgefokt na ons bezoek aan Shahpur Jat dat hij nog ongeconcentreerder en slordiger dan anders door het bruisende verkeer van Delhi reed. Ik vond het moeilijk om de informatie die de ontmoeting met Varun Khanna had opgeleverd te beoordelen. Dat Vivek Malhotra's bekende Indiase kledingmerk een verdachte leverancier had die op zijn beurt verdachte onderleveranciers had die misschíén kindslaven gebruikte, was nauwelijks iets om je wenkbrauwen over op te trekken en beslist geen scoop voor een freelancejournalist voor de Zweedse markt. Het was zelfs uiterst twijfelachtig of de enthousiaste redacteur Buitenland van *Göteborgs-Posten* een artikel zou kopen dat was gebaseerd op zulke onbetrouwbare feitenkennis.

Aan de andere kant had Yogi er gelijk in dat het op het persoonlijke vlak bijna een teken van de hemel leek dat de man die tussen mij en de dame van mijn hart in stond misschíén zijn goede reputatie had besmeurd door het gebruiken van kindslaven. De vraag was alleen hoe ik gebruik kon maken van deze pasverworven kennis zodat het mijn zaak diende. Voor zover ik Preeti kende zou ze heel boos op haar man zijn als bewezen kon worden dat hij er inderdaad bij betrokken was, maar dan mocht het niet al te duidelijk zijn dat ik inmiddels een heel egoïstische reden voor mijn journalistieke gedrevenheid had.

'We hebben geen tastbaar bewijs dat Vivek Malhotra zakendoet met Khanna,' zei ik tegen Yogi.

'Ik meen absoluut dat we dat wel hebben!' protesteerde deze terwijl hij zijn mobiel aan me gaf. 'Kijk maar naar de laatste foto.'

'Ik klikte op het icoon en zag een foto die weliswaar een beetje wazig was, maar de firmanaam toonde van zowel de leverancier als de klant op de laatste order die mr Khanna ons had laten zien: Best Fashion en Indian Image. Misschien zou het toch lukken om de reportage te maken.

'Heb je stiekem foto's gemaakt terwijl je met je moeder praatte?'

'Niet helemaal, maar bijna. Ik had lieve amma niet aan de telefoon. Ik liet alleen een ringtoon op mijn mobiel horen en deed daarna of ik met haar praatte. Dat was niet moeilijk. We hebben duizenden keren met elkaar gepraat, dus ik weet hoe een gesprek tussen ons verloopt. Zodra ik aan mijn moeder denk hoor ik haar stem.'

'Indrukwekkend. Waar haal je dat allemaal vandaan?'

Yogi rekte zijn rug en trommelde met zijn vingers op het stuur.

'Het is eerder zo dat wij tweeën elkaar uitstekend aanvullen. Ik geloof over het geheel genomen, mister Gora, dat jij en ik het allerbest bij elkaar passende paar zijn dat India heeft gehad sinds de glorieuze dagen van de hoogstgeëerde koning Rama en zijn vliegende, trouwe Hanuman. Met het allernederigste respect voor alle goden en natuurlijk het besef dat wij maar gewone, simpele mensen zijn.'

De foto van de order was misschien compromitterend voor Vivek Malhotra, maar net als de foto's van de bordurende jongens was het geen sluitend bewijs dat zijn bedrijf betrokken was bij het systematisch gebruiken van kindslaven.

'Wat doen we nu?' vroeg ik.

'Dat is duidelijk,' antwoordde Yogi. 'Je moet erover schrijven en mister Malhotra op die manier onschadelijk maken, zoals Rama zijn magische boog gebruikte om de weerzinwekkende demon Ravana die zijn geliefde vrouw Sita had ontvoerd te verpletteren. Jij doet hetzelfde, maar dan een beetje anders omdat je geen goddelijke macht en kracht hebt zoals Rama. De pen is jouw zwaard! Het wordt minder bloederig en past daarom beter bij je temperament.'

'Je overtreft jezelf, maar het is niet zo eenvoudig om een artikel te schrijven dat alleen op beweringen is gebaseerd.'

'Wie heeft gezegd dat het eenvoudig zou zijn? Rama had veel moed en vindingrijkheid nodig voordat hij Ravana overwon, en hetzelfde wordt van jou verlangd. Maar net als Rama vecht je niet alleen. Je hebt mijn meest toegewijde steun en ik denk dat je vriend de Fransman die zoveel van alcohol houdt ook behulpzaam kan zijn met advies hoe je zo'n belangrijk artikel op de beste manier schrijft en verspreidt. En vergeet niet dat alles een hoger doel dient. Natuurlijk moet de mooiste schoonheidssaloneigenares bevrijd worden uit de klauwen van de slechte demon, zodat jullie wangen de rest van jullie leven warm als chili kunnen blijven. Maar denk ook aan alle kinderen die je redt als je pen net zo scherp is als Rama's pijlen!'

Het klonk hoogdravend, maar ik besloot op dat moment toch om gehoor te geven aan Yogi's aansporing. Drie keer in mijn leven had ik me overgegeven aan bitter zelfbeklag nadat mijn liefde van me was gestolen:

1. Toen de toondove Janne Louise Andersson van me afpikte.
2. Toen de achterbakse Erik Mia van me stal.
3. Toen teflonpak Max die diefstal twintig jaar later herhaalde.

Nu ik zelf de liefdesdief was en Yogi me bovendien beschreef als een goedhartige Robin Hood, moest ik denken aan de gevleugelde woorden van Verner von Heidenstam: 'Je kunt beter luisteren naar een pees die knapt dan nooit een boog te spannen.' Ik was niet van plan om me zomaar gewonnen te geven. Ik was het zat om altijd Mr Second Choice te zijn.

De dag daarna belde ik Jean Bertrand, die in een bar op Indira Gandhi International Airport zat te wachten tot hij aan boord kon van een vliegtuig naar Karachi, waarna hij verder zou vliegen naar Kabul. Voordat hij zowel letterlijk als figuurlijk in de mistlagen verdween bracht hij me in contact met een Indiase journalist en burgerrechtenactivist die was gespecialiseerd in kinderarbeid. Ze heette Uma Sharma en bleek een dertiger met kortgeknipt haar, een grote ronde bril en een brein dat zo scherp was dat je je er bijna aan kon snijden.

We ontmoetten elkaar in een van de cafeteria's van het Indian Habitat Centre, het wanstaltige culturele centrum dat achter Lodi Garden ligt en dat doet denken aan een enorme gevangenisbunker. Voordat ik mijn eerste slok koffie had genomen, had Uma alle problemen benoemd die nog opgelost moesten worden voordat we onze onthulling konden doen.

'Ten eerste moeten we een duidelijke getuigenis van een van de jongens hebben dat ze inderdaad als kindslaven werken. Daarna moeten we meerdere transacties tussen Best Fashion en Indian Image of tussen Indian Image en de andere textielhandelaren die kinderen uitbuiten kunnen bewijzen. Eén order is niet voldoende, dat kan afgedaan worden als een vergissing.'

'En als we contact opnemen met de politie?' vroeg ik.

'Zodat er een razzia gehouden wordt, bedoel je? Natuurlijk is dat een alternatief als we een eerlijke hoofdcommissaris van politie treffen. Maar wat is het resultaat? Een beperkte actie, een paar plichtmatige artikelen in de kranten, een handvol jongens die in het beste geval bevrijd worden en die over een maand in een nieuwe kinderfabriek belanden. Zo werken de slordige journalisten die geen zin hebben om zich in te spannen. Als we willen dat hier echt iets goeds uit voortkomt, dan moeten we een waterdichte reportage hebben. Iets wat niet kan worden geregeld met behulp van steekpenningen en corrupte politieagenten.'

'Dat klinkt als een bijna onmogelijke taak,' zei ik ontmoedigd.

Ze sloeg haar handen tegen elkaar en pinde me vast op mijn stoel met de blik van een strenge lerares. Hoewel ik minstens twintig jaar ouder was dan Uma Sharma voelde ik me bij haar een kind uit de onderbouw.

'Het is helemaal niet onmogelijk. Als je bereid bent om je hiervoor in te zetten en niet opgeeft na de eerste kleine tegenslag, dan is er alle kans dat we slagen,' zei ze. 'Je hebt goed voorwerk gedaan, het contact met de textielhandelaar is de sleutel tot succes. Bouw die relatie uit en probeer zo veel mogelijk informatie te verzamelen, dan ga ik de mogelijkheden onderzoeken om een getuigenis van een paar van de jongens te krijgen. Als deze werkzaamheden die het daglicht niet kunnen verdragen zo omvangrijk zijn als de textielhandelaar beweert, met alleen al in Shahpur Jat meer dan tien borduurlokalen, dan kan een onthulling grote gevolgen hebben, ook als er geen buitenlandse bedrijven bij betrokken zijn. Indian Image is een belangrijke speler in de branche. Als het in India wordt gepubliceerd en goed onderbouwd is, dan vormt het ringen in het water en trekken we de aandacht van de internationale media.

'Welke dan?'

'bbc, cnn, *The New York Times, Wall Street Journal*. Als we een beetje geluk hebben en de bal aan het rollen krijgen, dan kan de klopjacht serieus beginnen. Maar dan is het belangrijk dat jij als klokkenluider grondig voorbereid bent, anders ben jij degene die aan de pan blijft hangen.'

Haar manier om de verantwoordelijkheid bij mij te leggen gaf me een ongemakkelijk gevoel.

'Wie weet hiervan, behalve jij en ik?' vroeg ze.

'Jean weet er iets van en natuurlijk mijn vriend Yogi, die met me mee is geweest naar de textielhandelaar.'

'En je wilt dat ik je help?'

'Heel graag.'

'Dan heb ik één voorwaarde, en dat is dat we alles binnen deze kleine cirkel van vier personen houden tot ik het groene licht geef. Kan ik erop vertrouwen dat je geen informatie lekt?'

'Natuurlijk.'

'Mooi. Als we voldoende materiaal voor een artikel hebben verzameld, heb ik de mediacontacten om het op de juiste manier te publiceren. Maar voor die tijd houden we onze mond hierover, voor de veiligheid van alle betrokkenen.'

'Het is dus gevaarlijk?' vroeg ik met een stem die op een gênante manier omhoogging.

Uma Sharma zette haar bril recht en maakte een aantekening in haar notitieboekje.

'Alle belangrijke journalistiek is gevaarlijk, vooral die waarbij de macht onder de loep wordt genomen. Hou er rekening mee dat het tijd kan kosten. Ik hou niet van knoeiwerk. "Geduld" en "discretie" zijn sleutelwoorden. Geef me een paar dagen om een gedetailleerd actieplan te maken, dan meld ik me met verdere instructies.'

Ze klonk als een guerrillaleider die een aanval voorbereidt. Dit is oorlog, dacht ik en ik beet zo hard op mijn onderlip dat de metaalachtige smaak van bloed zich in mijn mond verspreidde.

53

Op de dag dat Preeti eindelijk in Delhi terugkwam gingen de hemelsluizen open. Het was een heerlijke septemberbui, waardoor de temperatuur minstens tien graden daalde en de lucht gevuld was met de geur van vochtige aarde. We hadden afgesproken elkaar 's middags bij de eucalyptusbomen met de eekhoorns in Lodi Garden te ontmoeten, en toen ik haar aan zag komen lopen tussen de waterplassen, begeleid door libellen die tot leven waren gewekt door de wolkbreuk, voelde ik een onbeschrijfelijk geluk. De zes weken die we gescheiden van elkaar hadden doorgebracht waren in één klap gereduceerd tot een moment. En toen we even later gingen zitten op de nog natte parkbank en ze me kuste met een intensiteit en honger die alles overtroffen wat ik eerder had meegemaakt, voelde ik me duizelig worden en glimlachte ik zo gelukzalig als alleen een stapelverliefde man van middelbare leeftijd kan doen.

De tijd na Preeti's terugkomst ging voorbij in een geluksroes. We zagen elkaar 's avonds in Lodi Garden en ze bleef een paar keer bij me slapen. Het was alleen lastig dat ik Preeti niet kon vertellen wat ik wist over de zaken van haar man. Ik had Uma tenslotte beloofd om de informatie niet verder te verspreiden voordat zij daar het groene licht voor gaf, en die belofte kon ik niet verbreken.

Samen met Uma en Yogi was ik een flink stuk gevorderd met de scoop die hopelijk voldoende ringen in het water zou veroorzaken om Vivek Malhotra als een baksteen te laten zinken, of hem in elk geval zo nat zou maken dat hij het onbehagen niet gewoon van zich af kon schudden als een kat die wordt natgesproeid met de tuinslang.

De louche textielfabrikant Varun Khanna in Shahpur Jat mopperde omdat we de overeenkomst met hem voortdurend uitstelden terwijl we in het begin zoveel haast hadden gehad. Omdat hij echter nog steeds veel hoop leek te koesteren op een lange en winstgevende samenwerking met textielimporteur Jan Lundgren uit Zweden, had hij ons nog vier grote opdrachten van India Image voor handgeborduurde stoffen laten zien om ons te overtuigen van zijn capaciteit en leveringsbetrouwbaarheid.

Bovendien hadden Yogi en ik onze undercoveroperatie in de omgeving voortgezet en drie andere, kleinere leveranciers gevonden, van wie we er twee hadden kunnen overtuigen om het productieproces te laten zien en de namen van een paar belangrijke klanten te noemen. Beide firma's gebruikten jongens uit Bihar en andere arme deelstaten als arbeiders, en beide hadden voor Varun Khanna gewerkt.

Bovendien had Uma met behulp van haar grote contactennetwerk vier jongens gelokaliseerd die vroeger als kindslaven door Khanna waren vastgehouden, maar een jaar geleden waren gered en nu in een kindertehuis woonden. De textielfabrikant had zijn straf ontlopen door alles te ontkennen en de schuld te geven aan een compagnon die het land uit gevlucht was, maar volgens Uma zou hij een nieuwe onthulling niet overleven. En met de informatie die we hadden konden we het Vivek Malhotra ook heel lastig maken, hoewel hij het natuurlijk zou ontkennen.

Wat in het begin een embryo van een schandaal had geleken, was in mijn ogen uitgegroeid tot een volwaardige foetus. Het was meer dan voldoende voor een prachtig artikel in de krant, maar Uma dacht daar anders over. Volgens haar waren er in elk geval nog getuigenissen van jongens nodig en twee weken later meldde ze dat ze de eerste had gevonden.

Het was een twaalfjarige jongen, van de vijfde en laagste kaste, de *dalit*, die eerst uit een van Khanna's kinderfabrieken was gevlucht en daarna uit het plaatselijke politiebureau in Shahpur Jat was ontsnapt nadat hij was opgepakt door een corrupte agent die hem wilde terugverkopen aan de textielfabrikant. Nu bevond de jongen zich in een logement voor straatkinderen in Paharganj, en Uma en ik gingen ernaartoe om hem te spreken.

Ze had een videocamera meegenomen en het lukte haar de vrouwelijke leidster ervan te overtuigen dat het absoluut noodzakelijk was om het interview te documenteren. Ons werd verzocht voorzichtig te zijn tegenover de jongen, omdat hij 'speciaal' was, en we mochten hem spreken in een kleine, benauwde kamer met een grote foto van Mahatma Gandhi aan één muur en een raam dat uitkeek op een donkere, stinkende steeg in de tegenoverliggende muur.

Ik had een bedeesde en zwijgzame kleine jongen verwacht. Het enige wat daaraan klopte was dat hij klein was. In het gezicht van de jongen was geen spoor te zien van de inschikkelijkheid die ik bij andere kindarbeiders had gezien. Het eerste wat hij deed toen hij was gaan zitten op een van de vieze plastic stoelen die rond een versleten houten tafel stonden, was me uitvoerig en kritisch inspecteren met zijn fonkelende ogen. Daarna stak hij zijn rechterhand uit en siste 'Sigaret!' met een zachte maar toch doordringende stem.

De jongen droeg een verwassen T-shirt met een afbeelding van Britney Spears en een spijkerbroek met wijde pijpen vol vlekken en een taille die zo hoog was dat die tot boven zijn navel kwam. Zijn voeten staken in een paar te grote, imitatieleren herenschoenen met puntneuzen.

'Het spijt me, maar ik rook niet,' zei ik.

'En dat zou jij ook niet moeten doen,' zei Uma streng.

Daarna volgde een gesprek in het Hindi tussen haar en de koppige kleine nicotineverslaafde dat ermee eindigde dat ik naar een kiosk op straat moest rennen om een klein pakje sigaretten van het merk Gold Flake te kopen. Kanshi, zoals de jongen heette, nam het pakje aan zonder te bedanken en haalde er meteen een sigaret uit. Na een paar keer diep inhaleren verspreidde zich een behaaglijke kalmte over zijn jonge maar al gerimpelde gezicht.

'Hier is waardeloos,' zei hij plotseling in gebrekkig maar begrijpelijk Engels tegen me. 'Te veel regels hier. Te veel kinderen hier. Wil buiten ademen.'

Hij inhaleerde opnieuw diep en peuterde een grote korst uit zijn neus, die hij eerst van dichtbij bestudeerde alsof hij nadacht wat hij ermee zou doen, waarna hij hem uiteindelijk aan de tafelrand smeerde.

'Wat krijg ik?' vroeg hij.

'Wat bedoel je?'

'Jullie willen ik praten. Jullie geven geld, ik praten. Tweeduizend.'

Uma schudde geïrriteerd haar hoofd en ging weer op het Hindi over. Ik begreep dat ze het jonge misdaadslachtoffer probeerde over te halen om zijn verhaal zonder vergoeding te vertellen, maar hij was onvermurwbaar. Kanshi richtte zich opnieuw tot mij en glimlachte listig.

'Tweeduizend. Daarna ik praten. Anders niet. Dan vergeten jullie artikel in krant.'

Hij leunde naar achteren op de plastic stoel met zijn armen over elkaar en verzet in zijn ogen. Ik kon het niet laten om een zeker respect voor hem te voelen en haalde twee biljetten van duizend roepie uit mijn portemonnee. Uma protesteerde zwakjes.

'Ik betaal nooit voor interviews. De verdenking dat we informatie kopen kan op onszelf terugslaan.'

'Dit is geen smeergeld. Het is een legitieme betaling omdat we Kanshi's kostbare tijd in beslag nemen,' zei ik.

De jongen glimlachte tevreden, waarna Uma onwillig knikte. Toen hij zijn geld had aangepakt begon hij meteen te vertellen wat een kontneukende kamelendrijvers Varun Khanna en zijn handlangers waren en hoe smerig ze stonken uit hun pikzuigende monden en wat een stinkende gassen er uit hun harige reetopeningen walmden.

Uma werd een beetje rood terwijl ze vertaalde, maar het lukte na een tijdje om de allergrofste woorden uit de woordenschat van de jongen weg te laten en het gesprek zo te sturen dat het over zijn eigen ervaringen ging in plaats van de lichaamsopeningen van zijn kwelgeesten.

Kanshi's leven kon het best omschreven worden als één lange vlucht. Hij kwam oorspronkelijk uit een familie in Bihar die latrines leegde en was voorbestemd om dat smerige en geminachte werk voort te zetten toen zijn aan alcohol verslaafde, gewelddadige vader hem op een avond zo hard sloeg dat de plaatselijke autoriteiten de jongen in een kindertehuis plaatsten. Een jaar later liep hij daar weg en vertrok hij naar Delhi, waar hij werd opgenomen in een kinderbende die zich bezighield met zakkenrollen op het station. Hij kreeg echter ruzie met de leider over de verdeling van de buit en trok verder, waarna hij in de klauwen belandde van een pooier voor wie hij loopjongen werd. Hij ging ervandoor met een halve dagopbrengst van de hoeren en belandde in Shahpur Jat, waar een ogenschijnlijk vriendelijke man met een theekraampje zich het lot van de jongen aantrok en hem een baantje aanbood.

Kanshi wist niet dat de man dat deed met alle weggelopen jongens, om ze daarna tegen een flinke geldsom door te sluizen naar de textielfabrikanten, waar ze opgesloten en onderdrukt werden en veranderden in apathische kindslaven, net als alle jongens die rechtstreeks van hun straatarme ouders werden gekocht.

Dat gebeurde echter niet met Kanshi. Hij behield zijn trots en het lukte hem uiteindelijk om ook van Varun Khanna's handlanger met het smerige hemd te vluchten. Ik ging ervan uit dat hij binnenkort ook uit het logement wilde ontsnappen, maar vroeg hem voor zijn eigen veiligheid om te blijven tot het artikel was gepubliceerd. Dat beloofde hij als hij nog duizend roepie kreeg.

Uma zuchtte hardop toen ik mijn portemonnee opnieuw opende. Kanshi daarentegen floot vrolijk en stopte de biljetten in zijn sok, waarna hij een Gold Flake opstak en een paar trekjes nam. Daarna vertelde hij uitvoerig en met veel bloemrijke vloeken hoe de jongens in de borduurfabriek elke dag tot veertien uur lang moesten zwoegen met als enige vergoeding eten en een slaapplek, en hoe degenen die probeerden te ontsnappen werden gestraft met een pak slaag. Zelf had hij meerdere keren een pak slaag gehad, maar hij was toch doorgegaan met zijn vluchtpogingen, in tegenstelling tot de anderen, die angsthazen waren.

Helaas herkende Kanshi Vivec Malhotra niet op de foto die ik hem liet zien, maar ik had er eigenlijk ook geen rekening mee gehouden dat de machtige industriemagnaat zijn gezicht zou laten zien in een sjofel lokaal vol kindslaven. Daarentegen kon de jongen maar liefst negen borduurwerklokalen noemen waar hij had gewerkt, die allemaal werden geleid door onderleveranciers van Varun Khanna. Dezelfde Khanna die rechtstreeks leverde aan Indian Image. Het was een keten van sterke aanwijzingen die ruim voldoende moest zijn om Malhotra in opspraak te brengen.

'Snel schrijven in verdomde krant,' zei Kanshi.

Hij spuugde een fluim door het open raam en keek me strak aan met zijn uitdagende ogen.

'Zodat ik weg kan. Moet verdomme ademhalen. Moet voelen dat ik vrij man. Moet verdomme heel erg voelen dat ik vrij man.'

54

Yogi was opnieuw naar Madras geweest, maar was op tijd terug voor Divali. Zijn zongebruinde huid toonde dat hij daar deze keer niet alleen had gewerkt.

'Ik heb ook een paar strandwandelingen gemaakt. Ik moet tenslotte al mijn magen in de beste conditie houden,' zei hij terwijl hij de veerkrachtige autoband boven de band van zijn broek stevig vastpakte.

De Indiërs organiseren het grootste jaarlijkse feest van de hindoes met dezelfde hysterie als de Zweden Kerstmis benaderen. Mijn vriend sleepte me mee tijdens oneindige winkelrondes in de grote, nieuwe warenhuizen en op de volkse markten, die uitpuilden van kooplustige Delhiërs. Hij moest cadeautjes en snoep kopen voor zijn moeder en zussen en hun echtgenoten, en voor tantes en ooms en bedienden en een hele serie andere mensen die dat blijkbaar verdienden.

Ik kocht drie pocketboeken in het Engels voor Shania en een ring met een diamant die ik op een geschikt moment aan Preeti wilde geven. Yogi was erbij toen ik hem uitkoos en haalde me over om niet te veel uit te geven toen ik een paar heel dure ringen bekeek bij een juwelier in Old Delhi.

'Natuurlijk is ze het allerbeste waard, maar daarom hoef je toch niet al je geld uit te geven. Iets zegt me dat Preeti je mooiste zorgvuldigheid belangrijker vindt dan het prijskaartje.'

De goudsmid met hennakleurig haar en blinkend witte tanden staarde geïrriteerd naar Yogi en probeerde me daarna een armband aan te smeren. Dat kon hij vergeten. Mijn vriend liet hem zelfs geen te hoge prijs voor de ring rekenen.

Maar er was geen reden voor de juweliers in de stad om chagrijnig te zijn, integendeel. Ze hadden het extreem druk, net als de snoepverkopers en de vuurwerkverkopers, die vuurpijlen en rotjes verkochten in hoeveelheden die een nieuwe big bang deden vermoeden.

Bovendien zouden alle vrouwen nieuwe sari's dragen en zaten hun mannen als gehoorzame schooljongens naast hen op lange banken in krappe winkels terwijl verkopers de ene na de andere kleurrijke stof toonden. De stoffen werden kritisch bekeken en afgekeurd en er werd zoete masala chai in ongezonde hoeveelheden gedronken tot er na lang en moeizaam beraadslagen uiteindelijk een sari werd uitgekozen, waarna het afdingen tot de juiste prijs begon (wat bijna net zo lang kon duren). Op de gekwelde gezichten van de mannen was te lezen dat dit een traditie was die ze voor elke Divali moesten doorstaan om de rest van het jaar de man in huis te zijn.

Ik dacht aan de kleine jongens die in Shahpur Jat zaten te borduren, en aan Vivek Malhotra, maar ik dacht vooral aan Preeti. Ik had voorgesteld om Divali samen te vieren, omdat haar man op zakenreis in de VS was, maar ze had alleen door mijn haar gewoeld alsof ik een klein kind was en had daarna hard in mijn hand geknepen.

Ik vond het fijn, omdat ik me er jong door voelde en ze me tegelijkertijd het gevoel gaf dat ze me nodig had. Dat ze door mijn haar woelde bedoel ik, niet het feit dat we voor de zoveelste keer gescheiden van elkaar zouden zijn.

De dag na onze ontmoeting vloog ze naar Hyderabad om het feest samen met haar zus en familie te vieren, zoals gepast was voor een Indiase vrouw wier man in het buitenland was. We zouden elkaar twee weken later weer zien en ik was van plan om haar dan alles te vertellen, wat Uma Sharma ook zei.

Het artikel zou over drie weken gepubliceerd worden. Uma had met de redacteur van *Tehelka*, een onafhankelijk weekblad met een sociaal karakter en een grote oplage, afgesproken dat het een groot artikel van meerdere pagina's zou worden. Voordat het verhaal werd geplaatst, zou Vivek Malhotra worden geconfronteerd met de informatie die we hadden over het gebruik van kindslaven in zijn bedrijf, en ik wilde dat Preeti het voor die tijd wist. Ik zou mijn zwijgen ermee kunnen motiveren dat ik overstelpt was met informatie (wat waar was) en de feiten eerst wilde controleren zodat ik geen valse beschuldigingen uitte en nodeloos een hoop stof liet opwaaien (wat bijna waar was).

Er waren momenten geweest waarop ik had overwogen om Uma het artikel te laten samenstellen en presenteren alsof het van haar was, terwijl ik het resultaat van de onthulling in de coulissen afwachtte. Maar mijn jaloerse drijfveer in combinatie met Yogi's verwachtingen hield me tegen. Ik wilde er van het begin tot het eind bij betrokken zijn en de volledige controle hebben, terwijl mijn Indiase vriend geobsedeerd was door het idee dat ik eindelijk mijn demonen overwon.

Een ander probleem was dat ik Uma niets had verteld over mijn verhouding met mr Malhotra's vrouw. Ik was ervan overtuigd dat het mij in haar ogen zo wraakbaar maakte als een journalist maar kon zijn en ik voelde me niet op mijn gemak door alle leugens. Toen ik mijn gewetensbezwaren aan Yogi opbiechtte keek hij me vragend aan.

'Er zijn bepaalde dingen die ik niet goed begrijp van jullie gora's, mister Gora. Wanneer is het een leugen geworden om te zwijgen? Je hebt niet gelogen, je hebt alleen niet alles verteld wat je weet, en je kunt toch niet verlangen dat iemand dat altijd moet doen? Dan zouden we niets anders meer doen dan onze levens en gedachten tegenover elkaar herhalen tot in alle eeuwige eeuwigheden, ongeveer zoals de oude Bollywoodfilms met Big B, en dan is er uiteindelijk in deze mooiste wereld van ons geen lucht meer om adem te halen en geen tijd meer om iets anders te doen en dan klinkt het de hele tijd zoals dit zonder pauzes en met de meest gejaagde stemmen die je je kunt voorstellen, wat een gruwel is om te moeten horen als er zoveel andere interessante en soms zelfs mooie geluiden zijn om naar te luisteren.'

Hij haalde ingespannen adem en probeerde een bidi op te steken, maar de lucifers doofden door zijn gehijg en na drie mislukte pogingen gaf hij het op.

'Ik vind dat je nogal van het onderwerp bent afgedwaald,' protesteerde ik. 'Dat ik niet alles hoef te vertellen betekent niet dat ik het recht heb om het belangrijkste achter te houden.'

'En hoe weet je dat juist datgene wat volgens jou het belangrijkst is dat ook echt is? Alleen de goden weten dat! We kunnen onze levens hier op aarde alleen leven en zo veel mogelijk ons best doen en niet alles wat we weten aan elkaar vertellen omdat er dan geen mystiek en geen geheimen meer zijn. Geheimen zijn goed, mister Gora. Iemand die geen geheimen heeft is een arme man, hoeveel geld hij ook heeft. Geheimen zijn als kaarten van begraven schatten. Je moet ze in je binnenzak hebben, vlak bij je hart, en ze alleen naar het daglicht halen als het heel noodzakelijk is.'

Yogi legde zijn hand op mijn schouder en wees naar de donkere avondhemel boven de verlichte gevel van Red Fort. Ik zag maar een paar flakkerende kleine sterren achter de smog. Het verkeer raasde voorbij in een nooit opdrogende lavastroom van knetterende autoriksja's, krakende paarden- en ossenkarren, claxonnerende auto's en langsdenderende bussen met passagiers die in groten getale uit de open deuren naar buiten hingen. Arme dagloners lagen te midden van al dat kabaal op vluchtheuvels onder dunne dekens te slapen, maar de stad was altijd wakker. Ik had geen moment van volkomen stilte meegemaakt sinds ik naar Delhi was gekomen. Inmiddels was ik zo gewend aan het pulserende leven dat ik me niet kon voorstellen hoe de stad zou zijn als al het geluid plotseling verdwenen was.

'Over een paar dagen explodeert de avondhemel door het licht als we Divali vieren. Je moet het geluk dat je verdient wensen als het vuurwerk ontploft en zijn fonkelende sluiers boven de stad loslaat. En bedenken waarom we Divali vieren.'

'Je bent een poëet, Yogi.'

Hij klopte op mijn rug en trok me door de mensenmassa mee naar de Tata, die op een stoffig parkeerterrein ingeklemd stond tussen een vrachtwagen met een lekkende watertank en een toeristenbus waar net een groep Japanners met lichtgevend groene petten in stapte.

'Je bent mijn allerbeste vriend,' zei hij toen we ons een halfuur later uit de chaos op het parkeerterrein hadden gewurmd, alleen om vast te komen staan in de algemene chaos op straat. 'Maar je bent in bepaalde opzichten ook een blinde man die het moeilijk vindt om alle duidelijke tekens aan de hemel te zien. Je weet toch waarom hindoes Divali vieren?'

'Het heeft iets met Rama te maken.'

Yogi rolde met zijn ogen en imiteerde mijn stem.

'"Het heeft iets met Rama te maken." Is dat alles wat je te zeggen hebt over je innerlijke god? We vieren de terugkomst van Rama nadat hij Ravana heeft overwonnen! We verlichten zijn weg terug naar ons met miljarden lichtjes en fakkels. En we doen dat, mister Gora, op een moment waarop jij je bewapent voor je allerbelangrijkste strijd. Laat je inspireren! Kijk naar de hemel als alles explodeert en laat je in de juiste richting leiden! Giet moed en inkt in je pen zoals Rama zijn boog vulde met goddelijke kracht voor de definitieve strijd met Ravana!'

Yogi's zwak voor religieus gekleurde hoogdravendheden veranderde niet, de razende honger die daar altijd op volgde evenmin. Op weg naar mijn huis stopten we bij een kraampje om samosa's met chilisaus te kopen. Yogi at er vier, die hij wegspoelde met twee glazen suikerrietsap.

'Zo, dat moet genoeg zijn. Ik moet nog wat plek overhouden voor het avondeten met amma. Wanneer denk je dat je grote artikel af is?'

'Binnenkort. Als alles gaat zoals we hopen wordt het over drie weken gepubliceerd.'

'Mooi, ik kan nauwelijks wachten. En denk eraan wat ik heb gezegd, mister Gora. Kijk met vertrouwen naar de hemel als de vuurpijlen knallen. Haal diep adem en laat je volstromen met energie.'

Ik deed wat Yogi had gezegd. Op de avond van Divali, toen de zon onder was en het vuurwerk afsteken begon, ging ik samen met Shania op mijn dakterras staan. Ik keek naar de hemel. Het was schitterend, inspirerend zelfs.

Een halfuur lang.

De vuurpijlenaanval duurde twee etmalen en ging non-stop door. De kruitdamp lag als een ondoordringbaar deksel boven Delhi. Het was onmogelijk om je longen te vullen met energie. Het stonk naar rotte eieren.

55

Na een paar dagen werd het iets gemakkelijker om adem te halen. Hoewel het dit jaar ongewoon vroeg Divali was geweest, vormde het feest toch een resolute grens tussen zomer en herfst. Na de geïllumineerde kanonnade ter ere van Rama kwam de nachtkilte, en daardoor kreeg de naar zwavel stinkende lucht van rotte eieren nooit een echte kans om in de atmosfeer te vervliegen.

Ik schaafde de laatste details van mijn deel van het journalistieke graafwerk over Indian Image bij, maar het lukte me ook om andere artikelen te schrijven terwijl ik op Preeti wachtte. Op een avond, toen ik bezig was met een artikel voor *Veckans Affärer* over het succes van Ericsson in India, ging mijn mobiel. Op de display zag ik dat het gesprek uit Zweden kwam. Toen ik opnam en hoorde wie het was rolde ik bijna van mijn stoel.

'Göran, fantastisch dat ik je eindelijk te pakken heb!'

Kents stem maakte me sprakeloos.

'Ben je daar, Göran?'

'Ja ...'

'Fantastisch om je stem weer te horen. Je bent blijkbaar een heel drukbezet man.'

'Ja ...'

'Je schrijft uitermate onderhoudende artikelen over India. Zowel serieus als grappig.'

Het was typisch Kent met zijn Noordwest-Skånse dialect waarin de woordkeuze net zo weinig melodieus was als de uitspraak.

'Ben je daar nog, Göran?'

'Ja ...'

'Sorry, maar het klinkt een beetje vreemd. Alsof je stem verdwijnt. Ik hoor alleen het begin van de zinnen.'

'Hoe ben je aan mijn telefoonnummer gekomen?'

'Nu hoor ik je beter! Wat zei je?'

'Hoe ben je aan mijn telefoonnummer gekomen?'

'Ik heb met de redacteur Buitenland van *Sydsvenskan* gepraat. Je hebt meerdere scherpzinnige artikelen voor ze geschreven. Ik moet zeggen dat ik behoorlijk onder de indruk ben. Je bent echt een fantastisch goede schrijver.'

Gedurende de drie jaar dat hij mijn chef bij Kommunikatörerna was geweest, had hij me niet één keer geprezen. Nu stroomden de superlatieven uit hem. Het klonk zo onecht dat ik een lichte misselijkheid voelde opkomen. De man die me had afgebrand en me zonder met zijn ogen te knipperen had ontslagen na een dienstverband van vijfentwintig jaar klonk plotseling alsof hij mijn grootste bewonderaar was. Ik begreep dat Kent een verborgen agenda had.

'Wat wil je?'

'Ik wilde alleen informeren hoe het met je is en ik dacht dat je misschien zin zou hebben om wat werk voor ons doen. Ik heb een leuke opdracht die perfect bij je past. Ik betaal natuurlijk het tarief dat vastgelegd is in het contract.'

Ik had de afspraak met Kommunikatörerna over twee schrijfopdrachten per jaar verdrongen en had er niet overdreven veel zin in nu ik zoveel andere dingen had die mijn tijd opeisten.

'Ik heb het op het moment nogal druk. Kan het wachten?'

'Liever niet, Göran. We hebben tenslotte een contract en ik zou het heel erg waarderen als je het doet. Ik denk ook niet dat het erg lastig is. Het is meer een grappige column over voedsel.'

'Over voedsel?'

'Ja, we hebben de opdracht gekregen om iets in onze gemeentekrant *Vårt Malmö* te schrijven voor de internationale voedselweek die binnenkort op de scholen plaatsvindt. In een zwak moment heb ik gezegd dat ik het zou schrijven, maar nu heb ik zo ontzettend veel andere dingen te doen dat het me niet lukt en alle anderen op de zaak zitten ook tot over hun oren in het werk. Ik dacht dat jij het misschien zou kunnen doen, tenslotte woon je in India waar ze zoveel scherp gekruid eten hebben. Misschien iets over curry?'

'Je wilt dat ik een column over curry schrijf?'

'Ja, iets in die richting. Maar dan een beetje in mijn woorden, als je begrijpt wat ik bedoel. Ik heb tenslotte beloofd dat ik het zou schrijven, dus als jij het kunt schrijven alsof ik het geschreven heb, lees ik de tekst door voordat ik het doorstuur zodat ik het me eigen kan maken.'

Kent wilde dat ik zijn ghostwriter werd en voerde als excuus aan dat hij geen tijd had. Ik wist dat het in werkelijkheid gebrek aan talent was. Die sukkel in zijn lamswollen pullover wilde bewijzen dat hij een capabele columnschrijver was, naast zijn vaardigheid met tabellen en cijfers. Hij was natuurlijk geschrokken toen hij merkte dat het niet zo gemakkelijk was als hij had gedacht, en nu moest ik hem redden. Het was net zo absurd als een Russische strafgevangene die weet te ontsnappen uit de goelag en op weg naar de vrijheid langs een wak in het ijs komt waarin hij de eenzame, verdrinkende Jozef Stalin ziet, waarna de strafgevangene in het wak springt om de dictator te redden. Een beetje overdreven misschien, maar iets in die richting.

'Ben je er nog, Göran?'

'Ja ...'

'Ik dacht dat je de column een beetje algemeen zou kunnen houden, omdat ik tenslotte niet in India ben geweest, maar dat de tekst toch een persoonlijke noot heeft. Het mag grappig zijn. En het liefst over curry, zoals ik al zei.'

'Ik weet niet ...'

'Luister, Göran, ik betaal het dubbele tarief van wat er in het contract staat als je de tekst overmorgen klaar kunt hebben.'

Er lag een wanhoop in zijn stem die me uitermate goed beviel. En het dubbele tarief betekende twintigduizend kronen. Dat was een meer dan vorstelijke beloning voor een eenvoudige column.

'Waarom heb je zoveel haast?'

'We hebben een deadline die begint te naderen.'

'Goed. Maar als ik iets schrijf vanuit jouw perspectief moet je me een basis geven. Wat weet je zelf over curry?'

'Helemaal niets, moet ik bekennen. Maar ik vind het een fantastische specerij. Kipstoofschotel met curry is een van mijn favoriete gerechten. Heerlijk met pinda's en gebakken banaan. Dat heb ik een keer op het festival in Malmö gegeten en dat krijgen de schoolkinderen ook geserveerd tijdens de internationale voedselweek. Je kunt vast en zeker iets in elkaar flansen. En als ik de column voor me heb liggen, kan ik hem aanvullen met wat eigen ideeën en gedachten, zodat ik me de tekst eigen maak.'

Ik kreeg een idee.

'Maar dan wil ik vooraf betaald worden.'

'Natuurlijk! Ik kan het geld meteen overmaken! Het is echt aardig van je dat je me helpt.'

De opluchting in Kents stem was overduidelijk. Ik gaf hem mijn bankgegevens en beloofde om de column klaar te hebben zodra het geld op mijn rekening stond.

'Dan moet je snel schrijven, want ik maak het meteen over!' lachte Kent. 'Echt fantastisch om je stem weer te horen, Göran. En dat er geen hard feelings tussen ons zijn.'

Ik gaf geen antwoord op zijn laatste opmerking en sloot af met een vriendelijk 'tot ziens'. Daarna haalde ik een koude Kingfisher uit mr Malhotra's voortreffelijke koelkast, ging achter mijn laptop zitten en schreef met grote letters *curry*. Kent had een vrolijke tekst besteld, maar hij had niets gezegd over het waarheidsgehalte ervan. Mijn vingers dansten over het toetsenbord en een uur later was de voor Kent karakteristieke tekst klaar. Een beter uurloon had ik nog nooit gekregen. De column ging over de fantastische currynoot, die in hetzelfde tempo waarin de Indiase keuken de wereld veroverde, uitgroeide tot het grootste Indiase exportproduct op het gebied van levensmiddelen.

Ik voegde er wat voor Kent karakteristieke humoristische opmerkingen aan toe, zoals 'het heetste product op de markt' en 'een brandende interesse voor curry'. Daarna sloot ik af met een op Kent geïnspireerde lofzang op kipstoofschotel met pinda's en gebakken banaan, de zogenaamde *curry curry nam nam*, dat in de grootste internetstemming aller tijden was verkozen tot het populairste gerecht onder vierhonderd miljoen Indiase schoolkinderen, met op de tweede plaats curryworst met curryketchup, die slechts de helft van de stemmen had gekregen. Als curiositeit schreef ik dat curryharing nog wachtte op zijn grote doorbraak buiten Kashmir, waar het de onbedreigde nummer één was onder de niet-vegetarische voorgerechten.

Het was een zowel grappige als leugenachtige tekst, alsof hij was afgeleid van een heel slechte Werner en Werner-sketch met Åke Cato en Sven Melander. Ik overwoog om de tekst nog te kruiden met de Duitse ü, maar dat was waarschijnlijk te veel van het goede.

Ik logde in op mijn persoonlijke banksite en constateerde tevreden dat het geld van Kent inderdaad op mijn rekening stond. Daarna wachtte ik twee uur voordat ik de column naar hem mailde. Het was een fantastisch gevoel om op VERZENDEN te drukken.

Toen mijn mobiel een uur later ging en ik het Zweedse nummer zag, had ik me al voorbereid op de stortvloed van woorden over bedrog en contractbreuk. Tot mijn enorme verbazing kwetterde hij echter als een nachtegaal in een voorjaarsroes.

'Prachtige tekst, Göran! Met zoveel wetenswaardigheden erin. Ik had er geen idee van dat curry een noot was. Ik dacht dat het een plant was! En je hebt echt de perfecte toon getroffen. Het is net alsof ik het zelf heb geschreven. Het is echt mijn tekst.'

Eerst dacht ik dat Kent op de een of andere merkwaardige manier was veranderd in een man met gevoel voor humor, maar na een tijdje besefte ik dat die stommeling mijn sprookje over de curry-noot echt geloofde. Zijn reactie was zo onwaarschijnlijk dat die gewoon echt moest zijn. Ik bad in stilte dat hij niet voor alle zekerheid 'curry' zou googelen en nam afscheid van de weerzinwekkende man uit Ångelholm. Op hetzelfde moment constateerde ik dat hij zijn kracht als innerlijke demon kwijt was. Ik pakte mijn visitekaartje en keek naar de spelling van mijn naam. Güran Borg. Het enige wat het opriep was een tevreden glimlach. De vloek was verbroken.

Eerst Shah Rukh Khan en nu Kent Hallgren. Er was met andere woorden nog maar één demon te overwinnen, maar hij was niet zomaar iemand.

De machtige, angstaanjagende Vivek Malhotra.

Daarna zou ik een vrij man zijn.

Vrij van mijn demonen en vrij om de mooiste schoonheidssaloneigenares ter wereld lief te hebben.

Zonder voorbehoud of restricties.

56

En paar dagen later kreeg ik een mail van Kent waarin hij me opnieuw bedankte voor mijn bijdrage. Hij voegde een pdf-bestand bij van de bladzijde in *Vårt Malmö* met de column over de currynoot naast een enorme foto van hem waarop hij schaterlachte.

DANK JE WEL, Göran!
Perfecte humor! Perfecte ironie! Curry nam nam ;-)
PRECIES ZOALS IK WILDE DAT JE HET ZOU SCHRIJ-
VEN, GÖRAN! Je hebt mijn woorden en mijn humor
perfect gevangen!! DAT HEBBEN WE GOED GEDAAN!!!
Het is erg goed ontvangen! Hoop dat we opnieuw gebruik
kunnen maken van je diensten!! Zodat we samen meer
grappige columns in elkaar kunnen flansen!
HET ALLERBESTE!
Kent Hallgren

Ik had nog nooit zo'n mail van Kent gezien. Hij voegde altijd tabellen en cijfers toe aan zijn gortdroge berichten in ondermaats ambtenaren-Zweeds vermengd met een paar Engelse branche-uitdrukkingen. Nu was het alsof hij het uitroepteken plotseling had ontdekt op zijn toetsenbord en HET VERSTERKENDE EFFECT VAN HOOFDLETTERS!!!

Zoiets prikkelt de braakneigingen.

Ik wist niet wat voor beschermengel die idioot had, maar ik kon me voorstellen dat het op de volgende manier was gegaan:

Kent had de column naar de krantenredactie gestuurd in de veronderstelling dat curry echt een noot was. Degene die de column redigeerde vond de tekst zo grappig dat hij hem geplaatst had, voorzien van de ontwapenende titel ZO KRAAKTE IK DE NOOT VAN HET CURRY-GEHEIM, en een lachende foto van Kent, plus een voetnoot onder de column waarin werd uitgelegd dat curry zowel een kruidenmengsel als een eenpansgerecht was.

In die situatie had Kent niet anders gekund dan meespelen. Ik begon te begrijpen dat hij er ook deze keer mee wegkwam zonder zijn karakterloze gezicht te verliezen. Hij had namelijk een stijlprecedent om tegenaan te leunen, onder andere van een columnist in *Kvällsposten* die naam had gemaakt door alles bij elkaar te liegen. Hij bedacht ontmoetingen met mensen die niet bestonden, gesprekken in de bus die hij nooit had opgevangen, boeken die nooit waren geschreven, films die nooit waren vertoond en historische gebeurtenissen die nooit hadden plaatsgevonden. En omdat er niets erger was voor een lezer dan te worden beschuldigd van het onvermogen om humor en ironie te begrijpen, kwam hij overal mee weg. Het geloofwaardigheidsprobleem dat ontstond als hij af en toe over echte gebeurtenissen schreef, werd opgelost door deze columns te voorzien van een ernstige foto. Het dilemma was dat een aanzienlijk deel van de lezerskring dat ook als een uiting van ironie beschouwde en tussen de regels naar de grap zocht in verontwaardigde columns over pesten en het beroven van ouderen.

Kent zou nooit openlijk toegeven dat hij in de maling was genomen. Hij was heel dom, maar tegelijkertijd ongewoon slim. Als ik hem er rechtstreeks mee had geconfronteerd, zou hij alleen gezegd hebben dat hij een grapje maakte toen hij het over de curryplant had en dat hij natuurlijk niets geloofde van mijn verhaal over de currynoot. Hij zou zich er waarschijnlijk ook niets van aantrekken als ik zou rondvertellen dat hij geen woord van de tekst zelf had geschreven. Veel belangrijke mannen en vrouwen voor hem hadden gebruikgemaakt van speechschrijvers. Het enige echt belangrijke was immers dat de diepere bedoeling duidelijk werd.

Op het belangrijkste punt had ik de kleine ijshockeyklojo echter overwonnen. Hij had zijn zwakke plek aan me getoond en ik vond het prima om daarvan te profiteren. Dat wist hij diep vanbinnen, hoezeer hij het ook probeerde te verbergen. Ik zou nooit meer door mijn knieën gaan voor types zoals Kent. Die voldoening kon hij me niet ontnemen.

De volgende ochtend vroeg nam ik een taxi naar Nehru Park, een groene oase in Zuid-Delhi en strijdtoneel van allerhande joggers. Ik had met Uma afgesproken op het joggingpad, waar we de opzet van het artikel zouden bespreken.

De taxi zette me af bij de kleine theekraam naast het parkeerterrein, waar veel privéchauffeurs stonden te praten en thee dronken in afwachting van hun sportende opdrachtgevers. Een kleine man met een gegeneerde gezichtsuitdrukking liep langs de groep terwijl hij een kar met een oude, veel te dikke poedel voortduwde. 'Ben je de kleine prins van mevrouw weer aan het uitlaten, Sunil! Zorg ervoor dat hij er niet vandoor gaat!' riep een van de chauffeurs de ongelijke equipage na, waarna de anderen in lachen uitbarstten.

Op dit tijdstip in de ochtend was het Nehru Park vol mensen en honden die in meer of mindere mate bewogen. Bedienden lieten honden uit terwijl de middenklasse zelf probeerde te bewegen. De meesten wandelden, maar er waren ook een paar joggers op het pad. Een gezette sikh met een tulband, een lange dolk in een holster rond zijn dikke buik en splinternieuwe Nikes aan zijn voeten hijgde vermoeid toen hij werd ingehaald door een vrouw in een salwar kameez en op sandaaltjes. Ik liep in een snel tempo over het platgetreden pad naar de plek tegenover een tempel waar de meeste joggers bleven staan om een korte ochtend-puja te bidden. Uma was er al en gebaarde dat ik haar moest volgen toen ik bij haar was.

Ik vond de voortdurende wisselingen van ontmoetingsplek een beetje overdreven, maar vertrouwde haar toen ze vertelde dat het nodig was om het risico om ontdekt te worden te minimaliseren. Varun Khanna was voorzichtig geworden door de langdurige onderhandelingen met Yogi en mij en wilde geen zaken meer met ons doen. Misschien verdacht hij ons ervan dat we iets in onze schild voerden en liet hij ons schaduwen. Er gebeurden vreemdere dingen dan dat in Delhi, benadrukte Uma, die heel vaak was gevolgd in haar carrière. Ik moest haar in elk geval gelijk geven dat er geen betere plek voor een vertrouwelijk gesprek in heel Delhi was dan het Nehru Park in de vroege ochtend. Hier kon je opgaan in de menigte als twee joggende Delhiërs en er tegelijkertijd verzekerd van zijn dat niemand kon horen wat er werd gezegd.

'Alles is klaar. Ik heb vier getuigenissen van jongens die door Khanna zijn gebruikt als kindslaaf,' zei Uma terwijl ze geforceerd met haar armen zwaaide alsof ze probeerde zo veel mogelijk calorieën te verbranden.

'Bovendien heb ik gepraat met twee ex-werknemers van Indian Image die tot het middenkader behoorden en die beweren dat Vivek

Malhotra altijd heeft geweten dat Khanna gebruikmaakt van kindslaven.'

'Willen ze dat getuigen?'

'Als ze anoniem kunnen blijven. Dat is niet optimaal en er is natuurlijk een risico dat ze gedreven worden door oude wraakgevoelens, maar samen met alle andere informatie die we hebben verzameld wordt het toch een heel ingrijpend artikel.'

We hadden een indrukwekkend dossier samengesteld. Orderbevestigingen, facturen en documenten als harde feiten, en daarnaast heel veel gevoelens in de vorm van de getuigenissen van de jongens en een interview van Uma met een gebroken paar uit Uttar Pradesh dat was overgehaald om hun zoon als kindslaaf te verkopen. Bovendien had ze een interview met de Indiase minister van Sociale Zaken geregeld, die ze verantwoordelijk wilde houden voor het feit dat de autoriteiten het smerige gebruiken van kindslaven jaar na jaar lieten doorgaan zonder het probleem serieus aan te pakken.

Velen zouden met naam en toenaam aan de schandpaal genageld worden: Varun Khanna, zijn handlanger met het smerige hemd, de theekraameigenaar in Shahpur Jat, de corrupte politie in hetzelfde stadsdeel en nog meer.

Uma wilde de bijzonder gerespecteerde industriemagnaat Vivek Malhotra vlak voor de publicatie persoonlijk confronteren. Daar had ik geen bezwaar tegen. Alleen al het idee om hem zelf te bellen, of erger nog, oog in oog met hem te staan, bezorgde me rillingen van angst.

We verdeelden het laatste werk en spraken af dat ik Uma alle teksten de komende twee dagen zou sturen, zodat ze het artikel kon samenstellen en mijn Engels kon verbeteren. De week daarna werd het artikel gepubliceerd.

'We hebben vijftien bladzijden. De volledige eerste pagina en de zeven dubbele pagina's daarna. Dit haalt hem volkomen onderuit en schudt de overige media wakker,' zei Uma terwijl ze als een robot met haar armen bleef zwaaien.

'Vijftien pagina's?'

'Ik zei toch dat het een groot artikel zou worden.'

'Ja, maar ...'

'Is dat een probleem?'

'Nee, waarom zou dat een probleem zijn?'

Uma keek me doordringend aan over de rand van haar bril.

'Ga je terugkrabbelen?'

'Nee, nee!' zei ik met nadruk terwijl ik mijn hoofd vastbesloten schudde.

Het was net zo goed om mezelf te overtuigen.

57

Ik had nachtenlang liggen woelen van spanning, maar vanochtend waren alle zenuwachtigheid en twijfel verdwenen. Het was alsof ik ten volle besefte dat iemand die iets groots wil bereiken ook grote risico's zal moeten nemen.

Hoewel ik niet meer dan drie of vier uur had geslapen, voelde ik me uitgerust. Ik zou Preeti 's middags zien en dan wilde ik haar vertellen over het artikel dat binnenkort gepubliceerd zou worden. Er was gewoon geen alternatief.

Shania kwam om acht uur 's ochtends en maakte een omelet met chili op geroosterd brood voor me, waarbij ik twee koppen sterke koffie dronk. Mijn maag was duidelijk gehard tijdens mijn verblijf in India. Daarna schreef ik onafgebroken door tot de lunch, waarna ik een taxi nam naar het winkelgebied Basant Lok en daar langs de merkwinkels slenterde. Omdat drie vermoeide koeien toevallig de ingang van Benetton blokkeerden, ging ik in plaats daarvan bij Rockport naar binnen, waar ik tot mijn grote blijdschap een dunne, zwarte coltrui vond, die ik meteen aanhield. Het was eigenlijk nog te warm om mijn favoriete kledingstuk te dragen, maar wat doe je als je een oude, trouwe vriend terugziet. Over een maand, als de temperatuur nog meer gedaald was, kon ik zelfs mijn ribfluwelen colbert weer dragen.

Om kwart voor drie zat ik in de schaduw op onze vertrouwde bank in Lodi Garden op Preeti te wachten. Ik streek met mijn handpalm over het ruwe hout en keek uit over het park met zijn beschaduwde schuilplaatsen en -hoeken. Er hing een gespannen sfeer, maar het was ergens ook vertrouwd en veilig. Hier waren we een stel tussen de andere stellen, met al onze angsten en verwachtingen. We praatten nooit met de jongeren die omstrengeld op de andere banken zaten, maar ik voelde een stille verbondenheid met hen. We legitimeerden elkaar. We waren niet alleen, en dat gaf me paradoxaal genoeg een gemoedsrust die ik nooit voelde als ik met Preeti in mijn gehorige flat in RK Puram was.

Ze kwam pas een halfuur later, gekleed in dezelfde lichte jurk en groene sjaal die ze tijdens ons eerste afspraakje had gedragen. Preeti ging op de bank zitten en gaf me een kus. De geur van haar parfum verdreef de lucht van rotte eieren meteen.

'Ik wil je iets vertellen,' zei ik na een tijdje terwijl ik met mijn hand door mijn achterovergekamde haar streek.

'Je zou echt een paardenstaart moeten nemen nu het zo lang is geworden,' zei ze alsof ze niet had gehoord wat ik zei. Ze begon in haar handtas te zoeken en vond een elastiekje waarmee ze mijn haar bij elkaar deed. Het werd een klein rattenstaartje.

'Nu komt je knappe gezicht nog beter tot zijn recht.'

'Bedoel je mijn pafferige wangen?'

'Nee, ik bedoel echt je knappe gezicht. Ik begrijp niet waarom je de hele tijd zeurt dat je dik bent. Of het moet zijn omdat je wilt dat ik zeg dat je dat niet meer bent. Je bent gewoon flatteus gevuld.'

'"Flatteus gevuld"? Dat klinkt als de beschrijving van een samosa.'

Preeti lachte en kneep liefdevol in mijn wang.

'Volgens mij zit je in een midlifecrisis, en komt daar die zelfironie vandaan.'

'Ik denk dat je de spijker op zijn kop slaat, maar ik heb je nog steeds iets belangrijks te vertellen. Wil je niet horen wat dat is?'

Haar ogen zwierven rond en er verscheen heel even een kleine rimpel tussen haar wenkbrauwen.

Het is nu of nooit, dacht ik.

'Ik ben dingen te weten gekomen over je man.'

'Heeft hij een minnares?'

De vraag kwam zo snel en onverwachts dat ik één moment niet wist wat ik moest zeggen.

'Nee, voor zover ik dat weet niet ...'

'Wat is er dan?'

'Hij buit kinderen uit.'

Op het moment dat ik het zei besefte ik hoe verkeerd het klonk.

'Niet op die manier. Op een andere manier.'

'Op welke manier dan?'

'Een van de bedrijven van je man gebruikt kindslaven. Systematisch.'

'En hoe weet jij dat?'

De zweem van wantrouwen in haar stem maakte me onzeker.

'Door mijn werk als journalist. Laat het me uitleggen.'

Ik pakte haar handen vast en begon langzaam en gedetailleerd te vertellen. Ze deed geen poging om ze terug te trekken. Integendeel, hoe verder ik met mijn verhaal kwam, des te steviger omklemde ze mijn handen.

'Ik ben er heel toevallig over gestruikeld, Preeti, echt waar. Daarna kon ik niet stoppen met graven en uitzoeken of het echt klopte,' zei ik. 'Het spijt me.'

Ze snoof en droogde haar ooghoeken met haar pink.

'Je hebt er goed aan gedaan, Goran. Jij bent niet degene die zich moet verantwoorden, maar Vivek. Ik begrijp niet hoe hij ...'

We hielden elkaars handen zwijgend vast terwijl ik vergeefs naar een gepaste opmerking zocht.

'Wanneer wordt het artikel gepubliceerd?' vroeg ze uiteindelijk.

'Over een week, als jij dat goedvindt.'

Het moment vereiste dat ik het haar vroeg, ook al had ik in de huidige situatie niet voldoende macht om de publicatie tegen te houden. Als ik me terug zou trekken, zou Uma gegarandeerd alleen doorgaan. Tenslotte had zij al het materiaal.

'Ik vind het goed dat het bekend wordt,' zei ze. 'Weet Vivek ervan?'

'Nog niet, maar binnenkort wel. De Indiase journaliste met wie ik samenwerk gaat hem ermee confronteren. Ik zou je dankbaar zijn als je tot die tijd niets tegen hem zegt. Dat zou ons tweeën ook kunnen verraden.'

Ze knikte en deed haar ogen dicht.

'Het is lang geleden dat Vivek zich om andere mensen bekommerde.'

Terwijl ze dat zei legde ze haar hoofd op mijn schouder. Ik sloeg een arm om haar heen, trok haar voorzichtig tegen mijn borst en voelde met mijn vrije hand aan mijn broekzak, waar ik de ring bewaarde die ik voor haar had gekocht. Ik besefte echter dat de timing slecht was en zocht in plaats daarvan haar lippen met de mijne.

Achteraf gezien ben ik ervan overtuigd dat ik op dat moment Barry White *Can't Get Enough of Your Love, Babe* hoorde zingen, net als tijdens mijn bijna-doodervaring in de fitnessclub van het Hyatt Hotel. Als dat inderdaad zo was, zou ik het moeten beschouwen als een waarschuwingsteken, want meteen daarna kreeg ik een klap tegen mijn achterhoofd en stortte ik op de grond.

Ik voelde dat ik mijn bewustzijn begon te verliezen, maar kwam weer bij zinnen door Preeti's gil. Met een krachtsinspanning kwam ik op één knie overeind en probeerde mijn blik te fixeren.

Een mannenstem brulde iets in het Hindi. Ik zag alsof ik door gezandstraald glas keek hoe een wazige gestalte zijn arm hief om ergens mee te slaan. Ik hief op het laatste moment mijn arm, waarmee ik de klap afweerde voordat ik over de grond rolde. Toen ik weer stond had ik mijn scherpe zicht terug en keek ik wanhopig om me heen naar Preeti.

'Help! Politie! Help!' riep ik luidkeels terwijl ik een paar wankele stappen naar achteren deed.

Inmiddels stond niet alleen de man die me al een keer tegen de grond had geslagen tegenover me, maar nog zeven of acht anderen. Ze hadden allemaal bamboestokken in hun hand waarmee ze dreigden terwijl ze tegelijkertijd agressief brulden.

Ik dacht dat ik Preeti weer hoorde gillen, maar deze keer verder weg, alsof ze wegrende of meegenomen werd. Tussen mij en haar wegstervende stem stonden de woedende mannen. Ik besefte dat ik niet veel kans maakte en dat kwam niet alleen doordat mijn tegenstanders veruit in de meerderheid en veel jonger waren, en bovendien een wapen hadden. Het kwam ook doordat mijn ervaringen met vechtpartijen zich beperkten tot de volgende drie gebeurtenissen:

1. Toen ik vijf jaar was en ik Eskil, een jongen met rood haar, op de kleuterschool had gepest, sloeg hij me met een banaan zodat ik een bloedneus kreeg.

2. Toen ik in de achtste zat en we op de rookplek stonden te dampen, spuugde ik per ongeluk op Pia, een stoere meid die in de parallelklas zat. Ze gaf me een duw die ik beantwoordde, waarna ze tegen mijn scheen schopte en een knietje in mijn gezicht gaf zodat mijn lip spleet. Ik hield er vier hechtingen aan over.

3. Ik ging tijdens het carnaval in Lund in 1982 naast een oude alcoholist op een bank in het stadspark zitten en maakte hem belachelijk om stoer te doen tegenover mijn vrienden. Ik vroeg hem welke wijn van het voorjaarsaanbod van de staatsslijterij volgens hem het

beste zure bouquet had en hij sloeg me een blauw oog bij wijze van antwoord.

Ik vertel dit alles zodat duidelijk wordt met hoeveel doodsverachting ik die middag in Lodi Garden tot actie overging. Ik had het waanzinnige idee om de mannen met de bamboestokken te verrassen door tussen ze in te duiken, ongeveer zoals een Amerikaanse footballspeler, maar dan zonder de bescherming die hij draagt, en ze op die manier te passeren. Ik stormde als een dolle stier op de menselijke muur af en werd meteen weer tegen de grond geslagen.

Deze keer raakten ze mijn knieschijf, maar mijn adrenalinepeil was inmiddels zo hoog dat ik nauwelijks pijn voelde. Door de angst om Preeti kwam ik opnieuw wankelend overeind. Op dat moment zag ik de man met de videocamera. Hij liep kalm tussen de andere mannen heen en weer, op zoek naar geschikte filmhoeken. Ik kreeg opnieuw een regen van stokslagen te verduren. Toen ik mijn murw geslagen hoofd draaide en opkeek, keek ik recht in de lens van de videocamera.

'Help! Help!' riep ik met mijn laatste krachten en daarna hoorde ik in de verte eindelijk een politieagent fluiten.

Daarna hoorde ik *beng*. Een nieuwe klap belandde met volle kracht op mijn rug.

Daarna hoorde ik *ugghh*. Iemand stootte zijn bamboestok in mijn plexus solaris.

Daarna hoorde ik *smak*. Mijn hoofd brandde.

Daarna hoorde ik niets meer, omdat alles zwart, leeg en stil als in een graf was.

58

Toen ik wakker werd, lag ik in een ziekenhuisbed. Het was niet langer zwart, leeg en stil. Het was oogverblindend wit, en iemand speelde trommels en elektrische gitaar in mijn hoofd. Het klonk ongeveer zoals de rockband Twins van Erik en mij, in de tijd dat we net begonnen waren met repeteren en we ons als het ware verbeterden door te experimenteren, om een extreem vriendelijke omschrijving te gebruiken. Ik zette me af met mijn ellebogen om rechtop te gaan zitten, maar werd tegengehouden door een hand tegen mijn borstkas.

'Voorzichtig, sir.'

De hand en de stem hoorden bij een verpleegster met een pokdalig gezicht en een ingetogen glimlach.

'Ik zal u helpen,' zei ze. Ze zette het hoofdeind van het bed omhoog en legde een extra kussen in mijn nek, waar een dikke buil hardnekkig klopte.

Mijn hoofd leek te exploderen, maar inmiddels werd ik me ook bewust van de pijn in de rest van mijn lichaam. Die stak als een serie messteken tussen mijn ruggenwervels en bonkte hevig in mijn knieën. Ik keek naar mijn benen, die onder het dunne laken verstopt waren, en probeerde met mijn tenen te wiebelen, waardoor ik kramp in mijn voetholtes kreeg. De zenuwen die mijn bewegingen stuurden leken dus te werken en dat was in elk geval een opluchting.

'Waar ben ik?' vroeg ik met een vertrokken gezicht omdat het pijn deed in mijn maag, mijn nek en mijn mond als ik praatte.

'U bent in het Max Healthcare Hospital in Saket, sir,' zei de verpleegster, waarna ze een spiegel naar voren trok die aan het hoofdeind van het bed was bevestigd, zodat ik mijn gezicht kon zien.

Mijn lippen waren gezwollen, ik had een blauwe plek onder mijn rechteroog en een grote pleister bij mijn haargrens. Ik was niet mooi, maar het had erger kunnen zijn.

'Wat is er gebeurd?'

'Weet u dat niet?'

'Ik ben overvallen. In Lodi Garden.'

'Precies. Een politiepatrouille heeft u hiernaartoe gebracht.'

Momentopnamen flitsten op mijn netvlies voorbij. De parkbank, de plotselinge ontmoeting met de grond, de schreeuwende, gewelddadige mannen met de bamboestokken en de opdringerige lens van de videocamera.

Prééti! Mijn wazige zintuigen stonden meteen op scherp.

'Waar is mijn mobiel?'

'Kalm, sir. Al uw bezittingen zijn veilig opgeborgen. U bent net wakker geworden nadat u langer dan vier uur bewusteloos bent geweest. Ik zal de dokter voor u halen.'

Ik pakte de arm van de verpleegster vast.

'Wilt u me alstublieft onmiddellijk mijn mobiel geven.'

'Dat is helaas niet mogelijk. Die is samen met uw portemonnee opgeborgen in de kluis bij de ingang. Het zal even duren voordat uw spullen boven zijn.'

Haar ingetogen glimlach werd iets onderdaniger.

'Het enige wat we hebben gedaan is het nummer van uw creditcard opschrijven, in verband met de betaling. Dat doen we altijd als we bewusteloze mensen binnenkrijgen. Maar u hebt waarschijnlijk een ziektekostenverzekering die dit dekt, sir.'

Ik was er vrij zeker van dat ik die niet had. Het Max Healthcare was een van de betere particuliere ziekenhuizen in Delhi. Ik zag de briefjes van duizend wegvliegen, maar dat was op dit moment het laatste waar ik me druk over maakte.

'Waar zijn mijn kleren?'

'Die kunt u halen als u ontslagen bent, maar voordat u ontslagen wordt, moet u eerst ingeschreven worden. Daarvoor moet u dit formulier invullen,' zei ze en ze gaf me een vel papier.

Ik krabbelde mijn contact- en persoonlijke gegevens neer en zette mijn handtekening. Je zou met recht kunnen zeggen dat Delhi me op alle niveaus knock-out had geslagen. Ik, die afgezien van de reis naar Boedapest toen ik jong was, nog nooit buiten westen was geweest, was dat tijdens mijn verblijf in dit land maar liefst drie keer geweest. Maar het was de eerste keer dat ik het niet zelf veroorzaakt had, en de eerste keer dat Yogi niet bij me was toen ik wakker werd. En nu lag ik in een ziekenhuisbed in een gestreepte ziekenhuispyjama, zonder mijn mobiel en zonder dat ik wist wat er was gebeurd met Preeti, de vrouw die me knock-out had geslagen met haar onweerstaanbare charme en schoonheid.

'Zuster, het kan een kwestie van leven of dood zijn.'

'Natuurlijk niet,' glimlachte de verpleegster. 'U hebt een flinke hersenschudding en uw lichaam is bont en blauw. We hebben een hevig bloedende wond op uw hoofd gehecht, maar u hebt geen botbreuken en ik kan u verzekeren dat uw leven op geen enkele manier in gevaar is.'

'Niet dat van mij, maar van iemand anders! Daarom heb ik mijn mobiel nodig. Ik heb hem nu nodig, en niet over een uur!'

Ik voelde met mijn hand aan de pleister en keek de verpleegster smekend aan. Een kwartier later werd mijn mobiel samen met mijn portemonnee en sleutels afgeleverd in een verzegelde plastic zak, die ik in ontvangst mocht nemen nadat ik een handtekening had gezet. Ik haalde mijn mobiel met trillende handen tevoorschijn en zette hem aan.

Hij was morsdood.

'Is er een batterijlader voor een Nokia in dit ziekenhuis?'

'Dat denk ik niet, sir, maar u hebt een telefoon naast u staan waar u gratis gebruik van kunt maken.'

Het aanbod was vriendelijk maar waardeloos. Ik had alle telefoonnummers in mijn mobiel staan en kende er niet een uit mijn hoofd, zelfs niet dat van mezelf. Op bepaalde punten was het leven aanzienlijk eenvoudiger geweest in de tijd waarin we ons eigen geheugen moesten gebruiken.

De verpleegster, die steeds meer meewerkte, stuurde een loopjongen naar de plaatselijke markt en een kwartier later was hij terug met een illegale versie van een Nokia-lader voor het bescheiden bedrag van vijftig roepie. Hij zat een beetje los, maar gaf toch voldoende stroom zodat ik mijn nieuwe berichten kon bekijken. Het waren er vijf en ze waren allemaal van Preeti. Ze schreef dat er niets met haar aan de hand was en ze vroeg zich af hoe het met mij was. Het was een pak van mijn hart. Ik wachtte even totdat de mobiel nog wat meer stroom had en belde haar.

'Goran! Ben jij het echt?'

Door de opluchting in haar stem vergat ik mijn eigen conditie helemaal. Een behaaglijke warmte verspreidde zich door mijn mishandelde lichaam. Ik vertelde wat er was gebeurd en zij vertelde hoe ze het park uit was gevlucht, achtervolgd door drie jonge en heel boze mannen met bamboestokken. Het was haar gelukt om ze af te schudden in de verkeerschaos op straat en daarna had ze zich een halfuur verstopt in een café bij Khan Market, voordat ze was teruggegaan om mij te zoeken.

'Maar toen was je weg en ik was verstijfd van angst. Weet je zeker dat alles goed met je is?'

'Ik ben murw geslagen en een beetje duizelig, maar de verpleegster zegt dat het niet ernstig is. Wie denk je dat er achter de aanval zit. Je man?'

'Weet je dat dan niet?' vroeg ze met een verbaasde stem.

'Nee, ik weet niets. Ik ben minder dan een uur geleden wakker geworden.'

'Vivek heeft hier niets mee te maken. Het was Hindutva Sainik.'

'En dat is?'

'Een politieke en religieuze bende vandalen. "Hindutva" is een bekend hindisch begrip voor rebellie en "sainik" betekent soldaten.'

Preeti legde uit dat ze zich beschouwden als de moraalpolitie. Er waren meer van zulke hindoe-nationalistische groeperingen, en Hindutva Sainik was een van de fanatiekere. Ze bevochten religies en culturen die niet uit India afkomstig waren. Moslims waren de belangrijkste vijand, maar ze hadden hun pijlen ook gericht op de westerse decadentie.

'Vorig jaar heeft Hindutva Sainik vrouwen die alleen in cafés kwamen aangevallen, en nu voeren ze campagne tegen mensen die elkaar in het openbaar kussen. Ik dacht dat we ze in Delhi niet hadden, maar blijkbaar hebben ze hier ook hun aanhangers,' zei Preeti.

Ik zuchtte van opluchting. De overval was toeval geweest en had niets met het te publiceren artikel te maken. Mijn blauwe plekken zouden genezen en mijn hoofdpijn was over een paar dagen beslist over. Er was geen reden voor paniek.

Dacht ik. Tot Preeti weer begon te praten.

'We hebben een probleem,' zei ze. 'Een groot probleem.'

'Wat dan?'

'We zijn op de televisie.'

59

BREAKING NEWS!!!

Ik was inmiddels gewend geraakt aan de knipperende tekst onder aan het beeldscherm bij de Indiase nieuwsuitzendingen, maar ik was absoluut niet gewend om zelf het belangrijkste nieuws te zijn.

De nieuwslezer schreeuwde opgewonden in schetterend Hindi terwijl de bewegende beelden van de overval telkens opnieuw werden vertoond. De filmbeelden begonnen met een opname van Lodi Garden, waarna van achteren werd ingezoomd op Preeti en mij terwijl we elkaar kusten op de parkbank. Onze gezichten waren niet te zien, maar ik ging ervan uit dat Vivek Malhotra zijn vrouw zou herkennen, niet alleen aan haar lichaamshouding, maar ook aan haar jurk en haar. Daarna volgde de nietsontziende aanval met stokken en uiteindelijk een close-up, waarbij ik recht in de camera keek terwijl het bloed van de wond op mijn voorhoofd over mijn gezicht stroomde.

De dramatische beelden waren misschien vrij onbekend gebleven als ze alleen waren uitgezonden door de obscure nieuwszender met de waarschijnlijk bewust gekozen en gemakkelijk te verwarren naam CN – de afkorting van Crime News. De opname was echter ook aan andere televisiezenders verkocht. Hoe ik ook met de afstandsbediening tussen de verschillende nieuwsuitzendingen zapte, ik werd bijna overal geconfronteerd met mijn eigen doodsbange gezicht. Het bleek dat Hindutva Sainik gesynchroniseerde aanvallen in grote steden door heel India had uitgevoerd tegen stelletjes die elkaar kusten in parken en op andere openbare plekken, en dat de overval op mij moest dienen als illustratie voor allemaal.

Ik dacht aan de man met de videocamera en vloekte binnensmonds. Hij was een lid van Hindutva Sainik die de beelden naar de media had doorgespeeld, of hij was een onethische verslaggever van CN die van tevoren was ingelicht zodat hij een sappige opname kon maken waar hij een grijpstuiver mee kon verdienen.

Preeti had me verteld dat ik me moest voorbereiden op een schok als ik de televisie aanzette, maar had me er tegelijkertijd van verzekerd dat zij geen acuut gevaar liep.

'Vivek heeft me nog nooit geslagen en dat doet hij nu ook niet. Word jij maar snel beter, dan spreken we elkaar over een paar dagen. Ik bel je. Het is het beste zo, je kunt toch niets doen. Dit moet ik zelf oplossen.'

Ze had waarschijnlijk gelijk, dacht ik. Ik kon op dit moment niets anders doen dan hevig blozen. De pokdalige verpleegster, die de televisie die aan de muur in mijn kamer hing voor me had aangezet, keek medelijdend naar me. En toen de vrouwelijke arts die me kwam onderzoeken een hele sleep mannen en vrouwen in witte jassen achter zich aan had, besefte ik dat ik onder het personeel het gespreksonderwerp van de avond was. Met een gedweeë stem zei ik tegen de arts dat ik er klaar voor was om het ziekenhuis te verlaten, maar het lukte haar tamelijk gemakkelijk om me ervan te overtuigen in elk geval tot de volgende dag te blijven.

'Dat is het beste vanuit medisch perspectief. We willen je vannacht observeren en kijken of alles in orde is, en deels denk ik dat het voor je eigen welzijn verstandig is om nog even te blijven. Er staan nog steeds verslaggevers bij de ingang die met je willen praten.'

Ik wist niet hoe de persmuskieten wisten waar ik was, maar ik wist wel dat ik geen zin had om met ze te praten. De ironie van het noodlot. Ik bereidde me voor op de publicatie van een onthullend artikel over Vivek Malhotra's smerige zaakjes en dan belandde ik zelf in het licht van de schijnwerpers door mijn eigen smerige zaakjes met zijn vrouw.

Het bleek al snel dat de journalisten niet de enigen waren die me wilden spreken. Om halftien 's avonds kreeg ik bezoek van een geüniformeerde commissaris met een grote snor en een voorhoofd dat was gerimpeld als een wasbord. Hij stelde zich voor als R.V. Chopra, ging op zijn gemak op de bezoekersstoel zitten en sloeg langzaam zijn ene been over het andere om te benadrukken dat hij absoluut geen haast had.

Het eerste wat hij deed was een kopie van het ziekenhuisdocument dat ik had ondertekend tevoorschijn halen en me vragen of ik wilde controleren of mijn gegevens klopten. Daarna vroeg hij mijn legitimatie. Ik gaf hem mijn Zweedse rijbewijs.

'Wat doet u in India?'

'Ik woon en werk hier. Als journalist.'

Chopra trok zijn wenkbrauwen op en trok tegelijkertijd zijn neus op, waardoor zijn voorhoofd nog meer rimpels vertoonde. Daarna vertelde hij dat de politie van New Delhi inmiddels drie van de religieuze vandalen die me hadden overvallen, had gearresteerd. Het bewijs was overweldigend omdat hun actie op film was vastgelegd. Ze hadden onmiddellijk bekend.

'Mafkezen. Nu denken ze dat ze een soort martelaars worden,' snoof de commissaris, waarna hij met zijn duim en wijsvinger over zijn snor streek.

'Het zal een rechtszaak worden,' ging hij verder.

'Wanneer?'

'Als de tijd daarvoor rijp is.'

Dat betekende op zijn vroegst over een jaar, voor zover ik bekend was met de Indiase rechtspraak. Het liefst van alles wilde ik een dikke zwarte streep onder het gênante incident zetten en het in een ver hokje van mijn geheugen stoppen. Daarom vond ik de volgende vraag van commissaris Chopra en de directe manier waarop hij hem stelde bijzonder hinderlijk.

'Wie was de vrouw op de bank?'

'Wie bedoelt u?'

'Neemt u me in de maling, sir?'

'Nee.'

'Dan denk ik dat het verstandig is als u vertelt wie u voor het oog van het hele Indiase volk hebt gekust. Of was het gezichtsbedrog?'

Ik probeerde het brok in mijn pijnlijke keel weg te slikken.

'Waarom wilt u weten wie ze is?'

'Omdat ze wordt beschouwd als een misdaadslachtoffer, net als u. Omdat we bang zijn dat ze in moeilijkheden kan raken. Maar vooral ...' zei commissaris Chopra terwijl hij naar me staarde, '... omdat ik het vraag.'

'Ik ken alleen haar voornaam.'

'En die is?'

'Pre... Priyanka.'

'Waar kan ik haar vinden?'

'Geen idee.'

'Is ze een prostituee?'

'Nee!'

'Hoe hebt u haar leren kennen?'

'We ontmoetten elkaar in het park en begonnen te praten. Daarna ... Van het een kwam het ander ...'

'U hebt een Indiase vrouw in het park ontmoet met wie u vrijwel onmiddellijk in een heel intieme situatie bent beland?'

'Nee, niet onmiddellijk. We hebben eerst gepraat.'

'En u denkt serieus dat ik dat geloof?'

'Ja.'

'Maar dat doe ik niet. Geen seconde. Vertel wie ze is. Als ze in moeilijkheden raakt bent u daar medeverantwoordelijk voor.'

'Het is goed met haar.'

'En hoe weet u dat?'

'Ik heb haar het park uit zien rennen voordat de mannen me aanvielen.'

Op dat moment ging mijn telefoon. Ik zag dat het Uma was en drukte haar weg.

'Waarom neemt u niet op?' vroeg Chopra.

'Ik kan later terugbellen.'

'Was het Priyanka?'

'Nee.'

'Wie was het dan?'

'Iemand anders.'

Commissaris R.V. Chopra stond langzaam op en ging naast mijn bed staan. Hij haalde een visitekaartje uit zijn portefeuille en gaf dat aan me.

'Ik weet niet wat u verbergt, sir, maar het staat me niet aan. Als u erover hebt nagedacht wil ik dat u me belt.'

Hij hield het document met mijn gegevens omhoog.

'Anders meld ik me. Goedenavond.'

Met die woorden liep hij de kamer uit. De pokdalige verpleegster kwam binnen om me een prettige nacht te wensen en daarna belde Uma weer. Voor een half kapotgeslagen man die moest rusten werd ik van alle kanten flink belaagd. Het gesprek met haar verbeterde mijn humeur echter enigszins. Ze wilde niet weten wie de vrouw was met wie ik had gezoend ('Ik ben journalist, geen roddeltante') en verder dacht ze dat de interesse van de Indiase media voor Hindutva Sainik al vrij snel zou bekoelen.

'Het gerechtelijke naspel zal natuurlijk doorgaan, maar voor onze geëerde journalistencollega's is het verhaal binnenkort dood en begraven tussen alle andere gewelddadige sensatieverhalen. Morgen komen de nieuwsuitzendingen met heel andere dingen, geloof me. Dus ik denk dat we kunnen doorgaan zoals we hebben afgesproken. Er zit in elk geval schot in onze publicatie. Alle pagina's zijn ingedeeld, over vier dagen wordt het tijdschrift gedrukt en daarna gaat het naar de winkels.'

Ja, zo moet het gaan, dacht ik. Zo moet het inderdaad gaan.

60

De volgende dag onderging ik een algemeen medisch onderzoek, waarbij geen ernstige zaken aan het licht kwamen. Daarna werd ik met een lichte hoofdpijn en pijnlijke knieën uit het ziekenhuis ontslagen en was ik vijftienduizend roepie armer. Dat was een heel schappelijke prijs met het oog op de verzorging die ik daar had gehad, die ongeveer het niveau had gehad van een overnachting in het Hyatt of een van de andere vijfsterrenhotels in Delhi.

Uma had gelijk. Er waren geen journalisten toen ik door de ziekenhuisingang naar buiten hinkte, en hoewel de grote Engelstalige ochtendkranten de mishandeling door Hindutva Sainik meldden, waren het kleine artikelen zonder foto's van mij.

Yogi had 's ochtends vanuit Madras gebeld, ontwetend over wat ik had meegemaakt. Hij had het nieuws de vorige avond niet gezien omdat hij voor het avondeten was uitgenodigd 'bij de goede textielfabrikant die zijn personeel beschermt, in tegenstelling tot de hebberige demon Vivek Malhotra'. Hoewel ik probeerde de grove mishandeling af te zwakken was mijn vriend heel opgewonden en hij zei dat hij meteen naar Delhi zou vliegen om voor me te zorgen.

Om halfacht 's avonds werd er aangebeld en toen ik opendeed stond Yogi met een gekwelde gezichtsuitdrukking voor de deur. Hij rende naar me toe en omhelsde me zo stevig dat mijn murw gebeukte lichaam er pijn van deed. Ik had altijd moeite gehad met fysieke blijken van genegenheid tussen mannen, maar zijn medeleven en betrokkenheid verwarmden mijn hart.

'Mister Gora, hoe heb ik je in de steek kunnen laten? Ik ben zo ongelukkig omdat ik er niet was toen je me het allerbest nodig had. Wat ben ik eigenlijk voor vriend? Ik denk alleen aan mijn eigen onbeduidende zaken als jij voor het meest bepalende en bewonderenswaardige gevecht staat.'

'Overdrijf niet. Als je in Delhi was geweest, was je ook niet meegegaan naar mijn afspraakje met Preeti in Lodi Garden.'

Yogi luisterde niet naar mijn tegenwerpingen maar bleef zichzelf verwijten maken.

'Ik schaam me dood en hoop dat je me met de allermeeste grootmoedigheid van al je grootmoedige manieren kunt vergeven.'

'Nu is het genoeg, Yogi.'

'Hoe kan ik dit ooit goedmaken?'

'Stop ermee! Het was jouw fout niet,' zei ik terwijl ik enigszins onhandig op zijn schouder klopte.

Yogi stond erop dat ik met hem mee naar huis ging en in Sundar Nagar bleef slapen, omdat het volgens hem niet goed was voor een man die was blootgesteld aan zo'n schandelijke misdaad om alleen te zijn met zijn gepieker.

'Maar dan gaat je moeder me met vragen bestoken over wat er in het park is gebeurd. Dat kan ik niet aan.'

'Beste mister Gora, op dat punt kun je je volkomen gerust voelen. Lieve amma is natuurlijk een vrouw die het een en ander in de gaten houdt, maar bedenk dat ze op de televisie alleen oude Bollywoodfilms ziet. En de enige krant die ze leest is de *Dainik Jagran* en daar staat geen foto van je in.'

'Stel dat Harjinder tegen haar heeft geroddeld.'

'Dat geloof ik nauwelijks. Onze goede chauffeur is een paar dagen in Amritsar om de gouden tempel te bezoeken.'

'Maar hoe moet ik mijn blauwe oog en dikke lip verklaren?'

'Je hebt cricket gespeeld en hebt een bal in je gezicht gekregen, waarna je bent gevallen en je hebt bezeerd.'

'Cricket?'

'Jazeker! Je hebt meegedaan aan zo'n cricketwedstrijd die ze soms voor westerlingen organiseren. Amma heeft bijna een grotere hekel aan die sport dan ze een hekel aan kou heeft, dus geeft het haar een kans om zich op te winden over iets specifieks, en daar houdt ze zoals je weet heel erg van. Tegelijkertijd betekent het dat ze misschien een beetje minder klaagt over andere dingen.'

'Win-win?'

'Daar zeg je een waar woord, mister Gora. De kust is met andere woorden zo veilig als een kust redelijkerwijs kan zijn.'

'Goed, dan ga ik mee.'

'Amma zal dolblij zijn!'

De vraag was alleen hoe ze uitdrukking aan die blijdschap zou geven. Maar in het gezelschap van Yogi en de scherpe tong van zijn moeder zou ik in elk geval de kans hebben om mijn zinnen een beetje te verzetten. Preeti had nog geen contact met me opgenomen na het telefoongesprek in het ziekenhuis. Ze had uitdrukkelijk gezegd dat ze het zelf zou oplossen en hoe mijn sms-duim ook jeukte, ik besloot om geduld te hebben.

Mrs Thakur leefde helemaal op van mijn bezoek. Toen ik de leugen over de cricketblessure had opgedist, hield ze een lange monoloog over de nationale epidemie waardoor bewakers hun plichten verzaakten, corrupte gokkantoren wedstrijden naar hun hand zetten, de groenvoorzieningen in de parken in beslag werden genomen door klierige jongens en aan sport verslaafde politici vergaten hoe je een land moest besturen omdat een paar mannen in belachelijke kleren een keiharde bal naar elkaar gooiden.

'En dan moeten alle parvenu's zich zonnen in de zogenaamde glans van dat bespottelijke spel en cricketteams kopen, zoals die Shah Rukh Khan!'

Nadat de oude vrouw haar kleine avonduitbarsting had gehad, kalmeerde ze enigszins en sprak de hoop uit dat ik mijn lesje had geleerd en voortaan uit de buurt van de levensgevaarlijke cricketvelden zou blijven.

'Begrijpt u, mister Borg, ik wil niet dat u uw hersenen beschadigt. Want heel erg dom bent u eigenlijk niet,' zei ze, en dat was absoluut bedoeld als een compliment.

Yogi knipoogde tevreden naar me. Hij zag eruit als een gelukkig kind zoals hij op de bank naast zijn lastige moeder zat.

'Het is hier koud,' klaagde mrs Thakur, waarna ze Lavanya riep, die meteen een extra deken bracht die ze om de oude vrouw heen sloeg.

'Leg ook een warme kruik in amma's bed,' instrueerde Yogi haar. 'Ze gaat zo meteen slapen.'

'Dat ga ik helemaal niet! Er begint een goede film die ik wil zien.'

'Dan denk ik dat wij naar de tuin gaan om te praten, zodat we je niet storen, lieve amma.'

'En wat is er zo belangrijk dat jullie erover moeten praten?'

'Niets speciaals, maar we hebben elkaar een tijdje niet gezien.'

'En dat is uitsluitend jouw schuld! Je vliegt bijna elke week naar die textielhandelaar in het zuiden en verwaarloost zowel je vrienden als je moeder. Als je toch een keer zou trouwen zodat er een beetje regelmaat in je leven komt.'

Hoewel mrs Thakur klonk als een krakende grammofoonplaat die was blijven steken, lag er deze keer een zweem van verzoeningsgezindheid in haar stem. Toen Yogi en ik met onze masala chai in de tuin zaten, verklaarde hij het iets betere humeur van zijn moeder met het feit dat ze minder last van haar reuma had, hoewel het al herfst was.

'Ik heb een natuurarts voor haar gevonden die in principe alles kan genezen! Jij moet hem ook raadplegen, mister Gora, dan zul je zien dat hij je pijn kan wegtoveren met wat heilzame aftreksels en kruidenmedicijnen.'

'De pijn is niet zo erg. Mijn grootste probleem is dat ik niet goed kan slapen.'

'Ik weet in elk geval hoe we dat kunnen oplossen.'

Yogi kwam overeind uit de rieten stoel op de veranda en liep naar een compostbak die in een hoek van de tuin stond. Hij deed een luikje ernaast open en kwam terug met een fles Blenders Pride en een fles water.

'De tuinman vult de voorraad aan als dat nodig is. Heel praktisch,' legde Yogi uit terwijl hij een paar sterke longdrinks in onze theeglazen mengde.

'Je bent er goed in om dingen voor je moeder te verbergen,' lachte ik.

'We hebben allemaal onze geheimen,' glimlachte hij.

61

Ik weet niet of het de nawerking van de hersenschudding was of de hele fles Blenders Pride die we de vorige avond samen hadden leeggedronken, maar toen ik om negen uur 's ochtends wakker werd, nadat ik eindelijk een hele nacht had doorgeslapen, speelde Twins weer in mijn hoofd. Een kop sterke koffie en twee aspirines hielpen een beetje, net als het feit dat mrs Thakur al met de *Dainik Jagran* op haar fauteuil in de zitkamer was gaan zitten en Yogi en mij met rust liet aan de ontbijttafel.

Naderhand heb ik meerdere keren gedacht dat ik dat moment ondanks de hoofdpijn had moeten bevriezen. In het gezelschap van mijn vriend, net voordat Lavanya naar ons toe kwam met de *Indian Express*, de krant die Yogi 's ochtends altijd las om zijn Engels bij te houden.

Ik vouwde de krant open en verstijfde toen ik de hoofdkop zag:

MALHOTRA NEEMT HARDE MAATREGELEN
TEGEN KINDERARBEID
De bekende zakenman reserveert
50 crore voor nieuwe stichting

Ik werd in de tekst gezogen alsof het een tunnel van dreigende letters was en belandde bij de middenpagina's. Het omvangrijke artikel, dat werd geïllustreerd met een ernstige foto van de industriemagnaat en een foto van een jonge, naamloze jongen achter een weefstoel, beschreef hoe Vivek Malhotra, nadat hij had ontdekt dat zijn leveranciers en onderleveranciers kindslaven voor zich lieten werken, had besloten om die wrede activiteit te bestrijden met een flinke bijdrage.

'Dit is iets waar ik eerder aanwijzingen voor heb gekregen, maar waar ik helaas mijn ogen voor heb gesloten. Het is echter nooit te laat om wakker te worden en vanaf nu ga ik alles doen wat in mijn macht ligt om voor eens en altijd een eind aan die ellende te maken.

Er mag onder geen enkele voorwaarde onwettige kinderarbeid plaatsvinden in mijn bedrijven of bij mijn leveranciers. Ik daag iedereen uit om de kleinste verdenking aan onze nieuwe stichting te melden. Degenen die tegen onze policy zondigen worden onmiddellijk buitengesloten en aangeklaagd,' zei hij.

Vijftig crore stond gelijk aan vijfhonderd miljoen roepie, een duizelingwekkende som van omgerekend vijfenzeventig miljoen Zweedse kronen. Zoveel geld had een ondernemer in New Delhi nog nooit in één keer gereserveerd voor een liefdadig doel, vermeldde het artikel.

'Ik ben op een punt in mijn leven beland waarop ik met mezelf en mijn waardebepalingen ben geconfronteerd. Ik wil 's ochtends wakker worden in de overtuiging dat ik naar mijn beste vermogen bijdraag aan een zonnigere toekomst voor de uitgebuite kinderen van India. Het doel van de stichting is ze een veilige plek om te wonen en een opleiding te bieden, en ze zo mogelijk te herenigen met hun ouders. Tegelijkertijd willen we deze kwestie naar een nationaal niveau tillen. Het is hoog tijd dat degenen met geld en macht hun verantwoordelijkheid nemen en de meest kwetsbare burgers helpen in plaats van ze uit te buiten. Ik hoop dat veel ondernemers mijn voorbeeld volgen.'

Hoe het werk van de stichting precies zou worden georganiseerd, was volgens het artikel nog niet duidelijk. De naam was echter al bekend: 'Preeti Malhotra's fonds voor de rechten van het kind'.

De meeste mensen hebben weleens voor de spiegel gestaan en naar zichzelf gestaard met het gevoel dat ze een ander waren, dat ze tegen hun spiegelbeeld praatten terwijl het leek alsof hun stem ergens uit de ruimte kwam en het geluid niet synchroon liep met de bewegingen van hun lippen. Door dat gevoel van onwerkelijkheid was ik nu getroffen.

'Wat is er, mister Gora? Je gezicht is bleker dan ooit.'

Ik schoof de krant naar Yogi toe, die opsprong toen hij de kop zag. Nadat hij het hele artikel had gelezen, keek hij me met een verbijsterde blik in zijn ogen aan. Het was de eerste keer sinds we elkaar kenden dat hij met zijn mond vol tanden stond.

'Preeti heeft het hem verteld,' mompelde ik.

Voordat ik me had vermand ging mijn mobiel. Het was Uma. Een ongeluk komt zelden alleen, dacht ik.

'Heb je gezien wat de kranten vandaag over Malhotra schrijven?' vroeg ze terwijl ze over haar woorden struikelde.

'De kranten? Ik heb alleen *Indian Express* gezien.'

'*Hindustan Times, The Hindu* en *Times of India* brengen het ook groot, net als alle Hinditalige kranten. En nu wordt op de televisie ook gemeld dat hij de nieuwe grote weldoener is die het land wakker gaat schudden en een van de grootste schandvlekken van de moderne geschiedenis van India zal uitwissen.'

'Maak je een grapje?'

'Het klinkt inderdaad als een heel slechte grap, maar dat zeggen ze toch echt.'

'Ik begrijp niet hoe hij erachter is gekomen dat we over hem schrijven,' loog ik met een diepe zucht.

'Dat is inderdaad vreemd, maar het kan gebeuren als je met veel verschillende mensen praat, zoals wij hebben gedaan. Het kan iedereen zijn, van de leidster van het logement tot een van de ex-personeelsleden uit het middenkader bij Indian Image, die om de een of andere reden heeft gelekt. Waarschijnlijk heeft het met geld te maken. En daarna heeft Malhotra bliksemsnel gereageerd. Je moet altijd rekening houden met het risico van een lek als je aan zo'n omvangrijke zaak werkt. Ik heb alleen nog nooit meegemaakt dat iemand kritiek voorkomt door vijftig crore te schenken. Dat is een waanzinnig bedrag!'

Uma klonk vreemd opgewekt voor iemand die net een grote, onthullende reportage was kwijtgeraakt.

'Maar dit torpedeert ons werk,' zei ik. 'Alles wat we hebben gedaan is nu waardeloos.'

'Hoe kun je dat zeggen? Als Vivek Malhotra op basis van ons graafwerk zoveel geld investeert in een fonds dat uitgebuite kindslaven moet redden, dan is dat het belangrijkste wat ik ooit heb gedaan. Snap je niet hoeveel dit betekent? Ook al hadden we alle media wereldwijd zover gekregen dat ze ons verhaal publiceerden, dan nog hadden we nooit zoveel bereikt als nu. Het opent heel nieuwe perspectieven nu een invloedrijke ondernemer een enorme sociale bezieling toont en anderen oproept om zijn voorbeeld te volgen. Dat hij tactische motieven heeft, zoals het beschermen van zijn eigen handelsmerken, kan me eerlijk gezegd niet schelen. Het geld zal wonderen doen, en voor de kinderen die ervan profiteren maakt het niet uit waar het vandaan komt. Om maar te zwijgen van het positieve besmettingseffect dat het kan hebben!'

Ik had de kwestie niet op die manier bekeken, verblind door mijn eigen beweegredenen. Maar Uma was niet alleen journalist, ze was in eerste instantie kinderrechtenactivist, en vanuit dat perspectief waren Malhotra's geld en stellingname natuurlijk heel goed nieuws.

'Stoppen we met het artikel?' vroeg ik.

'Natuurlijk niet! Maar we moeten het een week opschorten en bepaalde delen aanpassen. Vivek Malhotra heeft nog steeds veel vragen te beantwoorden die alleen wij kunnen stellen, en Varun Khanna en zijn handlanger moeten vanzelfsprekend ontmaskerd worden. Maar het is niet mogelijk om Malhotra als een gewetenloos monster neer te zetten als hij net een enorm vermogen heeft geschonken om de kindslavernij te bestrijden.'

We beëindigden het gesprek. Ik zette mijn ellebogen op het tafelblad, liet mijn hoofd in mijn handpalmen rusten en staarde naar een portret van de olifantgod Ganesha dat aan de muur hing. De god met de slurf die geluk brengt. Ik weet niet hoe vaak Yogi probeerde mijn aandacht te trekken, maar uiteindelijk sloeg hij een elleboog weg zodat ik opschrok.

'Het spijt me, mister Gora, maar ik moet iets zeggen. Wat ga je nu doen?'

'Wat vind jij?' vroeg ik met een stem die nog steeds onwerkelijk klonk.

'Ik vind dat je moet bellen. Een heel belangrijk gesprek.'

'Je hebt gelijk,' zei ik. Ik stond op en liep langs mrs Thakur naar de tuin. Ze volgde me nieuwsgierig door haar vergrootglas. Buiten ging ik op een van de rieten stoelen zitten en toetste het nummer van Preeti in. Na het eerste signaal nam ze al op.

'Goran, ik wilde je net bellen.'

'Wat is er gebeurd?' vroeg ik.

'Ik wil niet door de telefoon praten. Kunnen we afspreken?'

'Wanneer?'

'Kom vanavond na sluitingstijd naar de salon.'

62

Ik sloop deze keer niet, en Preeti keek ook niet ongerust om zich heen toen ze om kwart over acht de deur van de schoonheidssalon opendeed en me binnenliet. Ze streelde voorzichtig met haar hand over de blauwe plek onder mijn rechteroog.

'Godzijdank is het niet erger. Heb je veel pijn?'

'Alleen als ik lach,' zei ik en ik trok mijn mondhoeken omhoog in een gekunstelde glimlach, zodat mijn gezwollen lip pijn deed.

Ze keek naar me met een medelijdende uitdrukking in haar ogen, waardoor het brok in mijn keel zo groot werd als een abces.

'Vertel me precies wat er is gebeurd. Hoe komt het dat je man juist nu een stichting met jouw naam presenteert?' begon ik.

'Laat me je handen doen,' zei ze. 'Dan kunnen we intussen praten.'

Ik knikte en volgde Preeti naar de salon, mijn blik op haar strakke haarknot gericht. Een weerspannige lok had zich losgemaakt en hing over de kraag van haar colbertje. Ze rook heerlijk naar parfum en shampoo en ik moest me inhouden om geen kus in haar nek te geven.

Ik ging op de stoel zitten en zij zeepte met behoedzame bewegingen mijn handen in.

'Ik wil weten wat er is gebeurd,' herhaalde ik.

'Oké, ik zal alles vertellen,' begon ze gespannen. 'Vivek kwam die avond laat thuis. Hij had het nieuws van Lodi Garden op de televisie gezien en had me herkend. Ik kon niet langer liegen en heb hem over ons verteld.'

'Alles?'

'Nee, niet alle details, maar ik heb gezegd dat we elkaar af en toe zagen.'

'Werd hij boos?'

'Razend. Hij smeet een dure vaas op de grond en schold en tierde. Ik heb hem al meer dan tien jaar niet zo kwaad gezien. Maar daarna huilde hij, en dat was ook de eerste keer in tien jaar. Het was alsof al zijn gevoelens explodeerden. Alles stroomde in één keer uit hem.'

Zodra ze dat had gezegd, wist ik hoe de avond was geëindigd. Er klonk een zweem van tederheid in haar stem toen ze de naam van haar man uitsprak. Ze droogde mijn handen zorgvuldig af en begon mijn nagels te knippen.

'Is het normaal dat Indiase mannen huilen als hun vrouwen ...'

De woorden bleven in mijn keel steken.

'Ontrouw zijn?' vulde Preeti aan. 'Het is niet zo gewoon dat Indiase vrouwen ontrouw zijn aan hun man. Dat is eerder andersom. Maar als het gebeurt geloof ik dat mannen net zoveel huilen als vrouwen, ook al zijn er heel weinig die dat durven te laten zien. Veel mannen worden in plaats daarvan gewelddadig. Ze gooien met dingen, zoals Vivek eerst deed. Of ze slaan hun vrouw.'

'Maar dat heeft Vivek niet gedaan? Slaan?'

'Nee. Dat heeft hij nog nooit gedaan. Nooit.'

'Heb je hem over het artikel verteld?'

'Ja.'

'Maar waarom, Preeti? Ik heb je gevraagd om het niet te doen.'

'Dat ging niet. Ik weet dat het als een slecht excuus klinkt, maar zo was het echt. Als alles op de spits gedreven wordt moet je al je kaarten open op tafel leggen. Dus heb ik hem verteld hoe koud en cynisch hij was geworden, en toen hij zichzelf ging verdedigen vertelde ik dat ik wist dat zijn bedrijf kinderarbeiders uitbuit en dat er een artikel over gepubliceerd gaat worden. Toen werd hij doodstil en daarna zei hij dat hij alles in orde zou maken. Ik heb hem nog nooit zo berouwvol gezien. Zo gevoelig.'

'Je had me gisteren kunnen bellen om me te waarschuwen dat het vandaag in de kranten zou staan.'

'Maar dat wist ik niet, Goran! Het enige wat Vivek tegen me zei was dat hij alles in orde zou maken en dat ik hem een dag de tijd moest geven. Eén enkele dag, zodat hij me kon bewijzen dat hij het nog steeds waard was om van te houden. Dat hij zijn oude idealen nog niet was vergeten. Dat hij mij zou vergeven als ik hem kon vergeven. Daarna verdween hij en nam contact op met de kranten en vertelde ze over de stichting. Ik was net zo verrast als jij toen ik de artikelen vanochtend zag.'

De beelden speelden zich af voor mijn geestesoog. Hoe Vivek Malhotra binnenkwam met een ontbijtblad voor zijn vrouw met de kranten netjes naast de kop thee en het bord met geroosterd brood.

'Het is een indrukwekkende liefdesverklaring om vijfhonderd miljoen roepie te schenken en een stichting naar je te vernoemen. Ik begrijp dat ik kansloos ben.'

Preeti stopte met vijlen en keek met tranen in haar ogen naar me.

'Goran, je bent het beste wat me ooit is overkomen. Je bent een fantastische man met een groot, kloppend hart. Maar ik kan dit alles niet zomaar opgeven. Het gaat niet alleen om Vivek, het gaat ook om mijn zoon Sudir. Zonder hem ben ik een halve vrouw. Als ik van Vivek ga scheiden loop ik het risico om Sudir kwijt te raken.'

'Maar hou je echt van je man?'

Preeti knikte licht en die subtiele beweging deed meer pijn dan al haar woorden bij elkaar.

'Maar ik zal je nooit vergeten, Goran. Je bent mijn leven binnengekomen en hebt mijn ogen geopend.'

En daarna heb ik je ogen geopend voor je man, dacht ik en ik verzonk in een benauwende stilte terwijl Preeti verderging met de manicure.

Het was meer dan de ironie van het noodlot. Het was dubbele ironie dat mijn liefdesleven was veranderd in een bedekt massamediaal feuilleton dat zich uitstrekte van Shah Rukh Khan, religieuze vandalen en huilerige miljardairs die plotseling sociale bezieling toonden, tot de finale van volgende week in *Tehelka*, 'de grote onthulling'.

Het ergst van alles was dat de demon me had overwonnen zonder dat ik een kans had gekregen om mijn zwaard tegen hem te heffen, die listige duivel.

'Is het voorbij?' vroeg ik.

'Ja, maar ik wil dat je weet ...'

'Lieve Preeti, zeg niets meer. Het is genoeg. Ben je klaar met mijn handen?'

Ze knikte.

'Ze zijn mooi geworden,' zei ik. 'De mooiste handen van Delhi.'

63

De volgende dag vond ik een winkel in C-Block Market in Vasant Vihar die Ben & Jerry's verkocht. Door de monsterlijk hoge Indiase invoerrechten op geïmporteerde levensmiddelen kostte een halve liter zeshonderdvijftig roepie. Ik kocht twee verpakkingen en nam een autoriksja naar de flat in RK Puram, ging op het dakterras in de hangmat liggen en at het langzaam smeltende ijs bij de klanken van 10CC's *I'm Not in Love*, dat ik op repeat op mijn laptop speelde. Shania kwam naar boven met een bezorgde rimpel tussen haar mooie wenkbrauwen en vroeg hoe het met me was.

'Ik wil gewoon met rust gelaten worden,' zei ik.

'Maar, sir, wilt u geen kop thee of een echte lunch? Ik kan chicken tikka masala maken, waar u zo gek op bent.'

Mijn mobiel ging weer. Mijn opdringerige, verdomde mobiel, die het nooit opgaf. Ik zag op de display dat het Yogi was. Ik klikte het gesprek weg en schreef hem een sms waarin ik vroeg om vandaag en morgen met rust gelaten te worden.

IK HEB DEZE TIJD VOOR MEZELF NODIG, VRIEND.

IK BEL JE VRIJDAG.

Daarna gaf ik Shania vierduizend roepie en de eerste lege Ben & Jerry's-verpakking, met instructies waar ze het ijs kon kopen en dat ik het met gelijke tussenpozen geserveerd wilde hebben in de vluchtige toestand tussen bevroren en gesmolten.

Toen ze weg was huilde ik geluidloos, zonder één keer te snikken. Ik liet de tranen gewoon over mijn wangen rollen zodat de zoute smaak ervan zich vermengde met de zoetheid van het ijs.

Perfect in balans, zou Yogi zeggen.

Ik bleef 's nachts in de hangmat op het dakterras liggen en sliep onrustig, en de volgende dag ging ik verder met mijn ongezonde dieet en monotone muziektherapie onder de bananenboom, met een stel mooie, groenglanzende parkieten als enige gezelschap.

Er gebeurt iets met iemand die zoveel suiker eet en keer op keer naar hetzelfde nummer luistert. Misschien kun je het vergelijken met een sadhoe die vast en in een meditatieve trance blijft met behulp van een mantra. De gedachten komen vrij, de samenhang wordt blootgelegd.

Wie was ik eigenlijk? Een katalysator voor het geluk van anderen? Een ontketenende factor die een andere man laat inzien hoeveel hij van zijn vrouw houdt en de vrouw laat begrijpen dat het enige wat ze al die jaren echt heeft gemist een duidelijk teken van zijn liefde is? Waardering. Passie. Hartstocht. Begeerte. Liefdesverklaringen. Ik had haar alles gegeven wat ze diep vanbinnen van hem wilde hebben en uiteindelijk ook had gekregen.

Ik dacht aan mijn tijd met Preeti. Hoe ze me stormenderhand had veroverd met haar charme. Hoe de koortsige hitte in onze ontmoetingen had getuigd van een honger die zo sterk was dat het bijna pijn deed. Maar ook dat ze soms een moeilijk te begrijpen afstand hield als we praatten en dat ze niet één keer had gezegd dat ze van me hield, hoewel ik haar meerdere keren mijn liefde had verklaard.

Ik was warm, ik had een groot hart, ik was levend en grappig en zelfs knap. Maar ze hield niet van me. Ik was een surrogaat voor iemand anders. Ik was Mr Second Choice, die er geen idee van had wat hij nu met zijn waardeloze leven aan moest.

Als er werkelijk een god bestond, of miljoenen goden zoals Yogi beweert, dan moet een van hen met een zekere invloed gedacht hebben dat het genoeg was, dat ik voldoende had geleden en dat ik iets nodig had om me mijn gevoel van eigenwaarde terug te geven. Want toen ik vrijdag de laatste lepel ijs uit de laatste Ben & Jerry's-verpakking had gegeten en mijn mobiel aanzette, vond ik een sms van mijn oude kameraad, beursmakelaar en belegger Rogge Gudmundsson.

BEL! IK HEB GOED NIEUWS. ROGGE

Dat deed ik en ik hoorde een slaperige stem.

'Sorry, Rogge, ik was het tijdsverschil vergeten.'

'Ben jij dat, Göran? Wat goed dat je belt. Hoe is het?'

'Goed,' loog ik.

'Heb je er al behoefte aan om naar Zweden terug te komen?'

'Waarom vraag je dat?'

'Je kunt een baan krijgen. Een verdomd goede baan, Göran!'

Ik geef toe dat het klinkt alsof ik het verzin, dat de timing een beetje te mooi was om waar te zijn, maar ik zweer op het graf van mijn vader dat het volgende waar is: Rogge had een verzoek gekregen van een kennis in Stockholm die een succesvol reclamebureau in Östermalm had en nu een filiaal in Malmö zou openen. Daarvoor zocht hij een goede stilist voor een baan als copywriter. Rogge had mijn naam genoemd en verteld over mijn lange ervaring en had wat van mijn journalistieke werk uit India laten zien. Het was meteen in goede aarde gevallen. Ik was precies degene die de Stockholmer zocht, een geroutineerde medewerker met Skånse lokale kennis en lange ervaring binnen de branche, maar met een breed internationaal perspectief en het vermogen om te verrassen. Iemand die nieuwe dingen durfde te proberen.

'Ik wist dat je op zou bloeien als je eenmaal uit die fabriek weg zou zijn, Göran. Als je eindelijk zou loslaten,' zei Rogge lyrisch.

Hij vertelde dat de eigenaar van het reclamebureau mijn artikel over Rishikesh fantastisch had gevonden en dat hij zo hard had gelachen om een paar van mijn grappige columns over India in *Göteborgs-Posten* dat de tranen over zijn wangen liepen.

Als ik wilde kon ik meteen in Malmö beginnen. De arbeidsvoorwaarden waren niet slecht: een beginsalaris van 45.000 kronen per maand en een auto van de zaak. Het was niet alleen goed, het was mijn absolute redding uit een zowel emotionele als financiële schipbreuk.

'Ik doe het,' zei ik zonder de minste aarzeling in mijn stem.

'Echt? Fantastisch! Wanneer kun je beginnen?'

'Geef me drie weken, dan kan ik in Malmö zijn. Dank je, Rogge, dit komt echt op het juiste moment.'

64

Yogi was gebroken toen ik hem vertelde over mijn besluit om India te verlaten. We zaten aan mijn keukentafel en dronken een koude Kingfisher uit mr Malhotra's voortreffelijke koelkast.

'Maar, mister Gora, wat moet ik nu doen? Als jij verdwijnt is het net of iemand mijn rechterarm heeft afgehakt. Ik heb je nodig, je bent mijn allerbeste vriend! Je bent als de oudere broer die ik als kleine jongen in een korte broek nooit heb gehad, waardoor ik de meest buitengewone blijdschap heb gemist!'

We huilden, zowel hij als ik.

'Jij bent ook mijn beste vriend, Yogi, en je zult hierbinnen altijd een plekje hebben,' zei ik terwijl ik mijn hand op mijn hart legde. 'Je moet me in Zweden komen opzoeken, en ik kom hiernaartoe.'

'Dat mogen niet alleen woorden blijven,' zei Yogi, waarna hij zijn neus snoot.

'Ik beloof het op alles wat heilig voor me is.'

Als mensen sentimentele uitspraken doen kan dat in de regel het gevolg zijn van een van de volgende oorzaken:

1. Ze zijn dronken.
2. Ze zijn al wat ouder en zijn gewoon sentimenteel geworden.
3. Het zijn amateurtoneelspelers die nooit zijn toegelaten tot de toneelschool en dat trauma proberen te compenseren met een spectrum aan gekunstelde gevoelens.

Maar ik had maar een halve fles Kingfisher gedronken, zou pas over twaalf tot dertien jaar met pensioen gaan en leed aan een lichte podiumangst. Daar en op dat moment meende ik alles wat ik zei. Yogi was mijn beste vriend en toen hij overeind kwam en zich in mijn armen liet vallen voor een lange, krampachtige omhelzing

kon ik het niet laten om met mijn hand over zijn met water ge-
kamde haar te strijken.

'Ik had het mis met alles over Rama en Hanuman en Sita en Ravana,' snikte hij. 'Het was alleen mijn idiote inbeelding. Iets waarin
ik graag wilde geloven.'

'Dat is godslastering. Wat jij mij hebt geleerd over geloof en
vriendschap zal ik altijd met me meedragen. En ik blijf zoeken naar
mijn innerlijke god. Er zijn er tenslotte nog heel veel om uit te kiezen.'

Yogi liet me los en er verscheen een betraande glimlach op zijn
gezicht.

'Daar, mister Gora, moet ik je in elk geval het allermeeste gelijk
in geven!'

Yogi was niet de enige van wie het moeilijk was om afscheid te nemen. In de korte tijd die ik nog in Delhi was besefte ik hoeveel
goede vrienden ik daar had gekregen, samen met een enkele vijand
misschien. Uma Sharma hield een mooie afscheidsspeech voor me
in de bar van de Foreign Correspondents' Club in het bijzijn van
onder anderen een heel opgelaten Jay Williams, alias de arrogante
Gans van Londen, en een heel enthousiaste Jean Bertrand, alias de
in alcohol geconserveerde fotograaf uit Parijs.

Het artikel in de *Tehelka* had ondanks de afzwakking behoorlijk
grote gevolgen gekregen. Twee harde interviews van Uma met zowel Vivek Malhotra als de Indiase minister van Sociale Zaken en
de ontmaskering van Varun Khanna en zijn handlangers was geen
slecht resultaat. En in Delhi's journalistieke kringen, misschien
met uitzondering van de Gans, werd er niet aan getwijfeld dat ons
journalistieke werk de sociale bezieling en vrijgevigheid van Malhotra had veroorzaakt. Ik was zelfs een soort mythe geworden – de
Zweedse freelancejournalist met de geheimzinnige minnares die
was mishandeld door religieuze vandalen en een indrukwekkende
reportage had geschreven over gierige mannen en kindslaven.

'Het beste is waarschijnlijk toch dat die vent de stichting naar zijn
vrouw heeft vernoemd. Het lijkt er bijna op dat hij met iemand
heeft gerommeld en het nu wil goedmaken,' zei Jean Bertrand.

Iedereen behalve de Gans lachte. Ik ook. Bepaalde geheimen
kunnen beter verborgen blijven. Ik denk dat Vivek Malhotra en ik
het daarover eens waren.

Uma zette haar Harry Potterbril recht en hief haar glas met soda-water.

'Toen ik Goran voor de eerste keer ontmoette zei hij dat hij een eenvoudige reclameman was die over een goed verhaal was gestruikeld en dat hij wilde dat ik hem ermee zou helpen. Ik zou willen dat er meer eenvoudige reclamemensen waren die ergens over struikelden en mijn hulp zochten. Proost, partner, je hebt verdraaid goed werk geleverd!'

Uma was niet alleen een van de scherpste journalisten van Delhi, ze was ook een van de goedhartigste. Toen ik haar vertelde hoeveel zorgen ik me maakte over wat er met Shania zou gebeuren als ik vertrok, regelde ze een nieuwe baan voor haar als secretaresse en manusje-van-alles in een kindertehuis voor weesmeisjes in een grote villa buiten Gurgaon.

Ik gaf Shania de diamanten ring die oorspronkelijk voor Preeti was bedoeld, plus alle spullen die ik voor de flat had gekocht.

'Je kunt de hele zooi verkopen. Alleen de ring is al dertigduizend roepie waard,' zei ik.

'Ik denk dat ik hem wil houden. Als herinnering aan jou,' zei ze.

En daarna huilden we tranen met tuiten.

De decemberochtend dat ik naar Zweden vertrok was het heiig en koud. Het was hoog tijd om te vertrekken. Commissaris R.V. Chopra had me de volgende dag voor een verhoor opgeroepen, en hoewel Uma me had verzekerd dat ik niets hoefde te vertellen over de vrouw met wie ik in Lodi Garden had gezoend, leek het toch belangrijk om niet te worden blootgesteld aan het risico me te verspreken.

Ondanks Yogi's hardnekkige protesten lukte het me te voorkomen dat hij meeging naar de luchthaven. Ik wilde het afscheid niet langer rekken en had wat tijd voor mezelf nodig in de taxi om afscheid van Delhi te nemen.

De stad veranderde voortdurend. In alle betere wijken schoten nieuwe gebouwen omhoog uit de kraters die de oude hadden achtergelaten nadat ze na maar een paar jaar trouwe dienst waren afgebroken. Bij Indira Ghandi International Airport zag ik door de ochtendmist de nieuwe, enorme terminal die in aanbouw was. Over ruim een halfjaar zou het gebouw met veel ophef worden ingewijd en veranderde de hoofdstad van India in een internationale metropool. Dat was in elk geval de bedoeling.

De taxichauffeur stopte een meter of twintig bij de ingang van de vertrekhal vandaan. Dat weerhield de jongens en jongemannen er niet van om zich rond me te verdringen en hun diensten als drager aan te bieden. Ik weerde ze vriendelijk af, maar mijn arm werd stevig vastgepakt door een tengere jongen. Toen ik me omdraaide en naar zijn gezicht keek zag ik een vertrouwde, ondeugende blik.

'Mister Reporter, laat me helpen. Een heel grote, zware koffer!'

Het was Kanshi, de dalitjongen die een getuigenis had afgelegd over de kindslaven van Varun Khanna in Shahpur Jat. Hij droeg dezelfde kleding als de laatste keer dat ik hem had gezien, aangevuld met een kuikengeel colbert van synthetisch materiaal, dat twee maten te groot was. Ik gaf hem mijn koffer.

'Je bent dus vertrokken uit het logement?'

'Ja, nu ik eigen zakenman. Bagage dragen en verkopen. Jij iets voor de reis kopen?'

'Ik denk het niet.'

'Old Monk? Saffraan uit Kashmir? Pashminasjaal? Indiase porno? Ik regel alles. Heel goedkoop! In twee minuten!'

'Nee, dank je. Maar je krijgt natuurlijk goed betaald voor je werk,' zei ik en ik gaf hem een biljet van honderd roepie.

'Mister Reporter, nog een beetje. Denk aan ik nu zakenman.'

Waarom hij daarvoor een honorarium moest krijgen dat nog hoger lag dan de toch al te hoge fooi die ik hem had gegeven, werd niet duidelijk, maar ik genoot van Kanshi's handelsgeest en gaf hem nog een briefje van honderd.

Nadat hij het geld had gekregen, haalde hij meteen een eendollarbiljet tevoorschijn en vroeg of ik dat voor hem kon wisselen.

'Wat is je koers?'

'De beste koers! Jij kopen Amerikadollar voor maar honderd roepie. Zonder wisselvergoeding!'

Het was de slechtste koers die me ooit was aangeboden, maar ik had mijn Indiase geld toch niet meer nodig, dus leegde ik mijn zakken en gaf alle munten en biljetten aan Kanshi. Het was ruim duizend roepie.

Toen hij besefte dat er geen cent meer uit me te persen was, gaf hij een dankbaar tikje op mijn arm.

'Jij goede man, mister Reporter. Heel gul. Jij nu naar Amerika gaan?'

'Nee, naar Zweden. Dat ligt in Europa.'

'Europa? Nee, Amerika beter! Als ik veel geld verdien ik naar Amerika gaan en nog meer verdienen.'

'Ben je daar niet een beetje jong voor?'

'Ik groei. Daarna mijn zaken groeien en daarna groeit geld nog meer. En daarna ik naar Amerika gaan.'

Hij gaf me mijn koffer en glimlachte.

'Ik vrij man nu, mister Reporter. En vrij man doet wat hij wil.'

65

almö verwelkomde me met zijn gebruikelijke decembercharme. Een met sneeuw vermengde regenbui stortte neer uit de donkere hemel en zwiepte in mijn gezicht toen ik door de ingang van het Centraal Station naar buiten liep nadat ik de Öresundtrein over de brug vanaf luchthaven Kastrup had genomen. Ik stak schuin over naar de rij taxi's die aan de andere kant van de busvluchtheuvel stonden en stapte in de voorste, die me de bijna twee kilometer naar mijn flat aan het Davidshallsplein reed.

Ik toetste de portiekcode in en nam de lift naar de derde verdieping. Uit mijn flat klonk een onmelodieuze technodreun op een schokkend hard volume. Linda had het nieuwe haatobject van de buren van me gemaakt, dacht ik terwijl ik de sleutel in het slot stak.

Toen ik een paar stappen de hal in was gelopen, rook mijn gevoelige neus een zwakke geur van rottend afval. Ik keek in de keuken. Het aanrecht stond vol vieze borden, lege flessen en oude fastfoodverpakkingen. In de zitkamer werd ik opgewacht door een wirwar aan kleding (een deel was duidelijk mannenkleding), boeken, cd's en dvd's uit mijn eigen collectie die over de vloer verspreid lagen.

Ik zette de muziek geïrriteerd af en hoorde doordringend gekreun uit de slaapkamer komen. Wie het nog nooit heeft meegemaakt, kan ik vertellen dat het een van de meest schokkende dingen is waaraan een vader blootgesteld kan worden: dat hij onwetend van wat hem te wachten staat zijn eigen flat binnenloopt en de stem van zijn dochter herkent die zich overgeeft aan ongeremde seks. Het geluid hield zo'n tien seconden aan voordat Linda en haar gezelschap beseften dat ze niet meer alleen waren.

'Hallo? Wie is daar?' piepte ze en ze klonk plotseling als een heel klein en angstig meisje.

'Je vader,' zei ik, wat afschuwelijk voor haar moest klinken.

Ik overwoog of ik zou zeggen dat ik wat later terug zou komen, maar besefte dat het geen zin had. Het kwaad was al geschied en ik was eerlijk gezegd nogal nieuwsgierig naar de griezel die niet alleen met mijn dochter naar bed ging, maar zo te zien ook samen met haar een zwijnenstal van mijn flat maakte.

Ik ging op de bank zitten wachten. Drie minuten later kwam Linda naar buiten met verwarde haren en rode wangen. Ze droeg een enorm T-shirt dat tot haar knieën kwam met Malmö FF's clubembleem erop, en ik bedacht dat het in elk geval een verzachtende omstandigheid was als het shirt van de griezel was. Bovendien moest ze behoorlijk verliefd op hem zijn omdat Linda zich altijd ergerde aan mijn nostalgische hartstocht voor Malmö FF en mijn rituele wandelingen door het bezielde Pildammspark op wedstrijddagen op weg naar het stadion.

'Een voetbalteam is een voetbalteam is een voetbalteam! En Pildammspark is verdorie gewoon een park!'

Zo praten de geschiedenisloze jongeren, maar nu stond ze dus in dat T-shirt voor me en zag ze er gegeneerd uit.

'Papa, ik dacht dat je morgen pas zou komen,' zei ze terwijl de rode kleur op haar wangen nog dieper werd.

'Dat heb je dan verkeerd gedacht,' zei ik. 'Leuk om je te zien. Mooi shirt heb je aan.'

Ik omhelsde haar, en het was ook een overrompelende en onbehaaglijke ervaring om de geur van een vreemde man aan haar te ruiken.

Een lange, breedgeschouderde jongen met een spijkerbroek en een ontbloot bovenlichaam kwam de slaapkamer uit sluipen. Voor een griezel zag hij er leuk uit, met kort, warrig bruin haar en heldere ogen.

'Dit is Jacob,' zei Linda.

Hij stak zijn hand uit en begroette me. Zijn glimlach was zenuwachtig maar zijn handdruk stevig.

'Woon jij hier ook?' vroeg ik.

'Soms,' zei hij.

'Goed, dan is het misschien tijd dat Jacob en Linda gaan schoonmaken. Dat doe je namelijk als je in een flat woont, ook al is die niet van jullie.'

Ik dacht dat ik me de zure opmerking kon verloven zonder iets op het spel te zetten, en dat bleek een juiste risicobeoordeling te zijn.

'Natuurlijk, papa. Ga jij op de bank liggen uitrusten van je reis, dan ruimen wij op. We waren echt van plan om het netjes te maken voordat je er was.'

Ze werkten flink door toen ze eenmaal aan de gang waren. Geen Shaniaklasse natuurlijk, maar na bijna twee uur zag de flat er weer heel gezellig uit.

'Tja, dan ga ik maar,' zei Jacob, die zijn Malmö FF-T-shirt had aangetrokken en zijn spullen in twee plastic tassen stopte. 'Het spijt me van de rommel, dat was niet netjes van ons.'

Ik knikte, pakte zijn uitgestoken hand, hield hem een paar seconden vast en keek in zijn ogen. Toen ik mijn mond opendeed bewoog zijn adamsappel zenuwachtig, alsof hij nog meer vermanende woorden van de strenge vader van zijn vriendin verwachtte.

'Hoe is het dit jaar gegaan?' vroeg ik terwijl ik naar het clubembleem op zijn shirt knikte.

Het duurde even voordat hij begreep waarover het ging, maar daarna verspreidde de opluchting zich over zijn gezicht.

'Bedoel je MFF? Dat ging zoals altijd uit als een nachtkaars, maar later in het seizoen ging het weer iets beter. We zijn zevende of achtste geworden. Hoewel Daniel Larsson en Edward Ofere heel goed waren in de periode dat ze het ene na het andere doelpunt maakten. Het volgende seizoen misschien, als we het team compleet houden.'

Ik hield van de manier waarop hij 'we' zei als hij over het team praatte.

'Ja, volgend seizoen misschien,' zei ik. 'We zullen zien.'

66

inda en ik bivakkeerden een week samen voordat ze met Jacob in een flat aan het Möllevångsplein ging wonen. Ik moest toegeven dat hij heel aardig was. Hij werkte als betonwerker en ik hoopte dat het betekende dat hij iets meer geld te besteden had dan een zweverige student kunstwetenschappen.

Mijn nieuwe leven in Malmö verliep in een heel aangenaam tempo. Ik zag mijn moeder een paar keer en dat voelde goed. Het was bijna alsof er niets was gebeurd sinds we elkaar de laatste keer hadden gezien. Ze vroeg een beetje verstrooid naar India, maar praatte voornamelijk over haar aanstaande golfreis naar Zuid-Afrika.

De nieuwe baan was fantastisch. Het bedrijf heette Östros och vänner en het filiaal in Malmö lag op de elfde verdieping in de Turning Torso. Op die manier was ik hoger gestegen op de carrièreladder dan Kent, in elk geval visueel gezien, en het gaf me veel voldoening als ik hem ver onder me op straat Kommunikatörerna zag binnenslenteren.

Ik had twee jonge collega's – een gespierde man die homo was en Alexander heette, en een meisje dat hetero was en Jenny heette. We konden het goed met elkaar vinden en de opdrachten waren afwisselend. Ik schreef voornamelijk de langere teksten, terwijl de jongeren zorgden voor de campagnes en het webdesign. Maar we werkten grensoverschrijdend, zoals dat zo mooi wordt genoemd, en hielpen elkaar op een constructieve manier. Ik voelde me gestimuleerd, leerde elke dag nieuwe dingen en besteedde geen seconde van mijn werktijd aan onnozel surfen op internet.

Ik ontmoette mijn kameraden van de mannenclub natuurlijk ook. Bij Bullen. Rogge Gudmundsson was blij dat mijn nieuwe baan me zo goed beviel en had nieuwe investeringsideeën voor me (helaas was mijn aandelenportefeuille, die hij voor me beheerde, twintigduizend kronen minder waard na een ongelukkige belegging in Rusland, maar Rogge stelde voor om in plaats daarvan in Azië en vooral

India te beleggen, waar ik met een bonkend hart mee instemde).

Richard Zetterström had helaas diabetes gekregen, wat hem er niet van weerhield om door te gaan met zijn copieuze calorie-inname. Bror Landin zeurde over een column die ik in *Sydsvenskan* had geschreven, waarin ik de naam van de eerste premier van India Jawaharlal Nehru verkeerd had gespeld (niets nieuws onder de zon dus) en Mogens Gravelunds bronchitishoestje was nu zo oorverdovend dat het pijn aan je oren deed om ernaar te luisteren.

Erik was het meest veranderd en was aanzienlijk kalmer dan anders. Het was heel duidelijk dat hij nog niet was hersteld van het gewelddadige einde van zijn relatie met Josefin in Rishikesh. (Overigens vertelde hij niemand over mijn relatie met een getrouwde Indiase vrouw, wat een jaar eerder onmogelijk geweest zou zijn.)

Ook al was hij nu minder onuitstaanbaar, toch geloof ik dat ik de voorkeur gaf aan de oude Erik. Die was echter. Ik hoopte dat de tijd zijn wonden zou helen.

Na lang nadenken nam ik contact op met Mia. De eerste keer dat ik haar belde klonk ze heel ijzig, maar na een tijdje ontdooide ze tot een draaglijke consistentie. Het was niet zo dat ik naar haar verlangde, absoluut niet, maar ze was toch de moeder van mijn kinderen. Bovendien moest een gedeprogrammeerde fobieër de laatste restanten van zijn dwangmechanismen toch ergens kwijt, en het minst pijnlijke dat ik kon bedenken was weer beginnen met het monotone tellen van jaren, maanden en dagen voor en na onze scheiding. Deze keer was dat echter om de diverse gebeurtenissen een plek in de tijd te geven. Het had geen gevoelsmatige betekenis meer voor me en was alleen een gecontroleerde manier om mijn andere demonen op afstand te houden.

De relatie met John hield niet over, en iets anders was ook niet te verwachten. Een vader die plotseling opduikt na een jaar in India, waarin hij maar één keer iets van zich heeft laten horen, kan er natuurlijk niet op rekenen dat hij met open armen ontvangen wordt. Maar ik deed in elk geval mijn best. Eerst stelde ik voor dat we kerstavond samen zouden vieren, maar hij ging al naar Mia en Max toe. Een van de kerstdagen dan? Die vierde hij bij de ouders van zijn vriendin Hanna.

'Dus jullie zijn nog steeds bij elkaar? Wat leuk. Dan kunnen we misschien op oudejaarsavond gaan eten?'

'Dan zijn we al uitgenodigd op een feest,' zei John.

Uiteindelijk kreeg ik driekoningenavond van hem, maar pas nadat hij zich ervan had overtuigd dat Linda ook zou komen.

Ik nam mijn kinderen en hun partners mee naar restaurant Hai voor sushi en sake. Hanna, die ook in Lund voor arts studeerde, was minstens zo aardig als Jacob. Mijn kinderen leken een verstandige partnerkeuze gemaakt te hebben. Na ruim twee uur vertrokken we uit het restaurant zonder dat we hadden afgesproken wanneer we elkaar weer zouden zien, maar ik zei tegen John dat ik hem zou bellen. Hij antwoordde 'natuurlijk' en ik koos ervoor om dat als positief te beschouwen.

En Preeti? Natuurlijk was ze in mijn gedachten. Er ging geen uur voorbij zonder dat ik werd overvallen door het zuigende, lege gevoel in mijn maag.

Ik verzorgde mijn handen. Dat was mijn manier om de bitterzoete herinnering aan haar in leven te houden. Ik kocht een verzachtende crème van een duur merk, een nagelvijl en een nagelschaartje en zelfs een transparante nagellak. Die was mat, net als Preeti op mijn nagels had gedaan toen we elkaar de laatste keer zagen. Hij glansde niet, maar gaf alleen stevigheid.

Mijn haar begon onhandelbaar te worden. Het was tijd om er iets aan te doen, dus belde ik Salon Cissi.

'Göran! Hoe was het in Indonesië?'

'Het was India. Dank je, heel interessant en nuttig. Maar het is fijn om weer in Malmö te zijn.'

'Mia vertelde dat je een leuke nieuwe baan hebt.'

'Ja, die is helemaal geweldig. Nu moet ik er verzorgd uitzien en toen bedacht ik dat jij me maar moest knippen. Heb je volgende week dinsdag rond de lunch nog een plekje?'

'Dat regelen we. Als je om één uur komt, dan zet ik de schaar in je haar.'

12 januari 2010

En nu zit ik dus hier, gehuld in een kapmantel op de kappersstoel, met mijn blik op het spiegelbeeld van de ficus benjamina naast de rode bank, terwijl ik bedenk wat ik tegen Cissi moet zeggen over mijn verzorgde handen. De cirkel is rond. Het meest revolutionaire jaar van mijn leven is voorbij. En ja, het ruikt echt naar rotte eieren in de salon.

'Inderdaad, ik heb een manicure gehad. In India.'

'Wat leuk! Was daar een speciale reden voor?'

'Nee. Het is daar vrij normaal, ook voor mannen. In India beschouwen ze de handen als de spiegels van de ziel. Het is belangrijk om ze te verzorgen.'

Yogi had een keer iets dergelijks over het visitekaartje gezegd, dus dacht ik dat het ook voor handen zou kunnen werken.

'En daar ben ik thuis mee doorgegaan.'

Mijn oren gloeien en ik weet zeker dat het Cissi met haar scherpe blik niet ontgaat. Maar ik geef haar niets. Ik ben op mijn hoede. Elke keer dat ze probeert het gesprek op onveilig terrein te brengen, navigeer ik handig terug met een paar algemene zinnen over de kleuren en spiritualiteit van India.

Als ze klaar is heb ik haar niets verteld. Cissi is teleurgesteld, dat merk ik aan de manier waarop ze geïrriteerd met haar vingers op de balie trommelt als ik betaal. Ze weet dat ze iets op het spoor was met de gemanicuurde handen en het ergert haar dat het haar niet is gelukt om ook maar het kleinste stukje informatie uit me te persen.

'Wanneer zien we elkaar weer?' vraagt ze.

'Waarschijnlijk over twee centimeter,' zeg ik, en dan moet ze lachen hoewel ze eigenlijk chagrijnig wil kijken.

Ik loop zonder paraplu de regen in en laat het water over mijn achterovergekamde haar en mijn kleding stromen. Ik wandel helemaal naar Västra Hamn, door het verlaten Kungspark, waar de paar overwinterende grauwe ganzen zich niet laten zien, langs de

Turbine Hall en de Kockums Fritids ijshal met zijn beslagen ramen. Als ik bij de Turning Torso ben, ben ik drijfnat. De mollige conciërge in de receptie ziet er niet blij uit als ik langsloop terwijl het water van me af gutst en ik de lift naar de elfde verdieping neem.

In het kantoor veroorzaakt mijn natte entree een enorme activiteit. Jenny brengt me handdoeken en een badjas, waarvan ik niet weet waar ze die verstopt houdt. En Alexander zet thee. Het is een goed gevoel om te worden verzorgd door de jongeren. Huiselijk en behaaglijk.

Ik ga met mijn kop thee achter de computer zitten en bekijk mijn mail. Ik heb er een van Yogi, die meteen mijn aandacht trekt.

Het is een uitnodiging. Voor een bruiloft.

Voor zíjn bruiloft.

Mijn ogen schieten koortsig over het scherm. Ik ben op 8 september 2010 uitgenodigd om het huwelijk tussen Yogendra Singh Thakur en Lakshmi Krishnamurti bij te wonen. De bruiloft vindt plaats in Sivaganga, dat in Tamil Nadu ligt. Yogi heeft een persoonlijke tekst bij de uitnodiging gevoegd.

Mister Gora, ik stuur dit nu al naar je zodat je de datum in je agenda kunt omcirkelen en je reis boeken. En ik wens met alle slagen van mijn met bloed gevulde hart dat je kunt komen! Ik heb haar eindelijk gevonden, mijn Durga met de olifantenhuid. Of liever gezegd, mijn Lakshmi! Zo heet ze, net als de godin. Ze is de dochter van de sympathieke textielhandelaar met wie ik zoveel schitterende zaken heb gedaan. Het is bijna een love marriage. Niet in de meest formele betekenis natuurlijk, maar we hebben elkaar op de meest fantastische manier leren kennen tijdens al mijn reizen naar Madras, die, dat moet ik bekennen, niet alleen waren bedoeld voor het kopen van de spreien met borduursel van de beste kwaliteit voor een heel schappelijke prijs.

Ze was een schat waar ik de kaart van gevonden heb. Sindsdien had ik die kaart als een geheim in mijn binnenzak en nu is het tijd om de schat op te graven en de onweerstaanbaar stralende glans ervan aan de hele wereld te laten zien. Amma heeft haar ontmoet en dat ging goed. In elk geval zo goed als ik met de meest nederige hoop had

kunnen voorzien. Onze ouders zijn het helemaal eens. Ik
geloof dat Lakshmi het beste gezelschap voor amma wordt
als ze na de bruiloft met me meegaat naar Delhi. Ze is wijs
en verstandig en diplomatiek en toch sterk en zelfstandig
als de meest krachtige en betoverende godin die je je kunt
voorstellen. Ze is heel gewoon helemaal fantastisch! (Bo-
vendien heeft ze een oudere zus die heel mooi en heel erg
ongetrouwd is.)

Met de hoop dat ik je als gast op mijn bruiloft zie en met
innerlijk gemis vraag ik je om je nu al voor te bereiden op
je fantastische terugkeer naar het meest fantastische van
alle fantastische landen. Sivaganga ligt zes uur rijden van
Madras. Neem een vliegtuig hiernaartoe, dan haal ik je
op!

Je allerbeste vriend Yogi

Die schurk. Hij had het gedaan! Hij deed wat mij niet was gelukt!

Ik surf naar de site van de vliegwinkel, voornamelijk om te kijken wat een vliegreis van Kopenhagen naar Madras kost. Ik probeer een paar data. De goedkoopste vlucht die ik rond het juiste tijdstip vind vertrekt op 4 september 2010, met Lufthansa via Frankfurt. Een retour, niet omboekbaar, voor 7314 kronen.

Nee, dat is idioot.

Ik probeer in plaats daarvan een enkele reis: 4405 kronen. Dat is duurder als je bedenkt dat ik later een ticket terug moet kopen, maar het betekent wel dat ik de terugreis open kan houden.

Ik zet de cursor op het hokje waar de passagiersnaam moet komen, voornamelijk om te zien hoe het voelt.

Het voelt aanlokkelijk.

Ik aarzel. Probeer verstandig te zijn. Het is echter alsof mijn vingers al hebben besloten welke plek ze op het toetsenbord in moeten nemen.

Voordat ik een bewust besluit heb kunnen nemen, staat het er: *Mr Göran Borg.*

Ik glimlach en voel hoe de warmte zich door mijn door regen geteisterde lichaam verspreidt.